dtv
premium

Ausführliche Informationen über
unsere Autoren und Bücher
finden Sie auf unserer Website
www.dtv.de

Chris Cleave

Little Bee

Roman

Deutsch von
Susanne Goga-Klinkenberg

Deutscher Taschenbuch Verlag

Für Joseph

Deutsche Erstausgabe 2011
3. Auflage 2011
Deutscher Taschenbuch Verlag GmbH & Co. KG,
München
© 2008 Chris Cleave
Titel der englischen Originalausgabe:
›The Other Hand‹ (Sceptre, London 2008)
© 2011 der deutschsprachigen Ausgabe:
Deutscher Taschenbuch Verlag GmbH & Co. KG,
München
Umschlagkonzept: Balk & Brumshagen
Umschlaggestaltung: Lisa Helm
Satz: Greiner & Reichel, Köln
Gesetzt aus der Sabon 10,5/13·
Druck und Bindung: CPI – Ebner & Spiegel, Ulm
Gedruckt auf säurefreiem, chlorfrei gebleichtem Papier
Printed in Germany · ISBN 978-3-423-24819-8

Großbritannien ist stolz auf seine Tradition, Flüchtingen [sic] einen sicheren Hafen vor Verfolgung und Krieg zu bieten.

Aus *Life in the United Kingdom: A Journey to Citizenship* (brit. Innenministerium, 2005)

I

Oft wünsche ich mir, ich wäre kein afrikanisches Mädchen, sondern eine britische Pfundmünze. Dann würde sich jeder freuen, mich zu sehen. Vielleicht würde ich dich am Wochenende besuchen und dann plötzlich, weil ich ein bisschen wankelmütig bin, den Mann aus dem Laden nebenan besuchen – aber du wärst nicht traurig, weil du stattdessen ein Zimtbrötchen essen oder eine kalte Coca-Cola aus der Dose trinken und nie mehr an mich denken würdest. Wir wären glücklich, wie ein Liebespaar, das sich im Urlaub kennengelernt hat und danach haben beide den Namen des anderen vergessen.

Eine Pfundmünze kann dorthin gehen, wo es ihr am sichersten scheint. Sie kann Wüsten und Ozeane durchqueren und das Geräusch von Gewehrfeuer und den bitteren Geruch von brennendem Dachstroh hinter sich lassen. Wenn sie sich warm und sicher fühlt, dreht sie sich um und lächelt dich an, so wie meine große Schwester Nkiruka die Männer in unserem Dorf anlächelte, in dem kurzen Sommer, als sie kein Mädchen mehr war, aber auch noch keine richtige Frau, und auf jeden Fall vor dem Abend, an dem meine Mutter sie beiseitenahm und ernsthaft mit ihr redete.

Natürlich kann auch eine Pfundmünze ernst sein. Sie kann sich als Macht oder Besitz tarnen, und etwas Ernsteres gibt es nicht für ein Mädchen, das keins von beidem hat. Du musst versuchen, das Pfund zu fangen und in die

Tasche zu stecken, so dass es nur dann ein sicheres Land erreichen kann, wenn es dich mitnimmt. Doch ein Pfund beherrscht alle möglichen Zaubertricks. Ich habe schon erlebt, dass es wie eine Eidechse den Schwanz abwirft, wenn man ihm nachjagt, so dass man plötzlich nur noch ein paar Pence in der Hand hält. Und wenn du schließlich nach ihm greifst, kann das britische Pfund den größten Zauber von allen vollführen. Dann nämlich verwandelt es sich nicht in einen, sondern in zwei vollkommen identische grüne amerikanische Dollarscheine. Dann hältst du nur noch Luft zwischen den Fingern, kann ich dir sagen.

Wie gern wäre ich ein britisches Pfund. Ein Pfund ist frei, in ein sicheres Land zu reisen, und wir sind frei, es gehen zu sehen. Das ist der menschliche Triumph. Man nennt es *Globalisierung.* Ein Mädchen wie ich wird bei der Einreisekontrolle aufgehalten, doch ein Pfund kann über das Drehkreuz springen und dem Zugriff der großen Männer mit den Uniformmützen entgehen und geradewegs in ein wartendes Flughafentaxi hüpfen. *Wohin soll's gehen, Madam?* In die westliche Zivilisation, guter Mann, und zwar ein bisschen plötzlich.

Merkst du, wie hübsch eine britische Pfundmünze spricht? Sie spricht mit der Stimme von Königin Elisabeth der Zweiten von England. Deren Gesicht hat man ihr eingeprägt, und wenn ich ganz genau hinschaue, sehe ich manchmal, wie sich ihre Lippen bewegen. Ich halte sie an mein Ohr. Was sie wohl sagt? *Legen Sie mich sofort hin, junge Dame, sonst rufe ich die Wachen.*

Wer würde nicht bedingungslos gehorchen, wenn die Königin mit einer solchen Stimme spricht? Ich habe gelesen, dass die Leute in ihrer Umgebung – sogar Könige und Premierminister – automatisch mit dem Körper gehorchen, bevor ihr Gehirn darüber nachdenken kann. Und ich sage euch, es sind nicht die Krone und das Zepter, die diese

Wirkung haben. Ich könnte mir eine Tiara auf meine kurzen, krisseligen Haare setzen und ein Zepter in die Hand nehmen, etwa so, und die Polizisten würden trotzdem mit ihren großen Schuhen anmarschiert kommen und sagen: *Nette Aufmachung, Madam, aber jetzt würden wir gern mal Ihre Papiere sehen.* Es sind nicht die Krone und das Zepter der Königin, die in eurem Land regieren. Es sind ihre Grammatik und ihre Stimme. Deshalb ist es höchst erstrebenswert, so zu sprechen wie sie. So kann man nämlich mit einer Stimme, die klar ist wie der Cullinan-Diamant, zu den Polizisten sagen: *Unerhört, wie können Sie es wagen?*

Ich bin überhaupt nur deshalb am Leben, weil ich das Englisch der Königin gelernt habe. Vielleicht meint ihr, das sei gar nicht so schwer. Immerhin ist Englisch die Amtssprache meines Heimatlandes Nigeria. Das stimmt schon, das Problem ist nur, dass wir es bei uns zu Hause so viel besser sprechen als ihr. Um das Englisch der Königin zu lernen, musste ich die besten Tricks meiner Muttersprache vergessen. Zum Beispiel könnte die Königin niemals sagen: *Gab viel wahala, das Mädchen da hat sich mit Popohexerei meinen Sohn Nummer eins geschnappt, und jeder wusste, sie endet im bösen Busch.* Stattdessen muss die Königin sagen: *Meine verstorbene Schwiegertochter setzte ihre weiblichen Reize ein, um sich mit meinem Erben zu verloben, und man hätte wissen müssen, dass dies nicht gut endet.* Das ist ein bisschen traurig, findet ihr nicht? Das Englisch der Königin zu lernen ist so, als würde man sich am Morgen nach einem Tanz den leuchtend roten Lack von den Zehennägeln schrubben. Es dauert lange, und am Ende bleibt immer ein bisschen übrig, ein roter Rand, der einen an den Spaß erinnert, den man hatte. Ihr versteht also sicher, dass ich nur langsam lernte. Andererseits hatte ich viel Zeit. Ich habe eure Sprache im Abschiebegefängnis in Essex gelernt, im Südosten des Vereinigten Königreichs. Zwei Jahre haben sie mich dort eingesperrt. Zeit war das Einzige, was ich hatte.

Warum ich mir die Mühe gemacht habe? Weil mir die älteren Mädchen etwas erklärt haben: Um zu überleben, musst du hübsch aussehen oder noch schöner sprechen. Bei den Unscheinbaren und Stillen sind die Papiere nie in Ordnung. Ihr sagt, sie werden zurückgeführt. Wir sagen, *früh nach Hause geschickt*. Als wäre euer Land ein Kindergeburtstag, der zu wunderbar ist, um ewig zu dauern. Aber die Hübschen und die Redegewandten, die dürfen bleiben. Sie machen euer Land lebhafter und schöner.

Ich werde euch erzählen, was passiert ist, als sie mich aus der Abschiebehaft entließen. Der Wachbeamte drückte mir einen Gutschein in die Hand, einen Transportgutschein, und sagte, ich könne mir ein Taxi rufen. Ich sagte: *Vielen Dank, Sir, möge Gott Ihr Leben mit Gnade erfüllen und Freude in Ihr Herz bringen und Ihre Lieben mit Wohlstand bedenken.* Der Beamte verdrehte die Augen zur Decke, als gäbe es dort oben etwas sehr Interessantes zu sehen, und sagte, *Himmel*. Dann zeigte er mit dem Finger den Flur entlang und sagte: *Da ist das Telefon.*

Also stand ich vor dem Telefon in der Schlange. Ich dachte, ich habe wohl übertrieben, als ich mich bei dem Wachbeamten bedankte. Die Königin hätte einfach nur *Vielen Dank* gesagt und es dabei belassen. Nein, die Königin hätte dem Wachbeamten vermutlich gesagt, er solle das verdammte Taxi selber rufen, sonst würde sie ihn erschießen lassen und ihm den Kopf vom Körper trennen und auf dem Tower of London zur Schau stellen lassen. Genau da wurde mir klar, dass es eine Sache ist, in einer Zelle im Abschiebegefängnis das Englisch der Königin aus Büchern und Zeitungen zu lernen, aber eine ganz andere, die Sprache tatsächlich mit den Engländern zu sprechen. Ich war wütend auf mich. Ich dachte, solche Fehler kannst du dir nicht leisten, Mädchen. Wenn du wie eine Wilde redest, die Englisch auf dem Boot gelernt hat, werden die Männer dir auf die Schliche kommen und dich geradewegs nach Hause schicken. Das habe ich gedacht.

Vor mir in der Schlange standen drei Mädchen. Man ließ uns alle am selben Tag frei. Es war ein Freitag. Ein heller, sonniger Morgen im Mai. Der Flur war schmutzig, roch aber sauber. Ein guter Trick. Sie machen das mit Bleichmittel.

Der Wachbeamte saß an seinem Tisch. Er schaute uns Mädchen nicht an. Er las Zeitung. Sie lag aufgeschlagen auf dem Tisch. Es war keine der Zeitungen, aus denen ich eure Sprache gelernt habe – die *Times* oder der *Telegraph* oder der *Guardian*. Nein, diese Zeitung war nicht für Leute wie dich und mich. Ein Foto darin zeigte ein weißes Mädchen, und zwar oben ohne. Ihr versteht, was ich damit meine, denn wir sprechen hier eure Sprache. Würde ich diese Geschichte aber meiner großen Schwester Nkiruka und den anderen Mädchen aus meinem Dorf erzählen, müsste ich an dieser Stelle unterbrechen und ihnen erklären: *Oben ohne* bedeutet nicht, dass die Dame in der Zeitung keinen Oberkörper hatte. Es heißt, dass sie oben herum keine *Kleidungsstücke* trug. Versteht ihr den Unterschied?
– *Moment mal. Nicht mal einen Büstenhalter?*
– *Nicht mal einen Büstenhalter.*
– *Wah!*
Dann würde ich meine Geschichte weitererzählen, aber die Mädchen zu Hause würden tuscheln. Sie würden hinter vorgehaltenen Händen kichern. Wenn ich weiter von dem Morgen erzählen wollte, an dem ich aus dem Abschiebegefängnis entlassen wurde, würden mich die Mädchen erneut unterbrechen. Nkiruka würde sagen: *Hör mal zu, ja? Hör zu. Nur damit das klar ist. Das Mädchen auf dem Zeitungs-*

foto. Sie war eine Prostituierte, oder? Eine Nachtjägerin?
Hat sie vor Scham auf den Boden geschaut?
– Nein, sie hat nicht vor Scham auf den Boden geschaut. Sie
schaute genau in die Kamera und lächelte.
– Was, in der Zeitung?
– Ja.
– Dann muss man sich in Großbritannien also nicht schä-
men, wenn man seine Tittis in der Zeitung zeigt?
– Nein, muss man nicht. Die Jungs mögen es, mit Schämen
hat das nichts zu tun. Sonst würden die Oben-ohne-Mäd-
chen nicht so lächeln, versteht ihr?
– Also zeigen alle Mädchen da drüben sie so her? Sie laufen
mit hüpfenden Tittis herum? In der Kirche und im Laden
und auf der Straße?
– Nein, nur in der Zeitung.
– Warum zeigen nicht alle ihre Brüste, wenn es den Män-
nern gefällt und man sich nicht schämen muss?
– Das weiß ich nicht.
– Du hast doch mehr als zwei Jahre dort gelebt, Miss Weit-
gereist. Wieso weißt du das nicht?
– So ist es eben da drüben. Als ich dort lebte, war ich oft so
durcheinander. Manchmal denke ich, die Briten können
solche Fragen selbst nicht beantworten.
– Wah!

So würde es gehen, ständig müsste ich mich unterbrechen
und den Mädchen zu Hause jede Kleinigkeit erklären. Ich
müsste ihnen erklären, was Linoleum und Bleichmittel und
Softporno und die gestaltwandlerische Magie der britischen
Pfundmünze ist, als wären diese alltäglichen Dinge wunderbare Mysterien. Und meine Geschichte würde rasch im
großen Ozean der Wunder untergehen, weil es aussähe, als
wäre euer Land ein verzaubertes Wunderreich und meine eigene Geschichte in Wirklichkeit ganz klein und ohne
Magie. Mit euch ist es viel leichter, weil ich zu euch einfach

sagen kann: An dem Morgen, an dem sie uns freiließen, starrte der diensthabende Beamte im Abschiebegefängnis das Foto eines Oben-ohne-Mädchens in der Zeitung an. Und ihr versteht sofort, was ich meine. Ich habe zwei Jahre damit verbracht, das Englisch der Königin zu lernen, damit wir ohne Unterbrechungen miteinander reden können.

Der Wachbeamte, der das Oben-ohne-Foto in der Zeitung anschaute, war klein und sein Haar blass, wie die Champignonsuppe aus der Dose, die man uns dienstags vorsetzte. Er hatte einen kleinen Bauch, und seine Handgelenke waren dünn und weiß wie mit Plastik umhüllte Stromkabel. Seine Uniform war größer als er selbst. Die Schultern seiner Jacke bildeten links und rechts von seinem Kopf zwei Buckel, als hätte er kleine Tiere darunter versteckt. Ich stellte mir vor, wie die Geschöpfe ins Licht blinzelten, wenn er die Jacke abends auszog. Ich dachte, ja, Sir, wenn ich Ihre Frau wäre, würde ich auch den Büstenhalter anbehalten, danke vielmals.

Und dann dachte ich, warum sehen Sie das Mädchen in der Zeitung an, Mister, und nicht uns hier in der Schlange vor dem Telefon? Angenommen, wir würden einfach weglaufen? Aber dann fiel mir ein, dass sie uns ja freiließen. Nach so langer Zeit war es schwer zu begreifen. *Zwei Jahre* hatte ich im Abschiebegefängnis gelebt. Ich war vierzehn, als ich in euer Land kam, hatte aber keine Papiere, um es zu beweisen. Also steckten sie mich ins selbe Abschiebegefängnis wie die Erwachsenen. Das Problem war, dass Männer und Frauen dort gemeinsam eingesperrt waren. Nachts kamen die Männer in einen anderen Flügel des Abschiebegefängnisses. Wenn die Sonne unterging, wurden sie wie Wölfe eingesperrt, doch tagsüber bewegten sich die Männer mitten unter uns und aßen das gleiche Essen wie wir. Ich fand, dass sie immer hungrig aussahen. Dass sie mich mit gierigen Augen betrachteten. Als mir die älteren

Mädchen zuflüsterten, *um zu überleben, musst du gut aussehen oder gut sprechen,* entschied ich, dass Sprechen sicherer wäre.

Ich machte mich selbst unattraktiv. Ich wusch mich nicht mehr und ließ meine Haut fettig werden. Unter der Kleidung wickelte ich mir einen Stoffstreifen um die Brust, damit meine Brüste klein und flach aussahen. Wenn die Spendenkartons mit gebrauchten Kleidern und Schuhen ankamen, versuchten einige Mädchen, sich hübsch zu machen, doch ich durchwühlte die Kartons nach Sachen, die meine Figur verbargen. Ich trug weite Jeans und ein buntgemustertes Männerhemd und schwere schwarze Stiefel, bei denen die Stahlkappen durch das rissige Leder schimmerten. Ich ging zur Krankenschwester und ließ mir mit einer Arztschere die Haare ganz kurz schneiden. In den zwei Jahren lächelte ich keinem Mann zu oder schaute ihn auch nur an. Solche Angst hatte ich. Nur nachts, wenn sie die Männer eingeschlossen hatten, ging ich in meine Zelle und wickelte den Stoff von meinen Brüsten und atmete tief durch. Dann streifte ich die schweren Stiefel ab und zog die Knie bis unters Kinn. Einmal in der Woche setzte ich mich auf die Schaumstoffmatratze meines Bettes und lackierte mir die Zehennägel. Ich hatte das Fläschchen ganz unten in einem Spendenkarton gefunden. Das Preisschild klebte noch drauf. Sollte ich jemals dem Menschen begegnen, der es gespendet hat, werde ich ihm sagen, dass er mir für ein britisches Pfund und neunundneunzig Pence das Leben gerettet hat. Denn das tat ich an jenem Ort, um mich daran zu erinnern, dass ich unter all den Sachen noch am Leben war: Ich trug unter meinen stählernen Schuhkappen leuchtend roten Nagellack. Wenn ich die Stiefel auszog, musste ich manchmal die Augen zukneifen, um nicht zu weinen, und wiegte mich hin und her und zitterte vor Kälte.

Meine große Schwester Nkiruka wurde in der Vegetationsperiode unter der afrikanischen Sonne zur Frau, und wer kann es ihr verdenken, dass die große, rote Hitze dieser Zeit sie schwindlig und kokett machte? Wer hätte sich nicht gegen den Türpfosten seines Hauses gelehnt und mit leiser Nachsicht gelächelt, als meine Mutter sie beiseitenahm, um ihr zu sagen: *Nkiruka, Liebes, du darfst die großen Jungen nicht so anlächeln?*

Ich hingegen wurde eine Frau unter weißen Neonröhren, in einem unterirdischen Raum in einem Abschiebegefängnis sechzig Kilometer östlich von London. Dort gab es keine Jahreszeiten. Es war kalt, kalt, kalt, und ich hatte niemanden, den ich anlächeln konnte. Diese kalten Jahre sind in mir eingefroren. Das afrikanische Mädchen, das sie ins Abschiebegefängnis sperrten, das arme Kind, ist nie wirklich entkommen. In meiner Seele ist es noch immer dort eingeschlossen, auf ewig, unter dem Neonlicht, zusammengerollt auf dem grünen Linoleum, die Knie ans Kinn gezogen. Und die Frau, die sie aus dem Abschiebegefängnis entließen, das Geschöpf, das ich heute bin, ist eine neue Menschenart. An mir ist nichts Natürliches. Ich wurde in Gefangenschaft geboren – nein, wiedergeboren. Ich lernte meine Sprache aus euren Zeitungen, bekam eure abgelegten Kleider, und es ist euer Pfund, das schmerzhaft in meiner Tasche fehlt. Stellt euch eine junge Frau wie aus einer lächelnden Anzeige für *Save the Children* vor, die fadenscheinige rosa Kleider aus dem Container auf dem Parkplatz eures Supermarktes trägt und Englisch wie der Leitartikel der *Times* spricht. Also, ich würde die Straßenseite wechseln. Das ist wohl das Einzige, worin sich die Leute aus eurem Land und die Leute aus meinem Land einig wären. Sie sagen: *Dieses Flüchtlingsmädchen gehört nicht zu uns. Es gehört nirgendwohin.* Das Mädchen ist ein Halbling, der Spross einer unnatürlichen Paarung, ein fremdes Gesicht im Mond.

Na gut, ich bin also ein Flüchtling und sehr einsam. Ist

es meine Schuld, dass ich nicht wie ein englisches Mädchen aussehe und nicht wie eine Nigerianerin spreche? Wer sagt denn, ein englisches Mädchen müsste eine Haut haben, die so blass ist wie die Wolken, die durch ihre Sommer schweben? Wer sagt denn, ein nigerianisches Mädchen müsste gebrochenes Englisch sprechen, als wäre das Englische hoch oben in der Atmosphäre mit Ibo zusammengestoßen und ihr in einem Schauer in den Mund geregnet, der sie fast ertränkte, worauf sie süße Geschichten von den bunten Farben Afrikas und dem Geschmack gebratener Kochbananen herauswürgt? Nicht wie eine Geschichtenerzählerin, sondern wie ein Überschwemmungsopfer, das aus der Flut gerettet wird und das koloniale Wasser aus den Lungen hustet?

Ich bitte um Entschuldigung, dass ich eure Sprache richtig gelernt habe. Ich bin hier, um euch eine wahre Geschichte zu erzählen. Ich bin nicht gekommen, um von den bunten Farben Afrikas zu sprechen. Ich bin eine wiedergeborene Bürgerin der Dritten Welt und werde euch beweisen, dass Grau die Farbe meines Lebens ist. Und sollte ich insgeheim doch gebratene Kochbananen lieben, muss das unter uns bleiben. Ich bitte euch, erzählt es *niemandem*, okay?

An dem Morgen, an dem sie uns aus dem Abschiebegefängnis entließen, gaben sie uns all unsere Besitztümer mit. Ich hatte meine in einer durchsichtigen Plastiktüte. Ein Collins-Taschenwörterbuch, ein Paar graue Socken, eine graue Unterhose, einen britischen Führerschein, der nicht mir gehörte, und eine wasserfleckige Visitenkarte, die auch nicht mir gehörte. Wenn ihr es genau wissen wollt, die Sachen gehörten einem weißen Mann namens Andrew O'Rourke. Ich traf ihn an einem Strand.

Die kleine Plastiktüte hielt ich in der Hand, als der Wachbeamte mir sagte, ich solle mich in die Schlange vor dem Telefon stellen. Das erste Mädchen in der Schlange war groß und hübsch. Ihre Methode war Schönheit, nicht Sprache.

Ich fragte mich, wer von uns die bessere Wahl getroffen hatte, um zu überleben. Dieses Mädchen hatte sich die Augenbrauen ausgezupft und dann mit einem Stift nachgezogen. Das hatte sie getan, um ihr Leben zu retten. Sie trug ein violettes A-Linien-Kleid mit rosa Sternen und Monden darauf. Sie hatte ein hübsches rosa Tuch um die Haare gebunden und violette Flipflops an den Füßen. Ich dachte, dass sie sehr lange in unserem Abschiebegefängnis eingesperrt gewesen sein musste. Man muss nämlich sehr viele Spendenkartons durchsuchen, bis man ein wirklich passendes Ensemble zusammenhat.

An den braunen Beinen des Mädchens waren viele kleine weiße Narben zu sehen. Ich überlegte, ob diese Narben wohl ihren ganzen Körper bedeckten, so wie die Sterne und Monde ihr Kleid. Das stellte ich mir hübsch vor, und ich bitte euch hier und jetzt um eure Zustimmung, dass eine Narbe niemals hässlich ist. Das wollen uns nur die Narbenmacher einreden. Aber ihr und ich, wir müssen uns zusammentun und ihnen trotzen. Wir müssen alle Narben als schön ansehen. Okay? Das ist unser Geheimnis. Denn glaubt mir, wer stirbt, bekommt keine Narben. Eine Narbe bedeutet: »Ich habe überlebt.«

Noch ein paar wenige Atemzüge, dann werde ich traurige Worte zu euch sprechen. Aber ihr müsst damit ebenso umgehen wie mit den Narben. Traurige Worte sind auch eine Form von Schönheit. Eine traurige Geschichte bedeutet, die Erzählerin ist am Leben. Ehe ihr euch verseht, wird ihr etwas Schönes passieren, etwas *Wunderbares*, und dann wird sie sich umdrehen und lächeln.

Das Mädchen mit dem violetten Kleid und den Narben an den Beinen redete schon in den Hörer. Sie sagte gerade: *Hallo, Taxi? Mich abholen ja? Gut. Oh, woher? Ich kommen aus Jamaika, Kollege, weißt du. Wie? Was? Oh, woher jetzt abholen? Warten, bitte.*

Sie legte die Hand über den Hörer, drehte sich zu dem zweiten Mädchen in der Schlange um und sagte: *Hör mal, wie heißt Ort, wo wir sind?* Das zweite Mädchen sah sie an und zuckte nur mit den Schultern. Sie war dünn, und ihre Haut war dunkelbraun, und ihre Augen waren grün wie ein Geleebonbon, wenn man die äußere Zuckerschicht abgelutscht hat und es vor den Mond hält. Sie war so hübsch, ich kann es gar nicht sagen. Sie trug einen gelben Sari. Sie hatte eine durchsichtige Plastiktüte wie meine, aber es war nichts drin. Zuerst dachte ich, sie wäre leer, und ich dachte, warum trägst du die Tüte bei dir, Mädchen, wenn nichts drin ist? Ich konnte ihren Sari durch die Tüte sehen und entschied, dass sie eine Tüte voller Zitronengelb in der Hand hielt. Das war alles, was sie besaß, als man uns Mädchen freiließ.

Ich kannte das zweite Mädchen ein bisschen. Wir waren zwei Wochen lang im selben Raum gewesen, aber ich hatte nie mit ihr gesprochen. Sie konnte kein Wort von irgendeinem Englisch. Deshalb zuckte sie nur mit den Schultern und hielt sich an ihrer Tüte voll Zitronengelb fest. Da verdrehte das Mädchen am Telefon die Augen zur Decke, so wie es der Wachbeamte an seinem Tisch getan hatte.

Das Mädchen am Telefon wandte sich an das dritte Mädchen in der Schlange und fragte: *Weißt du, wie Ort heißt, wo wir sind?* Doch das dritte Mädchen wusste es auch nicht. Sie stand einfach da und trug ein blaues T-Shirt und blaue Jeans und weiße Dunlop-Green-Flash-Turnschuhe, und sie schaute nur hinunter auf ihre durchsichtige Tüte, und ihre Tüte war voller Briefe und Dokumente. In der Tüte war so viel Papier, zerknüllt und verknittert, dass sie die Tüte mit der Hand zuhalten musste, damit es nicht herausquoll. Nun, das dritte Mädchen kannte ich auch ein bisschen. Sie war nicht hübsch und gut reden konnte sie auch nicht, aber es gibt noch eine Sache, die verhindern kann, dass sie einen *früh nach Hause schicken.* Dieses Mädchen hatte seine Geschichte aufschreiben und ganz offiziell machen lassen. Am Ende waren Stempel, die in roter Tinte besagten, diese Geschichte ist WAHR. Ich weiß noch, wie sie mir einmal ihre Geschichte erzählte, und sie lautete in etwa,

die-Männer-kamen-und-sie-
verbrannten-mein-Dorf-
fesselten-meine-Mädchen-
vergewaltigten-meine-Mädchen-
nahmen-meine-Mädchen-mit-
peitschten-meinen-Mann-
zerschnitten-meine-Brust-
ich-rannte-weg-
durch-den-Busch-
fand-ein-Schiff-
fuhr-übers-Meer-
und-dann-haben-sie-mich-hier-eingesperrt. Oder so ähnlich. Ich brachte all die Geschichten, die ich in der Abschiebehaft hörte, manchmal durcheinander. Die Geschichten der Mädchen fingen immer an mit *die-Männer-kamen-und-sie.* Und alle Geschichten endeten mit *und-dann-haben-sie-mich-hier-eingesperrt.* Alle Geschichten waren traurig, aber ihr und ich, wir haben ja eine Vereinbarung über die traurigen Worte getroffen. Dieses Mädchen – Mädchen drei in der Schlange – war von ihrer Geschichte so traurig geworden, dass sie nicht mehr den Namen des Ortes wusste, an dem sie war, und ihn auch gar nicht wissen wollte. Das Mädchen war nicht einmal neugierig.

Das Mädchen mit dem Telefonhörer fragte sie noch einmal. *Was?,* fragte sie. *Du nicht redest? Wie kann sein, dass du Name von Ort nicht weißt?*

Da verdrehte das dritte Mädchen in der Schlange auch die Augen zur Decke, und das Mädchen mit dem Telefonhörer drehte die Augen ein zweites Mal zur Decke. Ich dachte, okay, jetzt hat der Wachbeamte einmal an die Decke gesehen und Mädchen drei hat einmal an die Decke gesehen und Mädchen eins hat zweimal an die Decke gesehen, vielleicht gibt es da oben doch irgendwelche Antworten. Vielleicht ist da oben etwas sehr Fröhliches. Vielleicht stehen an der Decke Geschichten geschrieben, die sich ungefähr so anhören,

die-Männer-kamen-und-sie-
brachten-uns-bunte-Kleider-
holten-Feuerholz-
erzählten-blöde-Witze-
tranken-Bier-mit-uns-
jagten-uns-bis-wir-kicherten-
ließen-die-Moskitos-nicht-stechen-
zeigten-uns-wie-man-die-
britische-Pfundmünze-fängt-
machten-den-Mond-zu-Käse-

Ach ja, und dann haben sie mich hier eingesperrt.

Ich sah auch an die Decke, aber da waren nur weiße Farbe und Neonröhren zu sehen.

Das Mädchen am Telefon schaute schließlich zu mir. Also sagte ich, *Das hier ist das Ausreisezentrum Black Hill.* Das Mädchen starrte mich an. *Machst Witze, was?*, sagte sie. *Was für Name soll das sein?* Also zeigte ich auf die kleine Metallplatte, die an die Wand über dem Telefon geschraubt war. Das Mädchen schaute hin und dann wieder zu mir und sagte, *Sorry, Süße, kann ich nicht lesen.* Also las ich es ihr vor und deutete auf die einzelnen Wörter. AUSREISEZENTRUM BLACK HILL, HIGH EASTER, CHELMSFORD, ESSEX. *Danke, Schatz,* sagte das erste Mädchen und hob den Telefonhörer ans Ohr.

Dann sprach sie hinein: *Also, Mister, wo ich gerade bin ist Black Hill Ausreisezentrum.* Dann sagte sie, *nein, bitte warten.* Dann guckte sie traurig und hängte den Hörer wieder ein. Ich sagte, *Was ist los?* Das erste Mädchen seufzte und sagte, *Taximann sagt er nicht abholen von hier. Dann er sagt, ihr seid Abschaum. Kennst du Wort?* Ich sagte nein, weil ich nicht sicher war, holte mein Collins-Taschenwörterbuch aus der durchsichtigen Tüte und schlug das Wort nach. Ich sagte zu dem ersten Mädchen, *Du bist ein Schaum, der sich auf kochenden Flüssigkeiten oder schmelzenden Metallen bildet.* Sie schaute mich an, und ich schaute sie an, und wir kicherten, weil wir mit der Erklärung nichts anfangen konnten. Dieses Problem hatte ich oft, als ich eure Sprache lernte. Jedes Wort kann sich verteidigen. Gerade wenn man es ergreifen will, teilt es sich in zwei unterschiedliche Bedeutungen, und man hält nur Luft in den Händen. Ich bewundere euch. Ihr seid wie Zauberer und habt eure Sprache so sicher gemacht wie euer Geld.

Also kicherten ich und das erste Mädchen in der Telefonschlange miteinander, und ich hielt meine durchsichtige Plastiktüte in der Hand, und sie hielt ihre durchsichtige Plastiktüte in der Hand. In ihrer waren ein schwarzer Augenbrauenstift und eine Pinzette und drei getrocknete Ananasringe. Das erste Mädchen sah, wie ich auf ihre Tüte schaute, und hörte auf zu kichern. *Was guckst du?*, fragte sie. Ich sagte, nur so. Sie sagte, *Ich weiß, was du denkst. Du denkst, jetzt wo Taxi nicht kommen und mich abholen, was bringt mir da Augenbrauenstift und Pinzette und drei Ananassscheiben?* Also sagte ich zu ihr, *Vielleicht kannst du mit dem Augenbrauenstift eine Botschaft schreiben, HELFT MIR, und dem ersten, der dir hilft, die Ananasscheiben schenken.* Das Mädchen schaute mich an, als wäre ich verrückt im Kopf, und dann sagte sie: *Okay, Süße, eins, ich nicht habe Papier zum Botschaft schreiben, zwei, ich nicht kann schreiben, ich nur kann Augenbrauen malen, und drei, ich will Ananas selber essen.* Dann schaute sie mich mit weit aufgerissenen Augen an.

Während all das passierte, war das zweite Mädchen in der Schlange, das Mädchen mit dem zitronengelben Sari und der durchsichtigen Tüte voller Gelb, das erste Mädchen in der Schlange geworden und hielt jetzt den Telefonhörer in der Hand. Sie flüsterte in einer Sprache hinein, die klang, als ob Schmetterlinge in Honig ertrinken. Ich tippte ihr auf die Schulter, zupfte an ihrem Sari und sagte: *Bitte, du musst versuchen, Englisch mit ihnen zu sprechen.* Das Sarimädchen schaute mich an, und sie hörte auf, in ihrer Schmetterlingssprache zu reden. Ganz langsam, als erinnerte sie sich an Worte aus einem Traum, sagte sie in den Telefonhörer: *England ja bitte. Ja bitte danke ich will nach England.*

Darauf schob das Mädchen im violetten Kleid die Nase genau vor die Nase des Mädchens im zitronengelben Sari, tippte ihr mit dem Finger an die Stirn und machte ein Geräusch, als würde man mit einem Besenstiel auf ein leeres Fass klopfen. *Bong! Bong!*, sagte sie zu dem Mädchen. *Bist schon in England, kapiert?* Dann deutete sie mit beiden Zeigefingern auf den Linoleumboden. Sie sagte: *Das hier England, Süße, siehst du? Genau hier, klar? Wir alle längst hier.*

Das Mädchen im gelben Sari verstummte. Sie schaute uns nur mit ihren grünen Augen an, Augen wie Geleemonde. Also sagte das Mädchen im violetten Kleid, das Mädchen aus Jamaika, *Gib her,* und riss dem Sarimädchen den Hörer aus der Hand und sagte hinein, *Hör mal, Kollege, eine Minute warten bitte.* Aber dann wurde sie still und gab mir den Hörer, und ich horchte, und da war nur der Wählton. Also wandte ich mich wieder an das Sarimädchen. *Du musst zuerst eine Nummer wählen,* sagte ich. *Verstehst du? Erst Nummer wählen, dann Taximann sagen, wo du hinwillst. Okay?*

Doch das Mädchen im Sari kniff nur die Augen zusammen und drückte die durchsichtige Tüte voller Zitronengelb ein bisschen fester an sich, als wollte ich sie ihr wegnehmen, so wie das andere Mädchen ihr den Telefonhörer weggenommen hatte. Das Mädchen im violetten Kleid seufzte und wandte sich zu mir. *Hat kein Sinn, Süße,* sagte sie. *Der Herr ruft seine Kinder zu sich, bevor die hier Taxi ruft.* Dann gab sie mir den Telefonhörer. *Hier,* sagte sie. *Versuch du mal.*

Ich deutete auf das dritte Mädchen in der Schlange, das Mädchen mit der Tüte voller Dokumente und dem blauen T-Shirt und den Dunlop-Green-Flash-Turnschuhen. *Was ist mit ihr?,* fragte ich. *Dieses Mädchen ist vor mir dran.* *Yeh,* sagte das Mädchen im violetten Kleid, *aber sie hat kein MOO-TI-VAA-ZJOON. Stimmt, Süße?* Und sie starrte das Mädchen mit den Dokumenten an, doch das Mädchen mit den Dokumenten zuckte nur die Achseln und starrte auf ihre Turnschuhe. *Is' doch wahr,* sagte das Mädchen im violetten Kleid und drehte sich zu mir. *Jetzt liegt an dir, Süße. Du uns redest hier raus, sonst sie ändern Meinung und sperren uns wieder ein.*

Ich schaute auf den Telefonhörer, und er war grau und schmutzig, und ich hatte Angst. Ich sah wieder zu dem Mädchen im violetten Kleid. *Wohin willst du?,* fragte ich. Und sie sagte, *Irgendend.* Wie bitte? *Irgendwohin, Süße.*

Ich wählte die Taxinummer, die auf dem Telefon stand. Eine Männerstimme meldete sich. Der Mann klang müde. *Taxizentrale,* sagte er. Er hörte sich an, als würde er mir allein mit diesem Wort schon einen Riesengefallen tun.

»Guten Morgen, ich hätte gern ein Taxi, bitte.«

»Sie wollen ein Taxi?«

»Ja. Bitte. Ein Taxi. Für vier Fahrgäste.«

»Wohin?«

»Zum Ausreisezentrum Black Hill, bitte. In High Easter. Das liegt bei Chelmsford.«

»Ich weiß, wo das ist. Jetzt hör mal gut zu –«

»Bitte, es ist schon in Ordnung. Ich weiß, dass Sie keine Flüchtlinge fahren. Wir sind keine Flüchtlinge. Wir sind Putzfrauen. Wir arbeiten hier.«

»Ihr seid Putzfrauen?«

»Ja.«

»Ist das wirklich wahr? Wenn ich nämlich ein Pfund für jeden verdammten Einwanderer hätte, der in eins meiner Taxis gestiegen ist und nicht wusste, wohin er wollte, und anfing, meinen Fahrer auf Swahili zu bequatschen, und mit Zigaretten bezahlen wollte, dann würde ich in diesem Augenblick Golf spielen, statt mit dir zu reden.«

»Wir sind Putzfrauen.«

»Na schön. Es stimmt, du redest nicht wie eine von denen. Wo wollt ihr denn hin?«

Ich hatte die Adresse, die auf dem britischen Führerschein in meiner durchsichtigen Plastiktüte stand, auswendig gelernt. Andrew O'Rourke, der weiße Mann, dem ich am Strand begegnet war, lebte in Kingston-upon-Thames in der englischen Grafschaft Surrey. Ich sprach wieder ins Telefon.

»Kingston, bitte.«

Das Mädchen im violetten Kleid packte mich am Arm und zischte, *Nein, Süße! Überall, bloß nicht Jamaika. Männer mich bringen um, wenn ich komme, machen tot.* Ich verstand nicht, warum sie Angst hatte, doch jetzt weiß ich es. Es gibt ein Kingston in England, aber auch ein Kingston in Jamaika, wo das Klima anders ist. Das ist noch so ein großes Werk, das ihr Zauberer vollbracht habt – sogar eure Städte können sich zweiteilen.

»Kingston?«, fragte der Mann am Telefon.

»Kingston-upon-Thames«, sagte ich.

»Das ist aber verdammt weit weg, was? Das ist doch in, wo gleich wieder?«

»Surrey«, sagte ich.

24

»Surrey. Und ihr seid vier Putzfrauen aus dem schönen grünen Surrey. Das soll ich glauben?«

»Nein. Wir sind Putzfrauen aus der Nähe. Aber sie schicken uns zu einem Putzjob in Surrey.«

»Bar oder auf Rechnung?«

Der Mann klang so müde.

»Was?«

»Bezahlt ihr bar, oder geht es auf die Rechnung der Anstalt?«

»Wir bezahlen bar, Mister. Wir bezahlen, wenn wir da sind.«

»Das will ich auch hoffen.«

Ich horchte eine Minute und drückte dann mit der Hand auf die Gabel des Telefonhörers. Ich wählte eine andere Nummer. Es war die Nummer von der Visitenkarte, die ich in meiner durchsichtigen Plastiktüte bei mir trug. Das Wasser hatte die Visitenkarte beschädigt. Ich konnte nicht erkennen, ob die letzte Zahl eine 8 oder eine 3 war. Ich versuchte es mit der 8, weil in meinem Land ungerade Zahlen Unglück bringen, und davon hatte ich nun wirklich genug gehabt.

Ein Mann meldete sich. Er war wütend.

»Wer ist da? Verdammt, es ist sechs Uhr morgens.«

»Sind Sie Mr. Andrew O'Rourke?«

»Ja. Und Sie?«

»Kann ich zu Ihnen kommen, Mister?«

»Wer zum Teufel spricht da?«

»Wir sind uns in Nigeria am Strand begegnet. Ich kann mich sehr gut an Sie erinnern, Mr. O'Rourke. Ich bin jetzt in England. Kann ich zu Ihnen und Sarah kommen? Ich kann nirgendwo sonst hin.«

Am anderen Ende herrschte Schweigen. Dann hustete der Mann und fing an zu lachen.

»Das ist jetzt ein Witz, oder? Wer ist da? Ich warne Sie,

ich habe ständig mit Durchgeknallten wie Ihnen zu tun. Lassen Sie mich in Ruhe, das wäre besser für Sie. Meine Zeitung klagt immer. Ich lasse den Anruf zurückverfolgen und finde heraus, wer Sie sind, und dann werden Sie verhaftet. Sie wären nicht die Erste.«

»Sie glauben nicht, dass ich es bin?«

»Lassen Sie mich einfach in Ruhe, kapiert? Ich will nichts davon hören. Das alles ist lange her und war nicht meine Schuld.«

»Ich komme zu Ihnen nach Hause. Dann *müssen* Sie glauben, dass ich es bin.«

»Nein.«

»Aber ich kenne sonst niemanden in diesem Land, Mr. O'Rourke. Es tut mir leid. Ich rufe nur an, damit Sie vorbereitet sind.«

Der Mann klang jetzt nicht mehr wütend. Er machte ein leises Geräusch wie ein Kind, das Angst hat vor dem, was gleich passieren wird. Ich legte auf und drehte mich zu den anderen Mädchen um. Mein Herz schlug so schnell, dass ich dachte, ich müsste mich an Ort und Stelle auf den Linoleumboden erbrechen. Die anderen Mädchen starrten mich nervös und erwartungsvoll an.

»Und?«, fragte das Mädchen im violetten Kleid.

»Hm?«, sagte ich.

»Taxi, Süße! Was ist mit Taxi?«

»Ach so, das Taxi. Der Taximann sagt, dass uns ein Auto in zehn Minuten abholt. Wir sollen draußen warten.«

Das Mädchen im violetten Kleid lächelte. »Ich bin Yevette. Aus Jamaika. Du nützlich, Süße. Wie dein Name?«

»Ich heiße Little Bee.«

»Was für Name soll das sein?«

»Es ist mein Name.«

»Was für Land ist das, wo sie kleine Mädchen wie Insekten nennen?«

»Nigeria.«

Yevette lachte. Es war ein gewaltiges Lachen, so wie der Chef-Bösewicht in den Piratenfilmen lacht. *WU-ha-ha-ha-ha!* Der Telefonhörer erzitterte auf der Gabel. *NIIEGEEE-RIA!*, sagte Yevette. Dann drehte sie sich zu den anderen um, dem Mädchen im Sari und dem Mädchen mit den Dokumenten. *Kommt mit, Mädels*, sagte sie. *Wir sind Vereinte Nationen, und heute alle folgen NIIEGEEERIA. WU-ha-ha-ha-ha!*

Yevette lachte noch immer, als wir vier an dem Tisch des Wachbeamten vorbei zur Tür gingen. Er schaute von seiner Zeitung hoch. Das Oben-ohne-Mädchen war jetzt weg, er hatte umgeblättert. Ich schaute auf seine Zeitung. Die Schlagzeile auf der neuen Seite lautete ASYLANTEN SCHLACHTEN UNSERE SCHWÄNE. Ich schaute zu dem Wachbeamten, aber er blickte mich nicht an. Dann bewegte er den Arm über die Seite, um die Schlagzeile zu verdecken. Er tat, als müsste er sich am Ellbogen kratzen. Vielleicht musste er sich wirklich am Ellbogen kratzen. Ich begriff, dass ich nichts von Männern wusste, ich kannte nur die Angst vor ihnen. Eine Uniform, die dir zu groß ist, ein Schreibtisch, der zu klein für dich ist, eine Acht-Stunden-Schicht, die zu lang für dich ist, und auf einmal kommt ein Mädchen mit drei Kilo Dokumenten und ohne Motivation, ein anderes mit geleegrünen Augen und einem gelben Sari, so schön, dass du sie nicht lange anschauen kannst, weil sonst deine Augäpfel *plopp* machen, ein drittes Mädchen aus Nigeria, das wie eine Honigbiene heißt, und eine lärmende Frau aus Jamaika, die lacht wie der Pirat Blaubart. Vielleicht sind das Umstände, unter denen einen Mann schon mal der Ellbogen jucken kann.

Ich drehte mich noch einmal zu dem Wachbeamten um, bevor wir durch die Doppeltür gingen. Er schaute uns nach. Er sah sehr klein und allein aus mit seinen dünnen Handgelenken im Neonlicht. Das Licht ließ seine Haut grün erscheinen wie eine frisch geschlüpfte Raupe. Die frühe Morgensonne schien durch die Glastür. Der Wachbeamte kniff die Augen vor dem Tageslicht zusammen. Ich nehme an, wir waren nur Silhouetten für ihn. Er machte den Mund auf, als wollte er etwas sagen, hielt aber inne.

»Was?«, fragte ich. Und mir wurde klar, er wollte sagen, dass es einen Irrtum gegeben hatte. Ich fragte mich, ob wir losrennen sollten. Ich wollte nicht zurück in die Abschiebehaft. Ich fragte mich, wie weit wir kämen, wenn wir losrannten. Ich fragte mich, ob sie uns mit Hunden verfolgen würden.

Der Wachbeamte stand auf. Ich hörte, wie sein Stuhl über den Linoleumboden schabte. Er stand da und ließ die Arme hängen.

»Meine Damen?«, sagte er.

»Ja?«

Er sah zu Boden und dann wieder hoch.

»Viel Glück«, sagte er.

Und wir Mädchen drehten uns um und gingen zum Licht.

Ich stieß die Doppeltür auf und blieb stehen. Das Sonnenlicht ließ mich erstarren. Nach der Abschiebehaft fühlte ich mich so verletzlich, dass ich fürchtete, die hellen Sonnenstrahlen könnten mich entzweibrechen. Ich konnte nicht den Schritt nach draußen machen.

»Was stehst du da, Lil Bee?«

Yevette war hinter mir. Ich blockierte die Tür.

»Einen Moment, bitte.«

Die frische Luft draußen roch nach nassem Gras. Sie wehte mir ins Gesicht. Der Geruch versetzte mich in Panik. Zwei Jahre lang hatte ich nur Bleichmittel und meinen Nagellack und die Zigaretten der anderen Gefangenen gerochen. Nichts Natürliches. Nichts wie das hier. Mir war, als würde die Erde sich erheben und mich zurückstoßen, wenn ich einen Schritt nach draußen machte. An mir war nichts Natürliches mehr. Ich stand da in meinen schweren Stiefeln, die Brüste flachgedrückt, weder Frau noch Mädchen, ein Geschöpf, das seine Sprache vergessen und eure gelernt hatte, dessen Vergangenheit zu Staub zerfallen war.

»Was zur Hölle wartest du, Süße?«

»Ich habe Angst, Yevette.«

Yevette schüttelte den Kopf und lächelte.

»Vielleicht hast recht mit Angst, Lil Bee, bist kluge Mädchen. Vielleicht ich bin zu dumm zum Fürchten. Aber war ich achtzehn Monate hier drin eingesperrt, und glaub nicht, dass ich so dumm und warte noch ein Sekunde länger, nur weil du zitterst und bebst!«

Ich drehte mich zu ihr um und klammerte mich an den Türrahmen.

»Ich kann mich nicht bewegen«, sagte ich.

Da versetzte Yevette mir einen heftigen Stoß vor die Brust, und ich flog nach hinten. Und so berührte ich zum ersten Mal als freie Frau englischen Boden. Nicht mit den Sohlen meiner Stiefel, sondern mit meinem Hinterteil.

»WU-ha-ha-ha-ha!«, lachte Yevette. »Willkommen in Vereinigte Königreich, ist grooßartig, hm?«

Als ich wieder zu Atem gekommen war, musste ich auch lachen. Ich saß auf dem Boden, die warme Sonne schien mir auf den Rücken, und ich begriff, dass die Erde mich nicht zurückgestoßen und das Sonnenlicht mich nicht entzweigebrochen hatte.

Ich stand auf und lächelte Yevette an. Wir alle machten ein paar Schritte weg von den Gebäuden des Abschiebegefängnisses. Im Gehen griff ich unter mein Hemd, als die Mädchen nicht hinsahen, und wickelte den Stoff von meinen Brüsten. Ich warf ihn auf den Boden und trat ihn mit dem Stiefelabsatz in den Dreck. Ich atmete tief die frische, saubere Luft ein.

Als wir zum Haupttor kamen, blieben wir vier einen Augenblick stehen. Wir schauten durch den hohen Stacheldrahtzaun die Hänge des Black Hill hinunter. Die englische Landschaft erstreckte sich bis zum Horizont. In den Tälern hing weicher Nebel, und die Gipfel der Hügel leuchteten golden in der Morgensonne, und ich lächelte, weil die ganze Welt frisch und neu und hell war.

2

Vom Frühjahr 2007 bis zum Ende jenes langen Sommers, in dem Little Bee kam, um bei uns zu leben, zog mein Sohn sein Batmankostüm nur zum Baden aus. Ich bestellte ein zweites Kostüm, das ich gegen das andere austauschte, während er in der Badewanne planschte, damit ich wenigstens den Kinderschweiß und die Grasflecken auswaschen konnte. Gegen Superverbrecher zu kämpfen war eine schmutzige Angelegenheit, bei der man grüne Knie bekam. Wenn es nicht Mr. Freeze mit seinem heimtückischen Eisstrahl war, dann der Pinguin – Batmans Todfeind – oder, schlimmer noch, Artie, der Papageientaucher, dessen abgrundtiefe Bosheit den ursprünglichen Schöpfern des Batman-Unternehmens unerklärlicherweise entgangen war. Mein Sohn und ich hatten die Konsequenzen zu tragen – ein Haus voller schurkischer Gefolgsleute, Schergen und Handlanger, die hinter dem Sofa hervorlinsten, in dem schmalen Spalt neben dem Bücherregal finster gackerten und grundsätzlich planlos angriffen. Ein Schock folgte auf den anderen. Ob schlafend oder wachend, mein vierjähriger Sohn war allzeit bereit. Es war unmöglich, ihn von der dämonischen Fledermausmaske, dem Lycra-Anzug, dem glänzenden gelben Gerätegürtel und dem pechschwarzen Umhang zu trennen. Und es hatte keinen Zweck, ihn bei seinem Vornamen anzusprechen. Er blickte sich nur um, legte den Kopf schief und zuckte mit den Schultern – als wollte er sagen: *Meine*

Fledermaussinne können hier keinen Jungen dieses Namens entdecken, Madam. Der einzige Name, auf den mein Sohn in diesem Sommer hörte, war »Batman«. Auch hatte es keinen Sinn, ihm zu erklären, dass sein Vater gestorben war. Mein Sohn glaubte nicht an die Möglichkeit des körperlichen Todes. Der Tod war etwas, das nur eintrat, wenn man die üblen Pläne der Bösen nicht ständig durchkreuzte – und das war natürlich undenkbar.

In jenem Sommer, dem Sommer, in dem mein Mann starb, hatten wir alle eine Identität, von der wir uns ungern trennen wollten. Mein Sohn hatte sein Batmankostüm, ich benutzte noch den Namen meines Ehemannes, und obwohl Little Bee relativ sicher bei uns war, klammerte sie sich an den Namen, den sie in einer Zeit des Schreckens angenommen hatte. In jenem Sommer waren wir Exilanten, die vor der Realität geflohen waren. Wir flüchteten vor uns selbst.

Gewiss ist es die natürlichste Sache der Welt, vor der Grausamkeit zu fliehen. Und das Timing, das uns in jenem Sommer zusammenführte, war überaus grausam. Little Bee rief an dem Morgen an, an dem sie aus der Abschiebehaft entlassen wurde. Mein Mann nahm den Anruf entgegen. Ich fand erst viel später heraus, dass sie am Telefon gewesen war – Andrew sagte mir nichts davon. Anscheinend hatte sie erklärt, sie sei unterwegs zu uns, und er fühlte sich einer neuerlichen Begegnung wohl nicht gewachsen. Fünf Tage später erhängte er sich. Man fand meinen Ehemann mit den Füßen in der Luft, sie berührten den Boden keines Landes. Der Tod ist eine Zuflucht. Dorthin gehst du, wenn du dich auch mit einem neuen Namen oder einer Maske und einem Umhang nicht länger vor dir selbst verstecken kannst. Dorthin läufst du, wenn dir keines der Fürstentümer deines Gewissens Asyl bieten will.

Fünf Tage, nachdem mein Mann gestorben war, und zehn Tage, nachdem man sie aus der Abschiebehaft entlassen hatte, klopfte Little Bee an meine Haustür. Nach einer Reise von achttausend Kilometern und zwei Jahren Dauer kam sie zu spät, um Andrew noch lebend anzutreffen, aber gerade rechtzeitig zu seiner Beerdigung.

Little Bee kam um acht Uhr morgens, und der Bestatter klopfte um zehn. Keine Sekunde früher, keine Sekunde später. Ich vermute, dass er schon einige Minuten vor unserer Haustür gestanden, auf die Uhr gesehen und gewartet hatte, bis unser beider Leben an jener präzisen Bruchlinie aufeinandertrafen, an der unsere Vergangenheit mit drei leisen Schlägen des schimmernden Messingtürklopfers von unserer Zukunft abgespalten werden konnte.

Mein Sohn öffnete die Tür und registrierte die Größe des Bestatters, seinen tadellosen Maßanzug und sein ernstes Auftreten. Der Bestatter sah natürlich für jeden vernünftigen Menschen aus wie Batmans Alltags-Alter-Ego. Mein Sohn rief mir durch den Flur zu: *Mama, es ist Bruce Wayne!*

An jenem Morgen ging ich auf die Straße und stand da und betrachtete Andrews Sarg durch das dicke, leicht grünliche Fenster des Leichenwagens. Als Little Bee sich zu mir gesellte, Batman an der Hand, führte uns der Bestatter zu einer langen schwarzen Limousine und bedeutete uns mit einem Nicken, wir sollten einsteigen. Ich erwiderte, wir würden lieber gehen.

So gingen wir drei zur Beerdigung meines Mannes, eine weiße Mittelschicht-Mutter, ein mageres schwarzes Flüchtlingsmädchen und ein kleiner dunkler Ritter aus Gotham City. Wir sahen aus, als hätte man uns mit Photoshop zusammengeschustert. Meine Gedanken rasten, albtraumhaft und zusammenhanglos.

Es waren nur wenige hundert Meter bis zur Kirche, und als wir drei vor dem Leichenwagen die Straße entlanggingen, bildete sich hinter uns ein wütender Stau. Ich fühlte mich scheußlich deswegen.

Ich trug ein dunkelgraues Kostüm mit Handschuhen und anthrazitfarbenen Strümpfen. Little Bee trug meinen eleganten schwarzen Regenmantel über den Kleidern, in denen man sie aus der Abschiebehaft entlassen hatte – einem furchtbar unbegräbnishaften Hawaii-Hemd und Jeans. Mein Sohn trug einen Gesichtsausdruck absoluter Freude. Er, Batman, hatte den Verkehr angehalten. Sein Umhang flatterte in seinem winzigen Windschatten, als er stolz voranschritt und unter der dunklen Maske von einem Fledermausohr zum anderen grinste. Gelegentlich erspähte er dank seines überlegenen Sehvermögens einen Feind, der vernichtet werden musste, und dann blieb mein Sohn einfach stehen, vernichtete und ging weiter. Er hatte Angst, die unsichtbaren Horden des Papageientauchers könnten mich angreifen. Ich hatte Angst, weil mein Sohn nicht auf dem Klo gewesen war, bevor wir das Haus verließen, und die Bescherung durchaus in die Batman-Hose gehen konnte. Außerdem hatte ich Angst davor, den Rest meines Lebens Witwe zu sein.

Ich hatte es für tapfer gehalten, zu Fuß zur Kirche zu gehen, fühlte mich nun aber schwindlig und töricht. Ich fürchtete, ich könnte in Ohnmacht fallen. Little Bee stützte mich am Ellbogen und flüsterte mir zu, ich solle tief durchatmen. Ich weiß noch, dass ich dachte, wie seltsam, dass ausgerechnet du *mich* vor dem Hinfallen bewahrst.

In der Kirche saß ich in der ersten Bank, Little Bee links von mir und Batman rechts. Natürlich war die Kirche gedrängt voll mit Trauergästen. Niemand von der Zeitschrift – ich versuchte, Privatleben und Arbeit voneinander zu trennen –, doch ansonsten waren alle Leute da, die Andrew und ich kannten. Es war verwirrend, so als wäre der gesamte Inhalt unserer Adressbücher in schwarze Kleidung gesteckt und in nicht alphabetischer Reihenfolge in die Kirchenbänke exportiert worden. Die Leute hatten sich nach einem ungeschriebenen Protokoll der Trauer angeordnet, Blutsverwandte gierig nah beim Sarg, Ex-Freundinnen in einem zaghaften Grüppchen beim Taufbecken. Ich konnte es nicht ertragen, mich umzudrehen und diese neue natürliche Ordnung der Dinge zu betrachten. Es kam alles viel zu plötzlich. Noch vor einer Woche war ich eine erfolgreiche berufstätige Mutter gewesen. Jetzt saß ich bei der Beerdigung meines Mannes, flankiert von einem Superhelden und einem nigerianischen Flüchtlingsmädchen. Es erschien mir wie ein Traum, aus dem ich mit relativ wenig Anstrengung erwachen konnte. Ich starrte auf den Sarg meines Mannes, der mit weißen Lilien bedeckt war. Batman starrte den Pfarrer an. Anerkennend ließ er den Blick über Stola und Chorhemd wandern. Er streckte feierlich den Daumen in die Höhe, ein umhangbewehrter Kreuzritter grüßte seinesgleichen. Der Pfarrer erwiderte den Gruß, dann kehrte sein Daumen zum verblichenen Goldschnitt der Bibel zurück.

In der Kirche war es still geworden, erwartungsvoll. Mein Sohn sah sich um und dann wieder zu mir. *Wo ist Papa?*, fragte er.

Ich drückte seine heiße, verschwitzte Hand und horchte auf das Husten und Schniefen, das in der Kirche widerhallte. Ich fragte mich, wie ich meinem Sohn den Tod meines Mannes erklären sollte. Natürlich waren es seine Depressionen, die Andrew getötet hatten – Depressionen und Schuldgefühle. Aber mein Sohn glaubte nicht an den Tod, geschweige denn, dass etwas wie Gefühle ihn verursachen könnten. Vielleicht die eisigen Strahlen von Mr. Freeze. Allerhöchstens noch der todbringende Flügel des Papageientauchers. Aber ein ganz gewöhnlicher Anruf von einem mageren afrikanischen Mädchen? Das konnte ich ihm unmöglich erklären.

Mir wurde klar, dass ich meinem Sohn irgendwann die ganze Geschichte erzählen musste. Ich fragte mich, womit ich beginnen würde. Vor zwei Jahren, im Sommer 2005, hatte Andrews langer, allmählicher Abstieg in die Depression angefangen, die ihn schließlich verschlang. Es begann an dem Tag, an dem wir Little Bee an einem einsamen Strand in Nigeria begegneten. Mein einziges Souvenir von dieser ersten Begegnung ist die leere Stelle, an der sich früher der Mittelfinger meiner linken Hand befand. Die Amputation ist ziemlich sauber. Statt meines Fingers findet sich dort nur ein Stumpf, ein Phantomfinger, der auf meinem Laptop früher für die Tasten E, D und C zuständig war. Sie fehlen, wenn ich sie am meisten brauche. Bei »Idee« gehen mir die Ideen aus, und von »Ecstasy« ist bei mir sowieso nie die Rede.

Am meisten vermisse ich meinen Finger an den Schlusstagen, wenn die Korrekturleserinnen nach Hause gegangen sind und ich die letzten Änderungen für mein Magazin tippe. Einmal veröffentlichten wir einen Leitartikel, in dem ich schrieb, wie motivierend ich den alten Geschlechterkampf fände. Es hagelte aufgebrachte Leserbriefe von neuen Männern, denen das Heft wahrscheinlich zufällig zwischen Geschirrspülen und einer einfühlsamen Rückenmassage bei ihrer Partnerin in die Hände gefallen war. Mir wurde klar, wie demotivierend ich das alles fand. Ich erklärte es mit einem Druckfehler, wobei ich mir den Hinweis verkniff, dass der Druckfehler von einer Stahlmachete an einem nigerianischen Strand verursacht worden war. Ich meine, wie soll man eine Begegnung beschreiben, bei der man ein afrikanisches Mädchen gewinnt und die Buchstaben E, D und C verliert? *Ich glaube, eure Sprache hat kein Wort dafür,* würde Little Bee sagen.

Ich saß in meiner Bank, massierte den Fingerstumpf und gestand mir zum ersten Mal ein, dass mein Mann seit dem Tag, an dem wir Little Bee begegneten, dem Tod geweiht gewesen war. In den beiden Jahren danach hatten sich meine Vorahnungen verschlimmert bis hin zu jenem furchtbaren

Morgen vor zehn Tagen, als ich vom Klingeln des Telefons erwachte. Mein ganzer Körper kribbelte vor Furcht. Es war ein normaler Arbeitstag. Die Juni-Ausgabe meiner Zeitschrift stand kurz vor der Drucklegung, Andrews Kolumne für die *Times* war fällig. Ein ganz normaler Morgen, aber mir sträubten sich die Härchen an den Armen.

Ich habe nie zu den glücklichen Frauen gehört, die glauben, dass Katastrophen aus heiterem Himmel eintreten. Für mich gab es zahllose Vorzeichen, unzählige kleine Brüche in der Normalität. Andrews unrasiertes Kinn, eine zweite Flasche Wein abends unter der Woche, der niedergeschlagene Tonfall seiner Kolumne. *Angesichts gewisser Haltungen, die von dieser Gesellschaft eingenommen werden, weiß der Kommentator nicht mehr weiter.* Es war der allerletzte Satz, den mein Mann schrieb. In seiner Kolumne ging er mit dem geschriebenen Wort sehr präzise um. Für jemand anderen wäre *nicht mehr weiterwissen* nur ein Synonym für *ratlos sein* gewesen. Für meinen Mann hingegen war es ein wohlüberlegter Abschied.

In der Kirche war es kalt. Ich hörte, wie der Pfarrer sagte: *Tod, wo ist dein Stachel?* Ich starrte auf die Lilien und roch ihren süßen Vorwurf. Gott, hätte ich Andrew doch nur mehr Aufmerksamkeit geschenkt.

Wie sollte ich meinem Sohn erklären, dass die Warnzeichen unauffällig waren? Dass die Katastrophe im vollen Bewusstsein ihrer Stärke kaum die Lippen bewegte, um sich anzukündigen? Es heißt, dass die Wolken in der Stunde vor einem Erdbeben bleiern am Himmel hängen, der Wind sich zu einem heißen Atemhauch verlangsamt und die Vögel in den Bäumen des Dorfplatzes verstummen. Gewiss, doch mit ähnlichen Vorzeichen kündigt sich auch die Mittagszeit an. Wir können nicht immer überreagieren, sobald sich der Wind legt, sonst würden wir ständig unter dem Esstisch hocken, statt Teller daraufzustellen.

Würde mein Sohn akzeptieren, dass es bei seinem Vater so gewesen war? *Die Härchen auf meinen Armen sträubten sich, Batman, aber ich musste wie jeden Tag den Haushalt bewältigen. Ich habe nicht begriffen, dass er es tatsächlich tun würde.* Im Grunde könnte ich nur sagen, dass ich vom Klingeln des Telefons aufwachte und mein Körper ein Ereignis vorhersagte, das noch nicht eingetreten war und das ich mir nie so schwerwiegend ausgemalt hätte.

Charlie schlief noch. Andrew ging rasch im Arbeitszimmer an den Apparat, bevor das Klingeln unseren Sohn weckte. Andrews Stimme klang erregt. Ich konnte sie vom Schlafzimmer aus deutlich hören. *Lassen Sie mich einfach in Ruhe*, sagte er. *Das alles ist lange her und war nicht meine Schuld.*

Das Problem war nur, dass mein Mann das nicht wirklich glaubte.

Ich fand ihn weinend vor. Ich fragte, wer angerufen hatte, doch er wollte es mir nicht sagen. Und da wir nun beide wach waren, Charlie aber nicht, schliefen wir miteinander. Das tat ich manchmal mit Andrew. Eigentlich tat ich es mehr für ihn als für mich. In dieser Phase unserer Ehe war es eine Art Wartungsarbeit geworden, als ließe man die Luft aus den Heizkörpern. Ich wusste nicht – und weiß im Grunde immer noch nicht –, welche furchtbaren Folgen es haben soll, wenn man nicht die Luft aus den Heizkörpern lässt. Eine vorsichtige Frau wird niemals riskieren, es herauszufinden.

Wir sprachen kein Wort. Ich nahm Andrew mit ins Schlafzimmer, und wir legten uns unter den hohen georgianischen Fenstern mit den gelben Seidenraffrollos aufs Bett. Die Rollos waren mit einem blassen Blättermuster bestickt. Seidene Vögel verbargen sich dort in stiller Furcht. Es war ein strahlender Maimorgen in Kingston-upon-Thames, aber das Sonnenlicht, das durch die Jalousien fiel, war von einem dunklen, intensiven Safrangelb. Es sah fiebrig aus, geradezu malariaverseucht. Die Wände des Schlafzimmers waren gelb und ockerfarben. Andrews Arbeitszimmer auf der anderen Seite des knarrenden Treppenabsatzes war weiß gestrichen – die Farbe unbeschriebener Seiten, nehme ich an. Von dort holte ich ihn nach dem schrecklichen Anruf zurück. Über seine Schulter las ich einige Worte seiner Kolumne. Er war die ganze Nacht auf gewesen, um einen Kommentar zum Nahen Osten zu schreiben, ein Gebiet, das er nie besucht hatte und über das er kein Fachwissen besaß. Es war der Sommer 2007, mein Sohn kämpfte gegen den Pinguin und den Papageientaucher, mein Land kämpfte gegen Irak und Iran, und mein Mann prägte die öffentliche Meinung. Es war ein Sommer, in dem niemand sein Kostüm ablegte.

Ich zog meinen Mann vom Telefon weg. Ich zog ihn am quastenbesetzten Gürtel seines Bademantels ins Schlafzimmer, weil ich irgendwo gelesen hatte, dass so etwas erregend wirkt. Ich zog ihn aufs Bett.

Ich weiß noch, wie er sich in mir bewegte, wie ein Uhrwerk, dessen Hauptfeder nachlässt. Ich zog sein Gesicht ganz nah an meins und flüsterte: *Oh Gott, Andrew, ist alles in Ordnung?* Mein Mann antwortete nicht. Er schloss die Augen, um nicht zu weinen, und wir bewegten uns schneller, wobei ein leises, unfreiwilliges Stöhnen aus unseren Mündern drang und in wortloser Verzweiflung ins Stöhnen des anderen floh.

Mitten in diese kleine Tragödie marschierte mein Sohn, der sich eigentlich besser auf den großen, handfesten Kampf gegen das Böse verstand. Ich machte die Augen auf und sah ihn in der Schlafzimmertür stehen. Er beobachtete uns durch die kleinen, diamantförmigen Löcher seiner Batman-Maske. Nach seinem Gesichtsausdruck zu urteilen – oder dem, was davon zu sehen war –, schien er sich zu fragen, ob eine und, wenn ja, welche der Wunderwaffen, die er an seinem Gürtel trug, in dieser Situation von Nutzen sein könnte.

Als ich meinen Sohn entdeckte, schob ich Andrew von mir hinunter und zog hastig die Bettdecke über uns. Ich sagte: *Oh Gott, Charlie, es tut mir so leid.*

Mein Sohn schaute hinter sich und dann wieder zu mir. »Charlie ist nicht hier. Ich bin Batman.«

Ich nickte und biss mir auf die Lippe. »Guten Morgen, Batman.«

»Was machst du da mit Papa, Mama?«

»Ähm ...«

»Tut ihr die Bösen kämpfen?«

»*Kämpft* ihr *gegen* die Bösen, Charlie.«

»Kämpft ihr?«

»Ja, Batman. Genau das tun wir.«

Ich lächelte meinen Sohn an und wartete ab, was Batman sagen würde. Was er sagte, war: »Einer hat in mein Kostüm Kaka macht.«

»Kaka *gemacht*, Charlie.«

»Ja. Ganz viel Kaka.«

»Oh, Batman. Hast du wirklich in dein Kostüm Kaka gemacht?«

Batman schüttelte den Kopf. Seine Fledermausohren zitterten. Unterhalb der Maske stahl sich ein listiger Ausdruck in sein Gesicht.

»Hab nicht Kaka gemacht. Das war der *Artie*.«

»Willst du damit sagen, dass Artie der Papageientaucher heute Nacht gekommen ist und in deinen Batman-Anzug Kaka gemacht hat?«

Batman nickte feierlich. Jetzt merkte ich, dass er die Maske anbehalten, den Anzug jedoch ausgezogen hatte. Er stand nackt da bis auf Maske und Umhang. Dann hielt er mir den Anzug zur Inspektion hin. Ein Klumpen fiel heraus und landete auf dem Teppich. Der Geruch war unbeschreiblich. Ich setzte mich im Bett auf und entdeckte eine Spur von Klumpen, die über den Teppich zur Schlafzimmertür führte. Irgendwo tief in mir konstatierte das Mädchen, das ein naturwissenschaftliches Abitur gemacht hatte, mit empirischem Interesse, dass die Fäkalien ihren Weg auch noch an andere Stellen gefunden hatten – darunter Batmans Hände, der Türrahmen, die Schlafzimmerwand, mein Radiowecker und, natürlich, der Batman-Anzug. Die Scheiße meines Sohnes war überall. Er hatte Scheiße an den Händen. Scheiße im Gesicht. Selbst auf dem schwarz-gelben Batmanzeichen auf seinem Anzug war Scheiße. So sehr ich mich auch bemühte, ich konnte nicht glauben, dass dies der Mist eines Papageientauchers sein sollte. Das war Fledermausscheiße.

Ich erinnerte mich entfernt an etwas, das ich auf der Elternseite gelesen hatte.

»Schon gut, Batman. Mama ist nicht wütend.«

»Mama, mach Kaka weg.«

»Äh. Oh. Jesus.«

Batman schüttelte ernst den Kopf. »Nein, nicht Jesus. *Mama.*«

Mein Ärger wurde langsam stärker als Verlegenheit und Schuldbewusstsein. Ich schaute zu Andrew, der mit fest geschlossenen Augen dalag, die Hände verkrampft ob der erlesenen Schrecklichkeit seiner klinischen Depression, der Unterbrechung unseres unglücklichen Sex-Versuchs und des überwältigenden Gestanks von Scheiße.

»Batman, warum fragst du nicht *Papa*, ob er dich sauber macht?«

Mein Sohn schaute seinen Vater lange an und dann wieder zu mir. Geduldig, als müsste er einer Schwachsinnigen etwas erklären, schüttelte er erneut den kleinen Kopf.

»Warum denn nicht?« (Meine Stimme klang schon flehend.) »Warum fragst du nicht Papa?«

Batman blickte feierlich. »Papa kämpft gegen die Bösen«, antwortete er grammatikalisch einwandfrei. Gemeinsam schauten wir zu seinem Vater, und ich seufzte. »Ja, da hast du wohl recht.«

Fünf Tage später, am Morgen, an dem ich meinen Mann zum letzten Mal lebend sah, half ich meinem Kreuzritter in den Umhang, machte ihm Frühstück und brachte ihn in den Kindergarten. Zu Hause ging ich unter die Dusche. Andrew sah zu, wie ich mir die Strumpfhose anzog. An den Schlusstagen legte ich besonderen Wert auf meine Kleidung. Hohe Absätze, Rock, elegante grüne Jacke. Ein Magazin folgt seinem eigenen Rhythmus, und wenn die Chefredakteurin ihn nicht einhält, kann sie es von ihren Mitarbeiterinnen auch nicht erwarten. Ich diskutiere nicht in Fendi-Pumps über Ideen für neue Features, und der Redaktionsschluss findet nicht in Turnschuhen statt. Ich zog mich also eilig an, während Andrew nackt auf dem Bett lag und mich beobachtete. Er sagte kein Wort. Das Letzte, was ich von ihm sah, bevor ich die Schlafzimmertür zumachte, war sein Blick, der immer noch auf mir ruhte. Wie sollte ich meinem Sohn den letzten Gesichtsausdruck seines Vaters beschreiben? Ich beschloss, ihm zu sagen, sein Vater habe sehr friedlich ausgesehen. Ich beschloss, ihm nicht zu sagen, dass mein Mann den Mund öffnete, um etwas zu sagen, ich aber spät dran war und mich abwandte.

Gegen halb zehn traf ich im Büro ein. Das Büro unseres Magazins befand sich in der Commercial Street in Spitalfields und war mit öffentlichen Verkehrsmitteln gut neunzig Minuten von Kingston-upon-Thames entfernt. Am schlimmsten ist der Moment, wenn man den Vorortzug verlässt und in die Hitze der U-Bahn hinabsteigt. Zweihundert Menschen quetschten sich in einen Waggon. Zusammengedrängt und reglos horchten wir auf das Kreischen der metallenen Räder. Drei Haltestellen lang stand ich gegen einen dünnen Mann in Cordjacke gedrückt, der still vor sich hin weinte. Normalerweise würde man sich abwenden, doch mein Kopf war derart eingeklemmt, dass ich ihn anschauen musste. Ich hätte gern den Arm um ihn gelegt, selbst eine mitfühlende Berührung der Schulter hätte ausgereicht. Doch meine Arme waren zwischen den anderen Pendlern eingekeilt. Vielleicht hätten auch andere ihm gern Zuwendung gezeigt, doch wir waren alle zu fest zusammengepresst, um uns zu bewegen. Die schiere Anzahl wohlmeinender Menschen verhinderte das Mitgefühl. Einer hätte die anderen beiseiteschieben und damit die Aufmerksamkeit auf sich lenken müssen, was nicht sonderlich britisch gewesen wäre. Auch bezweifelte ich, dass ich fähig wäre, in einem überfüllten Zug unter den schweigenden Blicken der Umstehenden Trost zu spenden. Es war schrecklich, dass ich dem Mann nicht half, aber ich fühlte mich zwischen zwei Arten von Scham hin und her gerissen. Einerseits war da die Schande, einer menschlichen Pflicht nicht zu genügen, andererseits der Wahnsinn, als Erste in der Menge etwas zu tun.

Ich lächelte dem weinenden Mann hilflos zu und musste die ganze Zeit an Andrew denken.

Sowie man aus dem Untergrund auftaucht, kann man die menschlichen Pflichten natürlich schnell vergessen. London ist eine wunderbare Maschine, wie dafür geschaffen. An diesem Morgen war die Stadt hell, frisch und einladend. Ich war aufgeregt wegen der Juni-Ausgabe und rannte förmlich die letzten zwei Minuten bis zum Büro. An der Fassade des Gebäudes stand der Name unserer Zeitschrift, *NIXIE*, einen Meter hoch in Neonpink zu lesen. Ich blieb einen Augenblick draußen stehen und atmete tief durch. Die Luft war still, und man konnte trotz des Verkehrs das Neon summen hören. Ich stand da, die Hand an der Tür, und fragte mich, was Andrew hatte sagen wollen, bevor ich das Haus verlassen hatte.

Mein Mann war nicht immer um Worte verlegen gewesen. Die langen Schweigeperioden begannen erst an dem Tag, an dem wir Little Bee begegneten. Davor hielt er nicht eine Minute den Mund. In unseren Flitterwochen redeten wir ununterbrochen. Wir wohnten in einer Villa am Strand, tranken Rum und Limonade und redeten so viel, dass ich nicht einmal bemerkte, welche Farbe das Meer hatte. Wann immer ich innehalten und mir in Erinnerung rufen muss, wie sehr ich Andrew einmal geliebt habe, brauche ich nur daran zu denken. Dass sieben Zehntel der Erdoberfläche von Ozean bedeckt sind und ich ihn dank meines Ehemanns nicht einmal bemerkte. So groß war er damals für mich.

Als wir in unser neues Haus in Kingston zurückkehrten, fragte ich Andrew nach der Farbe des Flitterwochenmeeres. *Hm, war es blau?*, fragte er. Ich sagte: *Komm schon, Andrew, du bist ein Profi, das kannst du doch besser.* Und Andrew erwiderte: *Na gut, also: die ehrfurchtgebietende Weite des Ozeans war ein Gepränge aus Ultramarin, gekrönt von Karminrot und Gold, wo die polierte Sonne auf den Wellenkämmen loderte, bevor sie in die düsteren Tiefen stürzten und sich zu einem finsteren, unheilvollen Indigo verdunkelten.*

Er verweilte beim vorletzten Wort und senkte die Stimme in komischem Bombast, wobei er die Augenbrauen hob. *INNDIGO*, dröhnte er.

Natürlich weißt du, warum ich das Meer nicht bemerkt habe. Mein Kopf steckte zwei Wochen lang immerzu –

Nun, wo der Kopf meines Mannes in diesen zwei Wochen steckte, bleibt unser Geheimnis.

Wir kicherten wild und rollten auf dem Bett herum, und dann wurde Charlie, unser lieber Charlie, gezeugt.

Ich stieß die Tür auf und betrat die Eingangshalle. Der Boden aus schwarzem, italienischem Marmor war das einzige Detail, das unseren Einzug überlebt hatte. Der Rest war

Nixie pur. An einer Wand stapelten sich Kartons mit Modellen von Möchtegern-Couture-Firmen. Eine Praktikantin hatte sie mit fettem blauem Marker beschriftet: JA FÜR AUFNAHMEN BEHALTEN oder LIEBER NICHT oder das triumphierend absolutistische DAS IST KEINE MODE. In einer Otagiri-Vase mit goldenem Krakelier-Lack stand ein abgestorbener Wacholder-Bonsai, an dem noch drei glitzernde Weihnachtskugeln hingen. Die Wände waren in Fuchsia gehalten und mit bunten Glitzerlichtern dekoriert, und selbst im dämmrigen Sonnenschein, der von der Commercial Street durch die getönten Fenster fiel, wirkte die Wandfarbe fleckig und schäbig. Ich kultivierte diesen leicht ramponierten Look. *Nixie* wollte nicht wie andere Frauenmagazine sein. Sollten die doch mit ihren makellosen Eingangshallen und den spießigen Eames-Stühlen glücklich werden. Als Chefredakteurin war es mir allemal lieber, wenn meine Mitarbeiterinnen helle waren und die Eingangshalle schlampig.

Clarissa, meine Feature-Redakteurin, kam gleich nach mir durch die Tür. Wir küssten uns einmal, zweimal, dreimal – wir waren seit der Schule befreundet –, und sie hakte sich bei mir unter, als wir die Treppe hinaufgingen. Die Redaktion war im obersten Stock. Auf halbem Weg bemerkte ich, dass bei Clarissa etwas nicht stimmte.

»Du hast ja noch die Sachen von gestern an.«

Sie grinste. »Das hättest du auch, wenn du den Mann von gestern getroffen hättest.«

»Oh, Clarissa, was soll ich nur mit dir machen?«

»Gehaltserhöhung, starker Kaffee, Paracetamol.«

Strahlend zählte sie die einzelnen Punkte an den Fingern ab. Ich rief mir ins Gedächtnis, dass Clarissa manche der schönen Dinge, die ich hatte, nicht besaß – beispielsweise einen wundervollen Batman-Sohn – und sie ihr Leben daher höchstwahrscheinlich als weniger erfüllt empfand.

An diesem Tag begannen meine Mitarbeiterinnen um halb elf, es war noch niemand da. In der Redaktion waren noch die Putzfrauen zugange. Sie saugten Staub, wischten die Schreibtische ab und legten die gerahmten Fotos der schrecklichen Freunde meiner Mitarbeiterinnen mit dem Gesicht nach unten hin, um zu beweisen, dass sie darunter Staub gewischt hatten. Diesen Aspekt der Arbeit bei *Nixie* musste eine Chefredakteurin mit einem Lächeln ertragen. Bei *Vogue* oder *Marie Claire* saßen die Redakteurinnen um acht Uhr in Chloé gewandet am Schreibtisch und nippten grünen Tee. Dafür sah man sie aber auch nicht um Mitternacht CECI N'EST PAS PRÊT-À-PORTER auf einen Karton kritzeln, der an ein ehrwürdiges Pariser Modehaus zurückging.

Clarissa setzte sich auf die Ecke meines Schreibtischs und ich mich dahinter, und dann schauten wir durch das Großraumbüro zu dem Trupp schwarzer Gesichter, die die Stoffmuster und Starbucks-Becher vom Vortag wegzauberten.

Wir sprachen über die anstehende Ausgabe. Der Anzeigenverkauf war in diesem Monat ungewöhnlich gut gelaufen – vielleicht waren die Mitarbeiterinnen angesichts der schwindelerregend gestiegenen Preise der Straßendealer gezwungen gewesen, mehr Zeit im Büro zu verbringen –, und uns wurde klar, dass wir mehr redaktionelles Material als Platz in der Zeitschrift hatten. Ich hatte ein »Real Life«-Feature über eine Frau, die aus Bagdad fliehen wollte, das meiner Ansicht nach unbedingt hinein sollte. Clarissa hingegen hatte einen Bericht über eine neue Art von Orgasmus, den man anscheinend nur mit seinem Chef erleben konnte. Wir überlegten, welchen Artikel wir bringen sollten. Ich war nicht richtig bei der Sache und schrieb Andrew eine SMS, wie es ihm gehe.

Im Flachbildfernseher lief BBC News 24 ohne Ton. Gerade wurde über den Krieg berichtet. Rauch stieg über einem der beteiligten Länder auf. Fragen Sie mich nicht, über welchem – ich hatte längst den Überblick verloren. Der Krieg dauerte schon vier Jahre. Er hatte in dem Monat begonnen, in dem mein Sohn geboren wurde, und sie waren gemeinsam gewachsen. Zuerst waren beide ein Riesenschock und verlangten ständige Aufmerksamkeit, doch mit der Zeit wurden sie selbstständiger, und man konnte sie auch mal eine Weile aus den Augen lassen. Manchmal brachte mich ein ganz bestimmtes Ereignis dazu, den einen oder anderen – meinen Sohn oder den Krieg – zu betrachten und ihm meine ganze Aufmerksamkeit zu widmen, und dann dachte ich immer, meine Güte, bist du groß geworden!

Ich wollte wissen, wie der neue Orgasmus funktionierte, und blickte von meinem Handy auf.

»Wieso geht das nur mit dem Chef?«

»Das hat etwas mit verbotenen Früchten zu tun. Es gibt dir einen besonderen Kick, weil du gegen das Büro-Tabu verstößt. Hormone und Neurotransmitter und so weiter. Du weißt schon, Wissenschaft.«

»Hm. Ist das wirklich wissenschaftlich erwiesen?«

»Jetzt komm mir nicht mit Statistiken, Sarah. Wir sprechen über eine völlig neue Dimension sexuellen Vergnügens. Wir nennen sie den C-Punkt, C wie Chef. Wie findest du das?«

»Genial.«

»Vielen Dank, Darling. Wir tun unser Bestes.«

Innerlich kamen mir die Tränen beim Gedanken an Frauen im ganzen Land, die sich von Vertretern des mittleren Managements mit blankgewetzten Anzughintern Vergnügen erhofften. News 24 hatte vom Nahen Osten nach Afrika geschaltet. Andere Landschaft, gleiche schwarze Rauchsäule. Gelb verfärbte Augen blickten mich mit derselben Gleichgültigkeit an, die ich bei Andrew gesehen hatte, bevor ich mich abwandte und zur Arbeit fuhr. Wieder sträubten sich die Härchen auf meinen Armen. Ich machte die drei Schritte zum Fenster, das auf die Commercial Street hinausging, und legte die Stirn an die Scheibe, was ich manchmal tue, wenn ich nachdenken möchte.

»Alles in Ordnung, Sarah?«

»Natürlich. Hör mal, würdest du so lieb sein und uns einen Kaffee holen?«

Clarissa ging zu unserer bescheidenen Kaffeemaschine, unserem Pendant zum hauseigenen *Salon de thé* bei *Vogue*. Unten auf der Straße hielt ein Polizeiauto und parkte genau vor dem Haus im absoluten Halteverbot. Zwei uniformierte Beamte stiegen aus und schauten einander über das Dach des Streifenwagens hinweg an. Einer hatte kurzes blondes Haar, der andere eine kahle Stelle, rund und ordentlich wie die Tonsur eines Mönchs. Ich sah, wie er den Kopf zum Funkgerät an seinem Revers neigte. Ich lächelte und dachte geistesabwesend an ein Projekt, das bei Charlie im Kindergarten lief. Es hieß »Die Polizei: Leute, die uns helfen«. Mein Sohn fand das selbstverständlich ganz und gar nicht einleuchtend. Charlie, mit Umhang und Maske in ständiger Alarmbereitschaft, war der Ansicht, eine stolze Bürgerschaft solle sich selbst helfen.

Clarissa kam mit zwei Bechern Plastik-Latte zurück. In einem hatte die Kaffeemaschine einen Rührer aus durchsichtigem Acryl deponiert, im anderen nicht. Clarissa überlegte offenkundig, welchen sie mir geben sollte.

»Die erste große Entscheidung des Tages«, sagte sie.

»Ganz einfach. Ich bin die Chefin. Also bekomme ich den Löffel.«

»Und wenn nicht?«

»Dann werden wir vielleicht niemals deinen C-Punkt entdecken. Ich habe dich gewarnt.«

Clarissa erbleichte und reichte mir den Kaffee mit dem Rührer.

»Mir gefällt die Bagdad-Story«, sagte ich.

Clarissa seufzte und ließ die Schultern hängen. »Mir auch, Sarah, natürlich. Das ist ein toller Artikel.«

»Vor fünf Jahren hätten wir ihn gebracht. Ohne jede Frage.«

»Vor fünf Jahren war unsere Auflage so niedrig, dass wir solche Risiken eingehen mussten.«

»Und sind damit groß geworden – indem wir anders waren. Das sind *wir*.«

Clarissa schüttelte den Kopf. »Groß werden ist etwas anderes als groß bleiben. Du weißt so gut wie ich, dass wir keine moralischen Geschichten servieren können, während die Konkurrenz Sex verkauft.«

»Aber warum glaubst du, unsere Leserinnen seien dümmer geworden?«

»Darum geht es doch gar nicht. Ich glaube eher, unsere ursprünglichen Leserinnen lesen keine Frauenmagazine mehr. Sie haben sich weiterentwickelt, genau wie du es könntest, wenn du nur das verdammte Spiel mitspielen würdest. Du begreifst vielleicht nicht, wie groß du wirklich geworden bist, Sarah. Du könntest als Nächstes Chefin bei einer der großen Tageszeitungen werden.«

Ich seufzte. »Wie spannend. Dann könnte ich Oben-ohne-Mädchen auf jede Seite setzen.«

Mein fehlender Finger juckte. Ich schaute wieder zu dem Streifenwagen hinunter. Die beiden Beamten setzten die Uniformmützen auf. Ich klopfte mir mit dem Handy gegen die Schneidezähne.

»Lass uns nach der Arbeit was trinken gehen, Clarissa. Du kannst gern deinen neuen Typen mitbringen. Andrew kommt auch mit.«

»Ist das dein Ernst? In aller Öffentlichkeit? Mit deinem *Ehemann*? Ist das nicht schrecklich *out*?«

»Vermutlich seit fünf Jahren.«

Clarissa neigte sich zu mir. »Was willst du mir damit sagen, Sarah?«

»Ich will dir gar nichts sagen, Clarissa. Dazu habe ich dich viel zu gern. Ich stelle mir nur selbst ein paar Fragen. Ich frage mich, ob die Entscheidungen, die ich vor fünf Jahren getroffen habe, vielleicht doch nicht so schlecht waren.« Clarissa lächelte resigniert. »Schön. Aber erwarte nicht, dass ich unter dem Tisch die Hände von seinen muskulösen Schenkeln lasse, nur weil er dein Mann ist.«

»Wenn du das tust, Clarissa, schreibst du für den Rest deines Lebens Horoskope.«

Das Telefon auf dem Schreibtisch klingelte. Ich sah auf die Uhr im Display. 10.25 Uhr. Seltsam, dass man sich an solche Einzelheiten erinnert. Es war das Mädchen vom Empfang, und sie klang unerträglich gelangweilt. Der Empfang war bei *Nixie* so etwas wie die Strafbank. Wenn ein Mädchen in der Redaktion zu sehr herumzickte, bekam sie eine Woche dort unten aufgebrummt.

»Hier sind zwei Polizisten.«

»Oh. Sie sind zu uns hereingekommen? Was wollen sie denn?«

»Gut, überlegen wir mal, weshalb ich wohl deine Nummer gewählt habe.«

»Sie wollen zu mir?«

»Sarah, du bist wirklich nicht ohne Grund unsere Chefin.«

»Lass den Scheiß. Weshalb wollen die mit mir reden?«

Pause.

»Ich könnte mal fragen.«

»Wenn es dir nicht zu viel Mühe macht.«

Längere Pause.

»Sie sagen, sie wollen im Büro einen Porno drehen. Sie sind gar keine echten Polizisten und sind unglaublich gut behängt.«

»Herrgott noch mal, sag ihnen, ich komme runter.«

Ich legte auf und schaute Clarissa an. Wieder sträubten sich die Härchen auf meinen Armen.

»Die Polizei«, sagte ich.

»Ganz ruhig«, meinte Clarissa. »Sie können dich wohl kaum verhaften, nur weil du einen ernsthaften Artikel bringen wolltest.«

Im Fernseher hinter ihr war Jon Stewart zu sehen. Er lachte. Sein Gast lachte auch. Da ging es mir schon besser. In jenem Sommer, in dem so viel in Rauch aufging, musste man einfach etwas finden, über das man lachen konnte. Man lachte oder zog ein Superheldenkostüm an oder versuchte sich an einem Orgasmus, den die Wissenschaft bislang übersehen hatte.

Ich nahm die Treppe und rannte beinahe hinunter. Die beiden Polizeibeamten standen zu nah beieinander, Mützen in der Hand, die großen, soliden Schuhe auf meinem schwarzen Marmor. Der Jüngere wurde furchtbar rot.

»Es tut mir sehr leid«, sagte ich und funkelte die Empfangsdame an, die mich unter ihrem perfekten blonden Seitenscheitel angrinste.

»Sarah O'Rourke?«

»Summers.«

»Wie bitte, Madam?«

»Sarah Summers ist mein beruflicher Name.«

Der ältere Polizist schaute mich ausdruckslos an. »Dies ist eine persönliche Angelegenheit, Mrs. O'Rourke. Können wir uns irgendwo unterhalten?«

Ich führte sie ins Besprechungszimmer im ersten Stock. Es war in Rosa und Violett gehalten, langer Glastisch, noch ein Neonschriftzug.

»Kann ich Ihnen einen Kaffee anbieten? Oder Tee? Man weiß vorher allerdings nie genau, was aus der Maschine kommt. Sie ist ein bisschen ...«

»Sie sollten sich vielleicht lieber setzen, Mrs. O'Rourke.«

Die Gesichter der Beamten erglühten unnatürlich im rosigen Licht. Sie sahen aus wie Männer aus einem Schwarzweißfilm, den man am Computer koloriert hatte. Den Älteren mit der kahlen Stelle schätzte ich auf Mitte vierzig. Den Jüngeren mit dem kurzen blonden Haar auf Anfang bis Mitte zwanzig. Hübscher Mund. Volle Lippen, sehr appetitlich. Er war nicht schön, aber mich faszinierte seine Haltung und wie er respektvoll den Blick senkte, wenn er sprach. Und Männer in Uniformen haben einfach was. Irgendwie fragt man sich immer, ob sie wohl das Protokoll mit der Jacke ablegen.

Die beiden hatten die Uniformmützen auf das violette Rauchglas gelegt und drehten sie mit ihren sauberen, weißen Fingern. Beide hielten exakt im selben Moment inne, als wäre ein bestimmter kritischer Winkel erreicht, den sie in der Grundausbildung geübt hatten.

Sie starrten mich an. Mein Handy, das auf dem Glastisch lag, gab einen überdrehten Klingelton von sich – eine eingehende SMS. Ich lächelte. Das musste Andrew sein.

»Ich habe leider eine schlimme Nachricht für Sie, Mrs. O'Rourke«, sagte der ältere Beamte.

»Was soll das heißen?«

Es klang aggressiver als beabsichtigt. Die Polizisten starrten auf ihre Mützen. Ich musste die SMS lesen. Als ich die Hand nach dem Telefon ausstreckte, bemerkte ich, wie die beiden den Stumpf meines Fingers musterten.

»Ach, den habe ich im Urlaub verloren. Am Strand.«

Die beiden Polizisten schauten einander an. Dann wieder zu mir. Der Ältere sprach. Er klang auf einmal heiser.

»Es tut uns sehr leid, Mrs. O'Rourke.«

»Aber nein, dazu gibt es keinen Grund. Es ist schon in Ordnung, wirklich. Mir geht es gut. Es ist nur ein Finger.«

»Das habe ich nicht gemeint, Mrs. O'Rourke. Wir haben die traurige Aufgabe, Ihnen mitzuteilen, dass –«

»Ehrlich gesagt, man gewöhnt sich daran, dass der Finger fehlt. Erst hat man das Gefühl, man käme gar nicht zurecht, aber dann lernt man, die andere Hand zu benutzen.« Ich sah auf. Die beiden betrachteten mich mit grauen, ernsten Gesichtern. Die Neonleuchten summten. Auf der Wanduhr klappte eine neue Minute über die alte. »Das Komischste ist, dass ich ihn noch spüre. Meinen Finger, meine ich. Den, der fehlt. Manchmal juckt er sogar. Dann will ich mich kratzen, und es ist natürlich nichts da. In meinen Träumen wächst mein Finger nach, und ich bin so froh, ihn zurückzuhaben, obwohl ich gelernt habe, ohne ihn auszukommen. Ist das nicht albern? Ich vermisse ihn. Er *juckt*.«

Der jüngere Beamte holte tief Luft und schaute in sein Notizbuch.

»Um kurz nach neun heute Morgen wurde Ihr Ehemann bewusstlos in Ihrem Haus aufgefunden, Mrs. O'Rourke. Ihre Nachbarin hörte Schreie und rief die Polizei an, um zu melden, dass sich eine männliche Person offenbar in Not befinde. Die Kollegen begaben sich zu der genannten Adresse und verschafften sich um neun Uhr fünfzehn Zugang zu einem Raum im oberen Stockwerk, wo sie Andrew O'Rourke bewusstlos auffanden. Unsere Beamten bemühten sich nach Kräften, und es kam sofort ein Notarztwagen, doch ich muss Ihnen zu meinem großen Bedauern mitteilen, dass Ihr Ehemann um, äh … um neun Uhr dreiunddreißig vor Ort als verstorben erklärt wurde.«

Der Polizist klappte sein Notizbuch zu. »Wir bedauern zutiefst, Madam.«

Ich griff nach meinem Handy. Die neue SMS stammte in der Tat von Andrew. Sie lautete: TUT MIR SO LEID.

Es tat ihm leid.

Ich schaltete das Handy auf lautlos – und mich selbst ebenfalls. Die Lautlosigkeit hielt die ganze Woche an. Sie polterte im Taxi auf der Fahrt nach Hause. Sie heulte, als ich Charlie aus dem Kindergarten abholte. Sie knisterte in der Leitung, als ich mit meinen Eltern telefonierte. Sie dröhnte mir in den Ohren, als sich der Bestatter über die jeweiligen Vorteile von Eiche und Kiefer ausließ. Sie räusperte sich entschuldigend, als der für Nachrufe zuständige Redakteur der *Times* anrief, um einige letzte Details zu klären. Und nun war mir die Lautlosigkeit in die kalte, widerhallende Kirche gefolgt.

Wie sollte ich einem vierjährigen Superhelden den Tod erklären? Wie das jähe Eintreffen des Kummers verkünden? Ich hatte es nicht einmal selbst akzeptiert. Als die Polizisten mir sagten, Andrew sei tot, weigerte sich mein Verstand, die Information zu verarbeiten. Ich denke, ich bin eine ganz normale Frau und ziemlich gut gerüstet, um mit den alltäglichen Katastrophen fertig zu werden. Unterbrochener Sex, harte Entscheidungen im Beruf und versagende Kaffeemaschinen – all das kann mein Verstand ohne weiteres hinnehmen. Aber mein Andrew, tot? Es schien noch immer undenkbar. Er hatte einmal mehr als sieben Zehntel der Erdoberfläche bedeckt.

Und doch saß ich jetzt hier und starrte auf Andrews schlichten Eichensarg *(Eine klassische Wahl, Madam)*, der im weiten Kirchenschiff ziemlich klein wirkte. Ein lautloser, widerwärtiger Traum.

Mama, wo ist Papa?

Ich saß in der vordersten Kirchenbank, die Arme um meinen Sohn gelegt, und stellte fest, dass ich zitterte. Der Pfarrer hielt die Totenrede. Er sprach in der Vergangenheit von meinem Mann. Es klang sehr schlüssig. Mir wurde bewusst, dass er nie mit Andrew in der Gegenwartsform zu tun gehabt, nie seine Kolumnen Korrektur gelesen oder gespürt hatte, dass er wie eine kaputte Uhr allmählich stehenblieb.

Charlie wand sich in meinen Armen und stellte wieder seine Frage, dieselbe Frage, die er zehnmal am Tag stellte, seit Andrew gestorben war. *Mama, wo ist Papa jetzt genau?* Ich beugte mich zu seinem Ohr und flüsterte: *Heute Morgen ist er in einer besonders hübschen Ecke vom Himmel, Charlie. Dort gibt es einen schönen großen Raum, wo alle nach dem Frühstück hingehen, mit vielen interessanten Büchern und anderen Sachen.*

– Oh. Kann man da malen?

– Natürlich, das kann man auch.

– Tut mein Papa da auch malen?

– Nein, Charlie, dein Papa macht das Fenster auf und sieht sich den Himmel an.

Zitternd überlegte ich, wie lange ich wohl noch von Andrews Leben nach dem Tod erzählen müsste.

Noch mehr Worte, dann Kirchenlieder. Hände ergriffen mich an den Ellbogen und führten mich nach draußen. Ich sah mich auf einem Friedhof neben einem tiefen Loch stehen. Sechs Sargträger in Anzügen senkten einen Sarg an dicken, grünseidenen Seilen mit Troddeln an den Enden in die Erde. Ich erkannte den Sarg, der vorn in der Kirche auf einem Gestell gestanden hatte. Der Sarg kam zur Ruhe. Die Bestatter holten die Seile mit einer einzigen geschickten Handbewegung ein. Ich weiß noch, wie ich dachte, das machen sie sicher jeden Tag, als wäre das eine brillante Erkenntnis. Jemand drückte mir einen Klumpen Lehm in die Hand. Mir wurde klar, dass man mich aufforderte – geradezu drängte –, ihn in das Loch zu werfen. Ich trat an den Rand. Man hatte das Grab sauber und ordentlich mit Kunstrasen eingerahmt. Ich schaute hinunter und sah den Sarg blass in der Tiefe schimmern. Batman klammerte sich an mein Bein und spähte mit mir in die Düsternis.

»Mama, warum haben die Bruce-Wayne-Männer die Kiste in das Loch gestellt?«

»Daran wollen wir jetzt nicht denken, Schatz.«

Ich hatte in dieser Woche so viele Stunden damit zugebracht, Charlie den Himmel zu erklären – jedes Zimmer und jedes Bücherregal und jeden Sandkasten darin –, dass ich Andrews toten Körper völlig außer Acht gelassen hatte. Ich hatte geglaubt, es sei zu viel verlangt von meinem vierjährigen Sohn, die Trennung von Körper und Seele zu begreifen. Rückblickend habe ich den Jungen, der zur gleichen Zeit in Kingston-upon-Thames und Gotham City leben konnte, wohl unterschätzt. Wenn ich mich in aller Ruhe mit ihm hingesetzt und es ihm behutsam erklärt hätte, hätte er wahrscheinlich gut mit dieser Dualität leben können.

Ich kniete mich hin und legte meinem Sohn den Arm um die Schultern. Es war als zärtliche Geste gedacht, aber in meinem Kopf drehte sich alles, und ich merkte, dass womöglich nur Charlie mich daran hinderte, in das Loch zu fallen. Ich hielt ihn fester. Charlie legte den Mund an mein Ohr und flüsterte: »Wo ist mein Papa jetzt genau?«

»Dein Papa ist auf den himmlischen Hügeln, Charlie«, flüsterte ich zurück. »Die sind um diese Jahreszeit sehr beliebt. Ich glaube, er ist da sehr glücklich.«

»Hm. Kommt mein Papa bald zurück?«

»Nein, Charlie. Aus dem Himmel kommen Leute nicht zurück. Darüber haben wir doch gesprochen.«

Charlie schürzte die Lippen. »Mama«, sagte er wieder, »warum haben die die Kiste da unten reingestellt?«

»Damit sie sicher ist, nehme ich an.«

»Oh. Holen sie die später wieder ab?«

»Nein, Charlie, ich glaube nicht.«

Charlie blinzelte. Er verzog unter seiner Maske das Gesicht, weil er so angestrengt nachdachte.

»Wo ist der Himmel, Mama?«

»Bitte, Charlie, nicht jetzt.«

»Was ist in der Kiste?«

»Lass uns später darüber reden, Schatz, in Ordnung?
Mama ist ein bisschen schwindlig.«

Charlie starrte mich an. »Ist mein Papa in der Kiste?«

»Dein Papa ist im Himmel, Charlie.«

»*Ist die Kiste der Himmel?*«, fragte Charlie laut.

Alle schauten uns an. Ich konnte nicht sprechen. Mein
Sohn starrte in das Loch. Dann blickte er zutiefst entsetzt
zu mir auf.

»Mama! Hol ihn *raus*! Hol meinen Papa aus dem Himmel!«

Ich klammerte mich an seine Schultern. »Oh, Charlie,
bitte, du verstehst das nicht!«

»*Hol ihn raus! Hol ihn raus!*«

Mein Sohn wand sich in meinem Griff und riss sich los.
Es ging sehr schnell. Er stand ganz dicht am Rand des Grabes. Er sah mich an, dann machte er noch einen winzigen
Schritt nach vorn, doch das Kunstgras ragte über den Rand
der Grube und gab unter seinen Füßen nach, und er fiel
mit flatterndem Umhang ins Grab. Mit einem dumpfen
Laut landete er auf Andrews Sarg. In der Trauergesellschaft
stieß jemand einen einzigen durchdringenden Schrei aus. Ich
glaube, es war das erste Geräusch seit Andrews Tod, das die
Lautlosigkeit durchdrang.

In meinem Kopf ging der Schrei immer weiter. Mir war
übel, und der Horizont schwankte wie verrückt. Noch immer auf den Knien beugte ich mich über die Grube. Tief
unten im Schatten hämmerte mein Sohn auf den Sarg und
kreischte: *Papa, Papa, komm RAUS!* Er klammerte sich
an den Sargdeckel, stemmte seine Batman-Schuhe gegen
die Wand des Grabes und versuchte mit aller Kraft, den zu-
geschraubten Deckel aufzuschieben. Ich streckte die Arme
in das Loch hinunter. Ich flehte Charlie an, mir die Hand
zu geben, damit ich ihn hochziehen könnte. Ich glaube, er
hörte mich gar nicht.

Zuerst bewegte sich mein Sohn mit atemlosem Selbstvertrauen. Immerhin war Batman das ganze Frühjahr unbesiegt geblieben. Er hatte den Pinguin, den Papageientaucher und Mr. Freeze überwältigt. Für meinen Sohn war es einfach undenkbar, dass er diese neue Herausforderung nicht meistern könnte. Er kreischte vor Zorn und Wut. Er wollte nicht aufgeben. Wenn ich den exakten Zeitpunkt benennen sollte, an dem mir das Herz unwiderruflich brach, dann war es der Augenblick, in dem sich Müdigkeit und Zweifel in die kleinen Muskeln meines Sohnes stahlen, nachdem seine Finger zum zehnten Mal von dem hellen Eichendeckel abgerutscht waren.

Die Trauergemeinde stand um das Grab gedrängt, wie gelähmt von dem entsetzlichen Vorfall, der ersten Erkenntnis des Todes, die schlimmer war als der Tod selbst. Ich wollte zu Charlie, wurde aber zurückgehalten. Ich versuchte mich loszureißen und schaute in die schreckensstarren Gesichter und dachte nur, warum tut denn niemand etwas?

Doch es ist schwer, sehr schwer, den ersten Schritt zu machen.

Schließlich war es Little Bee, die ins Grab kletterte, meinen Sohn ergriff und ihn den helfenden Händen hinaufreichte. Charlie trat und biss und kämpfte wie wild in seinem schmutzigen Kostüm. Er wollte wieder runter. Und als man ihr herausgeholfen hatte, war es wieder Little Bee, die ihn umarmte und zurückhielt, als er *Nein, nein, nein, nein, nein* schrie, während die Trauernden nacheinander auf den schmalen Kunstgrasstreifen traten und ihre Hand voll Lehm hinunterwarfen. Die Schreie meines Sohnes schienen grausam lange zu dauern. Ich weiß noch, dass ich mich fragte, ob mein Verstand von dem Geräusch zerbrechen würde, so wie ein Sopran ein Weinglas zerbrechen kann. In der Tat rief mich einige Tage später ein früherer Kollege von Andrew an, der als Kriegsberichterstatter im Irak und in Darfur gewesen war, und gab mir den Namen seines Therapeuten durch, der Menschen mit PTBS behandelte. *Das ist nett von dir*, sagte ich, *aber ich war nicht im Krieg.*

Als das Schreien vorbei war, nahm ich Charlie auf den Arm, und er legte den Kopf auf meine Schulter. Er war erschöpft. Durch die Sehschlitze der Maske konnte ich erkennen, wie ihm die Augen zufielen. Die Trauergäste bewegten sich in einer langsamen Reihe zum Parkplatz. Bunte Regenschirme erblühten über der dunklen Kleidung. Es begann zu regnen.

Little Bee blieb bei mir. Wir standen am Grab und sahen einander an.

»Ich danke dir«, sagte ich.

»Nichts zu danken«, sagte Little Bee. »Das hätte doch jeder getan.«

»Es hat aber niemand sonst getan.«

Little Bee zuckte mit den Schultern. »Es ist leichter, wenn man von außen kommt.«

Ich zitterte. Es regnete stärker.

»Es wird niemals aufhören«, sagte ich. »Oder, Little Bee?«

»*So lange der Mond auch verschwindet, irgendwann muss er wieder scheinen.* Das sagten wir bei mir im Dorf.«

»*Auf nassen April ein trockner Juni folgen will.* Das sagten wir in meinem.«

Wir versuchten, einander anzulächeln.

Ich habe meinen Lehmklumpen nicht ins Grab geworfen. Irgendwie konnte ich ihn auch nicht weglegen. Als ich zwei Stunden später einen Moment lang allein am Küchentisch saß, merkte ich, dass ich ihn noch immer umklammert hielt. Ich ließ ihn auf dem Tischtuch liegen, einen kleinen, beigefarbenen Klumpen auf der sauberen blauen Baumwolle. Als ich ein paar Minuten später wiederkam, hatte ihn jemand entfernt.

Einige Tage danach merkte der Nachrufredakteur der *Times* an, es habe herzzerreißende Szenen beim Begräbnis ihres früheren Kolumnisten gegeben. Andrews Chefredakteur schickte mir den Ausschnitt in einem schweren, cremefarbenen Umschlag, dem eine blütenweiße Begleitkarte beigefügt war.

3

Eines der Dinge, die ich den Mädchen zu Hause erklären müsste, wenn ich ihnen diese Geschichte erzählen würde, ist das Wort »Horror«. Für die Leute aus meinem Dorf bedeutet es etwas anderes.

In eurem Land könnt ihr, wenn ihr euch noch nicht genügend fürchtet, einen Horrorfilm anschauen. Danach könnt ihr aus dem Kino in die Nacht hinausgehen und für eine kleine Weile überall Horror sehen. Vielleicht lauern zu Hause Mörder auf euch. Das glaubt ihr, weil in eurem Haus ein Licht brennt, das ihr ganz bestimmt nicht angelassen habt. Und wenn ihr euch vor dem Spiegel abschminkt, entdeckt ihr einen seltsamen Blick in euren Augen. Das seid nicht ihr. Eine Stunde lang fühlt ihr euch verfolgt und traut niemandem, und dann vergeht das Gefühl. In eurem Land ist Horror etwas, von dem man eine Dosis nimmt, um sich daran zu erinnern, dass man nicht daran leidet.

Für mich und die Mädchen aus meinem Dorf ist der Horror eine Krankheit, und sie hat uns alle erfasst. Es ist keine Krankheit, die man selbst heilen kann, indem man aufsteht und den roten Kinositz hinter sich zurückklappen lässt. Das wäre ein toller Trick. Wenn ich das könnte, glaubt mir, würde ich schon im Foyer stehen. Ich würde mit dem Jungen hinter der Theke lachen und britische Pfundmünzen gegen heißes, buttriges Popcorn tauschen und sagen, *Puh, Gott sei Dank, das ist vorbei, das war der schrecklichste Film, den ich je gesehen habe, ich glaube, nächstes Mal schau ich mir eine Komödie an oder einen Liebesfilm mit romantischen Küssen.* Doch den Film im eigenen Gedächtnis kann man nicht so einfach hinter sich lassen. Wohin man auch geht, er wird überall gespielt. Wenn ich sage, ich bin ein Flüchtling, heißt das auch, dass es keine Zuflucht gibt.

Manchmal frage ich mich, wie viele es gibt, die so sind wie ich. Tausende, denke ich, die gerade jetzt auf den Ozeanen dahintreiben. Zwischen unserer Welt und eurer. Wenn wir keine Schmuggler bezahlen können, damit sie uns mitnehmen, verstecken wir uns auf Frachtschiffen. Im Dunkeln, in Containern. Wir atmen leise in der Dunkelheit, hungrig, hören die seltsamen rumpelnden Geräusche der Schiffe, riechen Diesel und Farbe, horchen auf das Wummern der Motoren. Nachts sind wir hellwach, hören den Gesang der Wale, der aus der Tiefe des Meeres emporsteigt und das Schiff vibrieren lässt. Wir alle flüstern, beten, denken. Und woran denken wir? An Sicherheit, an Seelenfrieden. An all die imaginären Länder, die jetzt im Kinofoyer bedient werden.

Ich versteckte mich auf einem großen, stählernen Schiff, doch der Horror hatte sich in mir versteckt. Als ich mein Heimatland verließ, dachte ich, ich sei entkommen, aber auf dem offenen Meer begannen die Albträume. Es war naiv anzunehmen, ich hätte alles in meinem Land zurückgelassen. Nein, ich trug eine schwere Last mit mir.

Sie löschten meine Ladung in einem Hafen an der Themsemündung. Ich ging nicht über die Gangway, eure Einwanderungsbeamten trugen mich vom Schiff und steckten mich ins Abschiebegefängnis. Das Abschiebegefängnis war nicht zum Lachen. Was soll ich dazu sagen? Euer System ist grausam, aber viele von euch waren freundlich zu mir. Ihr habt Kartons mit Spenden geschickt. Ihr habt meinen Horror in Stiefel und ein buntes Hemd gekleidet. Ihr habt ihm etwas geschickt, mit dem er sich die Nägel bemalen konnte. Ihr habt Bücher und Zeitungen geschickt. Jetzt kann der Horror das Englisch der Königin sprechen. So können wir nun über Asyl und Zuflucht reden. So kann ich euch – *bald-bald*, wie wir in meinem Land sagen – ein wenig von dem erzählen, vor dem ich weggelaufen bin.

Mal ehrlich, sich umzubringen ist besser als manche der Dinge zu ertragen, die die Männer dir antun können. Sobald du das weißt, zucken deine Augen ständig hin und her und warten auf den Augenblick, in dem die Männer kommen.

In der Abschiebehaft erzählten sie uns, wir müssten diszipliniert sein, um unsere Ängste zu bewältigen. Dies ist die Disziplin, die ich gelernt habe: Wann immer ich an einen neuen Ort komme, finde ich als Erstes heraus, wie ich mich dort töten kann. Falls die Männer plötzlich kommen, muss ich bereit sein. Als ich das erste Mal in Sarahs Badezimmer war, dachte ich, ja, Little Bee, hier drinnen würdest du den Spiegel des Medizinschranks zerbrechen und dir mit den Splittern die Pulsadern aufschneiden. Als ich mit Sarah im Auto fuhr, dachte ich, hier, Little Bee, würdest du das Fenster öffnen und den Gurt lösen und dich einfach vor den nächsten Lastwagen fallen lassen, der dir entgegenkommt. Und als Sarah eines Tages mit mir in den Richmond Park ging, schaute sie sich die Gegend an, aber ich suchte nach einem Loch im Boden, in dem ich mich verstecken und ganz still liegen könnte, bis ihr von mir nur noch einen kleinen, weißen Schädel finden würdet, den die Füchse und Kaninchen mit ihren weichen, feuchten Nasen anstupsen.

Wenn die Männer plötzlich kommen, will ich bereit sein, mich zu töten. Habt ihr Mitleid, weil ich so denke? Wenn die Männer kommen und ihr nicht bereit seid, werde ich Mitleid mit *euch* haben.

In den ersten sechs Monaten im Abschiebegefängnis schrie ich jede Nacht und dachte mir tagsüber tausend Möglichkeiten aus, mich zu töten. Für jede einzelne Situation, in die ein Mädchen wie ich im Abschiebegefängnis geraten kann, überlegte ich mir eine Möglichkeit. Auf der Krankenstation, Morphium. In der Besenkammer, Bleichmittel. In der Küche, siedendes Fett. Ihr haltet das für übertrieben? Einige von denen, die mit mir eingesperrt waren, machten das tatsächlich. Die Wachbeamten ließen die Leichen nachts wegschaffen, damit die Leute im Ort die Ambulanzwagen nicht sahen.

Und wenn sie mich freigelassen hätten und ich in ein Kino gegangen wäre und mich dort hätte töten müssen? Dann hätte ich mich vom Vorführraum hinuntergestürzt. Oder in einem Restaurant? Ich hätte mich im größten Kühlschrank versteckt und wäre in einen langen, kalten Schlaf gefallen. Oder am Meer? Also, am Meer hätte ich einen Eiswagen gestohlen und wäre damit ins Wasser gefahren. Ihr hättet mich nie wiedergesehen. Zweitausend schmelzende Eispäckchen, die auf den kühlen blauen Wellen tanzen, wären der einzige Beweis für die Existenz eines verängstigten afrikanischen Mädchens gewesen.

Nach hundert schlaflosen Nächten hatte ich mir für jeden einzelnen Winkel des Abschiebegefängnisses und der Gegend draußen eine Möglichkeit ausgedacht, mich zu töten, doch meine Phantasie arbeitete weiter. Der Horror hatte mich geschwächt, und sie steckten mich in die Krankenstation. Weit weg von den anderen Gefangenen lag ich zwischen den kratzigen Laken und war jeden Tag allein mit meinen Gedanken. Ich wusste, sie wollten mich deportieren, also stellte ich mir vor, wie ich mich zu Hause in Nigeria töten würde. Es war wie im Abschiebegefängnis, nur die Landschaft war hübscher. Ein kleines, unerwartetes Glück. In Wäldern, in stillen Dörfern, an Berghängen nahm ich mir wieder und wieder das Leben.

An den schönsten Orten verweilte ich insgeheim ein wenig vor der Tat. Einmal, in einem tiefen, heißen Dschungel, der nach feuchtem Moos und Affenkot roch, brauchte ich fast einen ganzen Tag, um Bäume zu fällen und einen hohen Turm zu errichten, an dem ich mich erhängen konnte. Ich hatte eine Machete. Ich stellte mir das klebrige Harz an den Händen und den süßen Honiggeruch vor, das angenehm müde Gefühl in den Armen, das wütende Kreischen der Affen, deren Bäume ich gefällt hatte. Ich arbeitete hart in meiner Phantasie und band die Baumstämme mit Lianen und Ranken aneinander und verwendete einen besonderen Knoten, den mir meine Schwester Nkiruka beigebracht hatte. Es war viel Arbeit für ein kleines Mädchen. Ich war stolz. Nachdem ich den ganzen Tag allein im Krankenbett an meinem Selbstmordturm gearbeitet hatte, wurde mir klar, dass ich auch einfach auf einen Baum hätte klettern und mit meinem dummen Kopf voran auf einen Felsen hätte springen können.

Da musste ich zum ersten Mal lächeln.

Ich fing an, die Mahlzeiten zu essen, die sie mir brachten. Ich dachte mir, du musst bei Kräften bleiben, Little Bee, sonst bist du Dummkopf zu schwach, um dich zu töten, wenn die Zeit gekommen ist, und dann wird es dir leidtun. Ich fing an, zu den Essenszeiten von der Krankenstation in die Kantine zu gehen, damit ich mir mein Essen selbst aussuchen konnte, statt es gebracht zu bekommen. Ich begann, mir Fragen zu stellen wie diese: Was gibt mir mehr Kraft für den Selbstmord, Möhren oder Erbsen?

In der Kantine lief immer der Fernseher. Ich lernte mehr über das Leben in eurem Land. Ich schaute mir Sendungen wie *Love Island* und *Kochduell* und *Wer wird Millionär?* an und überlegte mir, wie ich mich in diesen Shows umbringen würde. Ertränken, Messer und der Publikumsjoker.

Eines Tages gaben uns die Wachbeamten ein Buch mit dem Titel *Life in the United Kingdom*. Darin wird die Geschichte eures Landes erklärt und wie man sich anpasst. Ich plante meinen Selbstmord zur Zeit von Churchill (mich in den Bombenhagel stellen), Viktoria (mich vor ein Pferd werfen) und Heinrich VIII. (Heinrich VIII. heiraten). Ich überlegte mir, wie ich mich unter Labour- und konservativen Regierungen umbringen würde und dass ein Selbstmordplan für eine Regierung der Liberaldemokraten unnötig war. Allmählich verstand ich, wie euer Land funktionierte. Man verlegte mich aus der Krankenstation. Nachts schrie ich noch immer, aber nicht jede Nacht. Mir wurde klar, dass ich zwei Lasten zu tragen hatte. Eine davon war der Horror, aber die andere war die Hoffnung. Ich begriff, dass ich mich ins Leben zurückgetötet hatte.

Ich las eure Romane. Ich las die Zeitungen, die ihr uns schicktet. Ich unterstrich die gewichtigen Sätze in den Leitartikeln und schlug jedes Wort in meinem Collins-Wörterbuch nach. Stundenlang übte ich vor dem Spiegel, bis die großen Wörter in meinem Mund natürlich wirkten.

Ich las viel über eure königliche Familie. Eure Königin gefällt mir besser als ihr Englisch. Wisst ihr, wie ihr euch bei einer Gartenparty bei Königin Elisabeth der Zweiten auf dem großen Rasen des Londoner Buckingham-Palastes töten könnt, falls man euch zufällig einladen sollte? Ich schon. Dazu würde ich ein zerbrochenes Champagnerglas benutzen oder eine scharfe Hummerschere oder sogar ein winziges Stückchen Gurke, das ich in meine Luftröhre saugen könnte, falls die Männer plötzlich kämen.

Ich frage mich oft, was die Königin tun würde, wenn die Männer plötzlich kämen. Ihr könnt mir nicht weismachen, dass sie nicht häufig daran denkt. Als ich in *Life in the United Kingdom* von den Dingen las, die einigen Frauen zugestoßen sind, die ihren Job gemacht haben, wurde mir klar, dass sie an nichts anderes denkt. Ich glaube, die Königin und ich haben eine ganze Menge gemeinsam.

Die Königin lächelt manchmal, aber wenn man sich ihre

Augen auf dem Porträt auf der Rückseite des Fünf-Pfund-Scheins ansieht, merkt man, dass auch sie eine schwere Last trägt. Die Königin und ich rechnen immer mit dem Schlimmsten. In der Öffentlichkeit lächeln wir beide oder lachen sogar, aber wenn uns ein Mann auf bestimmte Weise ansähe, würden wir beide dafür sorgen, dass wir tot sind, bevor er uns auch nur mit einem einzigen Finger berührt. Diese Genugtuung würden ich und die Königin von England ihm nicht geben.

Es ist gut, so zu leben. Wenn man erst einmal bereit ist zu sterben, leidet man nicht mehr so schrecklich unter dem Horror. Daher war ich an jenem Morgen, an dem sie uns Mädchen aus der Abschiebehaft ließen, nervös, aber ich lächelte, weil ich bereit war zu sterben.

Ich werde euch erzählen, was geschah, als der Taxifahrer kam. Wir vier warteten draußen vor dem Gefängnisgebäude. Wir kehrten ihm den Rücken, weil man es so macht mit einem großen grauen Ungeheuer, das einen zwei Jahre lang in seinem Bauch gefangen gehalten hat und dann plötzlich ausspuckt. Du kehrst ihm den Rücken und sprichst im Flüsterton, damit es sich nicht an dich erinnert und auf den schlauen Gedanken kommt, dich wieder zu verschlingen.

Ich schaute zu Yevette, dem großen hübschen Mädchen aus Jamaika. Wann immer ich sie zuvor angesehen hatte, lachte und lächelte sie. Jetzt aber wirkte ihr Lächeln genauso nervös wie meins.

»Was ist los?«, flüsterte ich.

Yevette legte den Mund an mein Ohr. »Nicht sicher hier draußen.«

»Aber sie haben uns freigelassen, oder? Wir können einfach gehen. Wo liegt das Problem?«

Yevette schüttelte den Kopf und flüsterte wieder: »Ist nicht so einfach, Süße. Freigelassen kann heißen, *ihr Mädchen frei könnt gehen*, oder kann heißen, *ihr Mädchen frei könnt gehen bis wir euch fangen.* Tut mir leid, aber wir haben zweite Freiheit, Lil Bee. Nennt man *illegale Einwanderin.*«

»Das verstehe ich nicht, Yevette.«

»Kann ich hier nicht erklären.«

Yevette schaute zu den beiden anderen Mädchen und dem Gefängnis hinter ihr. Als sie sich wieder zu mir umdrehte, beugte sie sich zu meinem Ohr. »Hab Trick gemacht, damit sie uns rauslassen.«

»Was für einen Trick?«

»Pst, Süße. Zu viele Ohren hier, Bee. Vertrau mir, müssen Versteck finden. Dann ich kann dir in Ruhe erklären.«

Jetzt schauten uns die beiden anderen Mädchen an. Ich lächelte und versuchte, nicht über Yevettes Worte nachzudenken. Wir hockten uns auf die Fersen vor das Haupttor des Abschiebegefängnisses. Die Zäune erstreckten sich in beide Richtungen. Die Zäune waren so hoch wie vier Männer und hatten obendrauf bösartige schwarze Stacheldrahtrollen. Ich schaute die drei anderen Mädchen an und begann zu kichern. Yevette stand auf und stemmte die Hände in die Hüften und riss die Augen auf.

»Worüber du zum Teufel lachst, klein Käferlein?«

»Ich heiße Little Bee, Yevette, und ich lache über den Zaun.«

Yevette schaute daran hoch. »Mein Gott, Süße, ihr Leute aus Nigeria noch schlimmer, als ihr ausseht. Du findest diese Zaun komisch? Dann will ich niemals die Zaun sehen, die du schlimm findest.«

»Es ist nur der Stacheldraht, Yevette. Ich meine, sieh uns doch an. Ich mit meiner Unterwäsche in einer durchsichtigen Plastiktüte und du in deinen Flipflops und das Mädchen mit dem hübschen gelben Sari und die andere mit ihren Dokumenten. Sehen wir aus, als könnten wir auf diesen Zaun klettern? Ich sag's euch, Mädchen, die könnten den Stacheldraht wegnehmen und obendrauf Pfundmünzen und frische Mangos legen, und wir könnten trotzdem nicht raufklettern.«

Jetzt musste auch Yevette lachen, *WU-ha-ha-ha-ha*, und sie drohte mir mit dem Finger.

»Dummes Mädchen! Du meinst, die bauen Zaun damit wir drin bleiben? Du spinnst – die bauen Zaun damit Jungs draußen bleiben. Wenn Jungs von draußen wissen, was für tolle Frauen hier eingesperrt, die brechen Türen ein!«

Ich lachte, aber dann sagte das Mädchen mit den Dokumenten etwas. Sie hockte auf den Fersen und schaute auf ihre Dunlop-Green-Flash-Turnschuhe.

»Wo sollen wir alle hin?«

»Wo Taxi uns bringt, verstehst du? Und von da aus weiter. Nicht so düster gucken, Süße! Wir sind da, in *England*.«

Yevette zeigte auf die Landschaft hinaus. Das Mädchen mit den Dokumenten folgte ihrem Finger mit dem Blick, und das Sarimädchen und ich auch.

Es war ein heller Morgen, das sagte ich schon. Es war im Monat Mai, und warmer Sonnenschein tropfte durch die Löcher zwischen den Wolken, als wäre der Himmel eine zerbrochene blaue Schale, die ein Kind mit Honig gefüllt hatte. Wir waren oben auf dem Hügel. Von unserem Tor aus wand sich eine lange asphaltierte Straße bis zum Horizont. Auf ihr gab es keinen Verkehr. Die Straße hörte bei uns auf – sie führte nirgendwo sonst hin. Auf beiden Seiten der Straße gab es Felder. Und es waren wunderschöne Felder, mit so frischem grünem Gras, dass man hungrig wurde. Ich sah die Felder an, und ich dachte, ich könnte mich hinknien und mein Gesicht ins Gras stecken und essen und essen und *essen*. Genau das machten ganz viele Kühe links von der Straße und noch mehr Schafe rechts davon.

Auf dem nächstgelegenen Feld zog ein weißer Mann mit einem kleinen blauen Traktor irgendein Gerät über den Boden, fragt mich nicht, wozu es gut war. Ein anderer weißer Mann in blauer Kleidung, die ihr wohl Overall nennt, band ein Gatter mit einem orangefarbenen Seil zu. Die Felder waren sehr ordentlich und viereckig und die Hecken zwischen ihnen gerade und niedrig.

»Es ist groß«, sagte das Mädchen mit den Dokumenten.

»Nein, ist gar nichts«, antwortete Yevette. »Müssen nur nach London. Kenne Leute da.«

»Ich kenne keine Leute«, sagte das Mädchen mit den Dokumenten. »Ich kenne niemand.«

»Tu dein Bestes, Süße.«

Das Mädchen mit den Dokumenten runzelte die Stirn. »Warum hilft uns keiner? Warum holt meine Sozialarbeiterin mich nicht ab? Warum wir bekommen keine Entlassungspapiere?«

Yevette schüttelte den Kopf. »Hast noch nicht genug Papier in dein Tüte, Süße? Gibst du manche Leute kleine Finger, wollen ganze Hand.« Yevette lachte, aber ihre Augen blickten verzweifelt. »Wo ist verdammte Taxi?«

»Der Mann am Telefon hat gesagt, zehn Minuten.«

»Kommt mir vor wie zehn Jahre, echt.«

Yevette wurde still. Wir schauten wieder über das Land. Die Landschaft war tief und weit. Ein Wind wehte darüber. Wir hockten auf den Fersen und sahen den Kühen und den Schafen zu und dem weißen Mann, der die Gattertore um sie herum zuband.

Nach einer Weile tauchte unser Taxi auf. Wir ließen es von dem Augenblick an, in dem es ein kleiner weißer Fleck am fernen Ende der Straße war, nicht aus den Augen. Yevette drehte sich zu mir um und lächelte. »Der Taxifahrer, klingt süß am Telefon?«

»Ich habe nicht mit dem Fahrer gesprochen. Ich habe nur mit der Taxizentrale gesprochen.«

»Bin achtzehn Monat da drin gesessen, Käfer. Dieser

Taxifahrer soll richtig tolle Typ sein, verstehst du? Ich mag sie groß, muss was dran sein, nicht so mageren Jungs. Und schick angezogen. Will kein Versager, verstehst du?«

Ich zuckte mit den Schultern. Beobachtete das näher kommende Taxi.

Yevette schaute mich an. »Welche Männer magst du, Käferlein?«

Ich sah zu Boden. Dort wuchs Gras, es drängte sich durch den Asphalt, und ich zog daran. Wenn ich an Männer dachte, spürte ich eine so scharfe Angst im Bauch, als würden mich Messer durchbohren. Ich wollte nicht reden, doch Yevette stieß mich mit dem Ellbogen an.

»Komm schon, Käferlein, auf welche Jungs steht Madam?«

»Ach, du weißt schon, das Übliche.«

»Wie? Was ist das Übliche? Groß, klein, mager, fett?«

Ich schaute auf meine Hände. »Ich glaube, mein idealer Mann würde viele Sprachen sprechen. Er würde Ibo und Yoruba und Englisch und Französisch und alle anderen sprechen. Er könnte mit jedem reden, sogar mit den Soldaten, und wenn sie Gewalt im Herzen hätten, würde er sie davon abbringen. Er würde nicht kämpfen müssen, verstehst du? Vielleicht wäre er nicht sehr gut aussehend, aber er wäre schön, wenn er spräche. Er wäre sehr freundlich, selbst wenn man sein Essen anbrennen lässt, weil man lacht und mit den Freundinnen redet, statt auf den Herd aufzupassen. Er würde einfach nur sagen, *Ach, macht nichts.*«

Yevette schüttelte den Kopf. »Tut mir leid, Käfer, aber dein idealer Mann, der nicht sehr reallisstisch.«

Das Mädchen mit den Dokumenten sah von ihren Turnschuhen hoch. »Lass sie in Ruhe. Siehst du nicht, dass sie noch Jungfrau ist?«

Ich schaute zu Boden. Yevette starrte mich lange an und legte mir dann die Hand auf den Nacken. Ich bohrte die

Stiefelspitze in den Boden, und Yevette sah das Mädchen mit den Dokumenten an.

»Wie willst du wissen, Süße?«

Das Mädchen zuckte die Achseln und deutete auf die Dokumente in ihrer durchsichtigen Plastiktüte. »Ich habe Dinge gesehen. Ich kenne Menschen.«

»Warum so still, wenn du so verdammt viel weißt?«

Wieder zuckte das Mädchen die Achseln.

Yevette starrte sie an. »Wie du heißt überhaupt, Süße?«

»Ich sage meinen Namen nicht. Es ist sicherer so.«

Yevette verdrehte die Augen. »Wetten, du gibst Jungs auch nicht dein Nummer.«

Das Mädchen mit den Dokumenten starrte Yevette an. Dann spuckte sie auf den Boden. Sie zitterte.

»Du weißt gar nichts«, sagte sie. »Wenn du irgendeine Ahnung von diesem Leben hättest, würdest du es nicht so lustig finden.«

Yevette stemmte die Hände in die Hüften. Dann schüttelte sie langsam den Kopf.

»Süße«, sagte sie. »Leben hat dir und mir das Gute weggenommen, was es vorher geschenkt hat. Das ist alles. Lustig sein ist alles, was ich noch habe, echt. Und du, Süße, hast nur noch Papier.«

Dann hörten sie auf, weil das Taxi vorfuhr. Es hielt genau vor uns. Das Seitenfenster war offen, und Musik dröhnte heraus. Ich will euch sagen, welche Musik das war. Es war ein Lied namens *We are the champions* von einer britischen Musikgruppe, die Queen heißt. Daher kannte ich das Lied: Einer der Beamten im Abschiebegefängnis mochte die Gruppe sehr gern. Er brachte seine Stereoanlage mit und spielte uns die Musik vor, wenn wir in unseren Zellen eingesperrt waren. Wenn man tanzte und sich wiegte und zeigte, dass einem die Musik gefiel, brachte er einem Extra-Portionen. Einmal zeigte er mir ein Bild der Band. Es war das Bild von der CD-Hülle. Einer der Musiker auf dem Bild hatte ganz viele Haare. Sie waren schwarz mit kleinen Löckchen und saßen wie ein schweres Gewicht oben auf seinem Kopf und reichten bis auf die Schultern. Ich weiß, was Mode in eurer Sprache bedeutet, aber diese Haare sahen nicht wie Mode aus, ganz ehrlich – sie sahen aus wie eine Strafe.

Einer der anderen Wachbeamten kam vorbei, als wir uns das Bild auf der CD-Hülle anschauten. Er zeigte auf den Musiker mit den vielen Haaren und sagte, *So eine Schwuchtel*. Ich weiß noch, dass ich mich freute, weil ich noch dabei war, eure Sprache richtig zu lernen, und jetzt wusste, wie man diese spezielle Frisur nannte.

Ich erzähle euch das nur, weil der Taxifahrer genau solche Haare hatte.

Als das Taxi vor dem Haupttor des Abschiebegefängnisses anhielt, stieg der Fahrer nicht aus. Er sah uns durch das offene Fenster an. Er war ein dünner weißer Mann und trug eine Sonnenbrille mit dunkelgrünen Gläsern und einem glänzenden, goldenen Gestell. Das Mädchen im gelben Sari staunte über das Taxi. Ich glaube, sie war wie ich und hatte noch nie ein so großes, neues, schimmerndes weißes Auto gesehen. Sie ging rundherum und strich über die Oberflächen und sagte, *Mmmm*. Sie hielt noch immer die durchsichtige Plastiktüte fest. Dann ließ sie sie mit einer Hand los und fuhr die Buchstaben hinten am Auto mit dem Finger nach. Dabei sprach sie jeden Buchstaben ganz langsam und sorgfältig aus, wie sie es im Abschiebegefängnis gelernt hatte, sie sagte: *F ... O ... R ... D ... hmm! Fod!* Als sie vor dem Wagen stand, betrachtete sie die Scheinwerfer und blinzelte. Sie neigte den Kopf zur Seite und hob ihn wieder und schaute dem Auto kichernd in die Augen. Der Taxifahrer beobachtete sie die ganze Zeit. Dann drehte er sich zu uns anderen um, und er sah aus wie ein Mann, dem gerade klar geworden ist, dass er statt einer Pflaume eine Handgranate verschluckt hat.

»Eure Freundin ist nicht ganz richtig im Kopf«, sagte er. Yevette stieß mir den Ellbogen in den Bauch. »Besser du reden, Käferlein«, flüsterte sie.

Ich schaute den Taxifahrer an. In seinem Radio lief noch immer ganz laut *We are the champions*. Ich begriff, dass ich dem Taxifahrer klarmachen musste, dass wir keine Flüchtlinge waren. Ich wollte ihm zeigen, dass wir Britinnen waren und eure Sprache sprachen und alle Feinheiten eurer Kultur verstanden. Und ich wollte ihm eine Freude machen. Daher lächelte ich und trat ans offene Fenster und sagte zu dem Taxifahrer: »Hallo, ich sehe, Sie sind eine Schwuchtel.«

Ich glaube, der Fahrer hat mich nicht verstanden. Sein säuerlicher Gesichtsausdruck wurde noch saurer. Dann schüttelte er ganz langsam den Kopf. Er sagte: »Bringen die euch Affen im Dschungel eigentlich kein Benehmen bei?«

Dann fuhr er ganz schnell weg, dass die Reifen seines Taxis quietschten wie ein Baby, dem man die Milch weggenommen hat. Wir vier Mädchen standen da und sahen das Taxi den Hügel hinunter verschwinden. Die Schafe rechts von der Straße und die Kühe links von der Straße sahen auch zu. Dann fraßen sie weiter Gras, und wir Mädchen hockten uns wieder hin. Der Wind wehte, und der Stacheldraht oben auf dem Zaun klirrte. Die Schatten kleiner Wolken hoch oben am Himmel trieben über die Landschaft dahin.

Es dauerte lange, bis eine von uns sprach.

»Vielleicht wir lassen lieber Sarimädchen sprechen.«

»Es tut mir leid.«

»Verdammte Afrikaner. Denkt immer, ihr seid so schlau, aber seid *ignorrannt*.«

Ich stand auf und ging an den Zaun. Ich hielt mich am Maschendraht fest und starrte hindurch, den Hügel hinunter und über die Felder. Da unten arbeiteten noch die beiden Bauern, der eine fuhr Traktor, und der andere band die Gatter zu.

Yevette stellte sich neben mich. »Was jetzt, Käfer? Können nicht hierbleiben. Wir einfach gehen, okay?«

Ich schüttelte den Kopf. »Und die Männer da unten?«

»Meinst du, die halten uns auf?«

Ich umklammerte den Maschendraht fester. »Keine Ahnung, Yevette. Ich habe Angst.«

»Wovor Angst, Käfer? Vielleicht die lassen uns einfach in Ruh. Außer du sagst Schimpfwort, wie bei Taximann.«

Ich schüttelte lächelnd den Kopf.

»Also gut. Kein Angst. Ich gehe mit dir und pass auf Affenbenehmen auf.«

Yevette wandte sich an das Mädchen mit den Dokumenten. »Was mit dir, Fräulein ohn Namen? Du kommst mit?«

Das Mädchen schaute zurück zum Abschiebegefängnis. »Warum haben sie uns nicht weitergeholfen? Warum haben sie nicht unsere Sozialarbeiterinnen geschickt?«

»Na, weil sie haben entschieden, das *nicht* zu tun, Süße. Also was? Gehst wieder rein, fragst vielleicht nach Auto und nach Freund und schöne Schmuck?«

Das Mädchen schüttelte den Kopf. Yevette lächelte.

»Gut so, Süße. Und jetzt du, Sarimädchen. Ich mach leicht für dich. Du kommst mit uns, Süße. Wenn ja, sag nichts.«

Das Mädchen im Sari blinzelte sie an und neigte den Kopf zur Seite.

»Gut. Alle dabei, Käferlein. Wir alle hier gehen weg.«

Yevette drehte sich zu mir, aber ich betrachtete noch das Mädchen. Der Wind blies gegen ihren gelben Sari, und ich entdeckte eine Narbe quer über ihrer Kehle, so dick wie euer kleiner Finger. Sie hob sich weiß wie ein Knochen von der dunklen Haut ab. Sie war knotig und schlängelte sich um ihre Luftröhre, als wollte sie nicht loslassen. Als dachte sie, sie könnte das Mädchen noch immer erledigen. Das Sarimädchen bemerkte meinen Blick und verbarg die Narbe mit der Hand, also schaute ich ihre Hand an. Auch darauf waren Narben. Ich weiß, wir haben eine Vereinbarung über Narben, aber diesmal schaute ich weg, weil man manchmal zu viel Schönheit sehen kann.

Wir gingen über die asphaltierte Straße den Hügel hinunter. Yevette ging vor, und ich kam als Zweite, und die anderen folgten mir. Ich starrte die ganze Zeit auf Yevettes Fersen. Ich schaute nicht nach links oder rechts. Mein Herz hämmerte, als wir unten angekommen waren. Das Knattern des Traktors wurde lauter, bis es das Geräusch von Yevettes Flipflops übertönte. Als der Traktorlärm hinter uns wieder nachließ, konnte ich leichter atmen. Es ist gut, dachte ich. Wir sind an ihnen vorbei, und es hat natürlich keine Probleme gegeben. Wie dumm von mir, mich zu fürchten. Dann verstummte der Traktorlärm. Irgendwo in der Nähe sang ein Vogel in der plötzlichen Stille.

»Moment mal«, sagte eine Männerstimme.

»Geh weiter«, flüsterte ich Yevette zu.

»*Halt!*«

Yevette blieb stehen. Ich wollte an ihr vorbei, aber sie hielt mich am Arm fest.

»Denk nach, Süße. Wo willst du hin?«

Ich blieb stehen. Ich hatte solche Angst, dass ich kaum atmen konnte. Die anderen Mädchen sahen genauso aus. Das Mädchen ohne Namen flüsterte mir ins Ohr: »Bitte. Lass uns wieder den Hügel raufgehen. Diese Leute mögen uns nicht, das kann man sehen.«

Der Traktormann stieg herunter. Der andere Mann, der die Gatter zumachte, kam auch dazu. Sie standen auf der Straße zwischen uns und dem Abschiebegefängnis. Der Traktorfahrer trug eine grüne Jacke und eine Mütze. Er hatte die Hände in den Taschen. Der Mann, der die Gatter zugemacht hatte – der Mann im blauen Overall – war sehr groß. Der Traktorfahrer reichte ihm nur bis zur Brust. Er war so groß, dass die Hose seines Overalls ein Stück über den Socken endete, und er war auch sehr fett. Unter seinem Hals war eine rosa Fettrolle, und sein Overall saß sehr eng. Er hatte seine Wollmütze ins Gesicht gezogen. Er nahm ein Päckchen Tabak aus der Tasche und drehte sich eine Zigarette, ohne uns Mädchen aus den Augen zu lassen. Er hatte sich nicht rasiert, und seine Nase war rot und geschwollen. Seine Augen waren auch rot. Er zündete sich die Zigarette an und stieß den Rauch aus und spuckte auf den Boden. Als er sprach, wabbelten seine Speckrollen.

»Ihr seid weggelaufen, was, Kinderchen?«

Der Traktorfahrer lachte. »Kümmert euch nicht um Klein Albert«, sagte er.

Wir Mädchen blickten zu Boden. Ich und Yevette standen vorn, und das Mädchen im gelben Sari und das Mädchen ohne Namen standen hinter uns. Das Mädchen ohne Namen flüsterte mir wieder ins Ohr. »Bitte, lass uns zurückgehen. Du merkst doch, die Leute helfen uns nicht.«

»Sie können uns nicht wehtun. Wir sind jetzt in England. Hier ist es nicht so wie da, wo wir herkommen.«

»Bitte, lasst uns einfach nur gehen.«

Ich sah, wie sie in ihren Dunlop-Green-Flash-Turnschuhen von einem Fuß auf den anderen trat. Ich wusste nicht, ob ich weglaufen oder bleiben sollte.

»Und?«, sagte der große, fette Mann. »Seid ihr weggelaufen?«

Ich schüttelte den Kopf. »Nein, Mister. Wir wurden freigelassen. Wir sind offizielle Flüchtlinge.«

»Ich nehme an, ihr könnt das beweisen.«

»Unsere Sozialarbeiter haben die Papiere«, sagte das Mädchen ohne Namen.

Der große, fette Mann sah uns der Reihe nach an. Er blickte die Straße entlang. Er streckte sich und schaute über die Hecke aufs Feld nebenan.

»Ich sehe hier keine Sozialarbeiter«, sagte er.

»Sie können sie anrufen, wenn Sie uns nicht glauben«, sagte das Mädchen ohne Namen. »Sie können die Einwanderungsbehörde anrufen. Die sollen in ihre Akten schauen. Die sagen Ihnen, dass wir legal hier sind.«

Sie suchte in ihrer Plastiktüte mit Dokumenten, bis sie das richtige Papier gefunden hatte.

»Hier«, sagte sie. »Die Nummer steht hier. Rufen Sie an, Sie werden schon sehen.«

»Nein, bitte. Mach das nicht«, sagte Yevette.

Das Mädchen ohne Namen starrte sie an. »Was ist denn los?«, fragte sie. »Die haben uns doch freigelassen.«

Yevette ergriff ihre Hände. »Ist nicht so einfach«, flüsterte sie.

Das Mädchen ohne Namen starrte Yevette an. Wut stand in ihren Augen. »*Was hast du getan?*«

»Was ich tun musste«, sagte Yevette.

Zuerst sah das Mädchen ohne Namen zornig aus und dann verwirrt, und dann konnte ich sehen, wie sich langsam das Entsetzen in ihre Augen stahl. Yevette streckte die Hände nach ihr aus. »Tut mir leid, Süße, anders wär mir auch lieber.«

Das Mädchen stieß ihre Hände weg.

Der Traktorfahrer machte einen Schritt nach vorn und sah uns an und seufzte. »Klein Albert, das ist doch wieder typisch, verdammt noch mal.«

Er schaute mich traurig an, und ich spürte, wie mein Magen sich zusammenzog.

»Ladies, ohne Papiere seid ihr sehr angreifbar. Gewisse Leute könnten das ausnutzen.«

Der Wind blies durch die Felder. Meine Kehle war so zugeschnürt, dass ich nicht sprechen konnte. Der Traktorfahrer hustete.

»Das ist typisch für diese verdammte Regierung«, sagte er. »Mir ist es scheißegal, ob ihr legal oder illegal hier seid. Aber wie können die euch ohne Papiere rauslassen? Da weiß die linke Hand nicht, was die rechte tut. Ist das alles, was ihr dabeihabt?«

Ich hielt meine durchsichtige Plastiktüte hoch, und die anderen Mädchen taten es mir nach. Der Traktorfahrer schüttelte den Kopf.

»Verdammt typisch, oder, Albert?«

»Keine Ahnung, Mr. Ayres.«

»Die Regierung kümmert sich um niemanden. Ihr seid nicht die Ersten, die wie Marsmenschen über diese Felder hier gewandert sind. Ihr wisst nicht mal, auf welchem Planeten ihr seid, oder? Scheißregierung. Kümmert sich nicht um euch Flüchtlinge, kümmert sich nicht um das Land, kümmert sich nicht um die Bauern. Diese Scheißregierung interessiert sich nur für Füchse und die Leute in der Stadt.«

Er blickte hoch zum Stacheldraht des Gefängnisses und sah uns dann nacheinander an.

»Es hätte gar nicht so weit kommen dürfen. Es ist eine Schande, ganz ehrlich, euch Mädchen an so einem Ort einzusperren. Stimmt doch, Albert?«

Klein Albert nahm die Wollmütze ab und kratzte sich am Kopf und schaute zum Abschiebegefängnis hinauf. Er blies Zigarettenrauch aus der Nase. Er sagte nichts.

Mr. Ayres schaute uns vier an. »So. Was machen wir jetzt mit euch? Soll ich mit euch nach oben gehen und denen sagen, dass sie euch dabehalten müssen, bis eure Sozialarbeiter Bescheid wissen?«

Bei diesen Worten riss Yevette die Augen auf. »Nie im Leben, Mister. In die Hölle geh ich nicht zurück. Kein Minute, eher sterb ich.«

Dann sah Mr. Ayres mich an.

»Ich glaube, die haben euch versehentlich freigelassen«, sagte er. »Ja, das denke ich wirklich. Habe ich recht?«

Ich zuckte mit den Schultern. Das Sarimädchen und das Mädchen ohne Namen sahen einfach nur zu und warteten ab, was passierte.

»Könnt ihr denn irgendwo hin? Habt ihr Verwandte? Leute, die auf euch warten?«

Ich schaute die anderen Mädchen an und dann wieder zu ihm und schüttelte den Kopf.

»Könnt ihr irgendwie beweisen, dass ihr legal hier seid? Ich könnte Schwierigkeiten bekommen, wenn ich euch auf mein Land lasse und sich dann herausstellt, dass ich illegale Einwanderer beherberge. Ich habe eine Frau und drei Kinder. Das ist eine sehr ernste Frage, die ich euch hier stelle.«

»Es tut mir leid, Mr. Ayres. Wir werden Ihr Land nicht betreten. Wir gehen einfach weiter.«

Mr. Ayres nickte und nahm seine flache Mütze ab und schaute hinein und drehte sie wieder und wieder in den Händen. Ich beobachtete seine Finger auf dem grünen Stoff. Er hatte dicke gelbe Nägel. Seine Finger waren mit Erde verschmiert.

Ein großer schwarzer Vogel flatterte über unsere Köpfe und flog in die Richtung, in die unser Taxi verschwunden war. Mr. Ayres holte tief Luft und zeigte mir die Innenseite seiner Mütze. Ein Name war ins Futter genäht. Er war von Hand auf ein weißes Stoffetikett geschrieben. Das Etikett war gelb verfärbt von Schweiß.

»Kannst du Englisch lesen? Siehst du, was auf dem Etikett steht?«

»Da steht AYRES, Mister.«

»Das stimmt. Ja, so ist es. Ich bin Ayres, und dies ist meine Mütze, und das Land, auf dem ihr Mädchen steht, ist Ayres Farm. Ich bestelle dieses Land, aber ich mache keine Gesetze dafür, ich pflüge es nur im Frühjahr und im Herbst, so wie es sich gehört. Meinst du, das gibt mir das Recht, zu entscheiden, ob diese Frauen hierbleiben können, Klein Albert?«

Eine Zeit lang hörte man nur den Wind. Klein Albert spuckte auf den Boden. »Na ja, Mr. Ayres, bin ja kein Anwalt. Eigentlich versteh ich nur was von Kühen und Schweinen, oder?«

Mr. Ayres lachte. »Die Damen können bleiben«, sagte er.

Hinter mir schluchzte jemand. Es war das Mädchen ohne Namen. Sie hielt die Tüte mit den Dokumenten umklammert und weinte, und das Mädchen im gelben Sari legte den Arm um sie. Sie sang ihr mit leiser Stimme vor, wie man es bei einem Baby tun würde, das nachts durch ferne Schüsse geweckt wird und schnell beruhigt werden muss. Ich weiß nicht, ob es in eurer Sprache ein Wort für diese Art von Singen gibt.

Albert nahm die Zigarette aus dem Mund. Er drückte sie zwischen Daumen und Zeigefinger aus. Dann rollte er sie zu einer kleinen Kugel und ließ sie in die Tasche seines Overalls fallen. Er spuckte wieder auf den Boden und setzte die Wollmütze auf. »Warum heult die?«

Yevette zuckte mit den Schultern. »Kann sein, Mädchen ist nicht Freundlichkeit gewöhnt.«

Albert dachte darüber nach. Dann nickte er langsam. »Ich könnt sie in die Scheune für die Erntehelfer bringen, Mr. Ayres.«

»Danke, Albert. Ja, bring sie dorthin, sie sollen es sich bequem machen. Meine Frau sucht zusammen, was sie brauchen.« Er wandte sich an uns Mädchen. »Wir haben einen Schlafraum, in dem die Saisonarbeiter übernachten. Er steht im Moment leer. Wir brauchen ihn nur zur Ernte und beim Ablammen. Ihr könnt eine Woche bleiben, nicht länger. Danach seid ihr nicht mehr mein Problem.«

Ich lächelte Mr. Ayres an, doch er verscheuchte mein Lächeln mit der Hand. Vielleicht verscheucht man so eine Biene, bevor sie einem zu nahe kommt. Wir vier folgten Albert über die Felder. Wir gingen in einer Reihe hintereinander. Albert mit seiner Wollmütze und dem blauen Overall ging vor. Er trug ein großes Knäuel aus einem aufgerollten, leuchtend orangen Plastikseil. Dann kam Yevette in ihrem violetten Kleid und den Flipflops, dahinter ich in Jeans und dem Hawaii-Hemd. Hinter mir kam das Mädchen ohne Namen, und sie weinte noch immer, und dann das Mädchen im gelben Sari, die ihr noch immer vorsang. Die Kühe und Schafe traten beiseite und beobachteten uns, als wir über ihre Felder gingen. Man konnte sehen, wie sie dachten, das sind aber komische neue Geschöpfe, die Klein Albert da vorbeiführt.

Er brachte uns zu einem langen Gebäude neben einem Bach. Es hatte niedrige Ziegelmauern, nur so hoch wie meine Schulter, aber ein hohes Metalldach, das in einem Bogen aus den Mauern wuchs, wodurch das Gebäude wie ein Tunnel aussah. Das Metalldach war nicht gestrichen. Es gab keine Fenster in den Wänden, aber Oberlichter aus Plastik im Dach. Das Gebäude stand auf dem nackten Erdboden, und rundherum scharrten Schweine und Hühner in der Erde. Als wir auftauchten, blieben die Schweine, wo sie waren, und starrten uns an. Die Hühner staksten nervös weg und sahen sich um, ob wir sie auch nicht verfolgten.

Die Hühner waren bereit, notfalls zu rennen. Sie hoben ruckartig die Füße, und wenn sie sie wieder aufsetzten, sah man die Krallen zittern. Sie rückten dichter aneinander und machten murmelnde Geräusche. Immer wenn eins von uns Mädchen einen Schritt näher kam, wurde das Murmeln lauter, und wenn die Hühner die Distanz zwischen uns wieder vergrößerten, leiser. Es machte mich sehr unglücklich, die Hühner anzuschauen. Ihre Bewegungen und die Geräusche, die sie machten, erinnerten mich daran, wie es war, als Nkiruka und ich endgültig unser Dorf verließen.

Wir schlossen uns einer Gruppe von Frauen und Mädchen an und wir liefen eines Morgens in den Dschungel und wir gingen, bis es dunkel war, und dann legten wir uns neben dem Weg schlafen. Wir wagten es nicht, Feuer zu machen. In der Nacht hörten wir Schüsse. Wir hörten Männer wie Schweine kreischen, die im Käfig darauf warten, dass man ihnen die Kehle durchschneidet. In jener Nacht war Vollmond, und ich hätte nicht mehr Angst haben können, wenn der Mond den Mund geöffnet und zu kreischen angefangen hätte. Nkiruka hielt mich ganz fest. Es waren auch Babys in unserer Gruppe, und einige wachten auf und mussten etwas vorgesungen bekommen, damit sie sich wieder beruhigten. Am Morgen stand eine hohe, böse Rauchsäule über den Feldern, wo unser Dorf war. Der Rauch war schwarz und kräuselte sich und stieg brodelnd in den blauen Himmel. Einige ganz kleine Kinder in unserer Gruppe fragten, woher der Rauch kam, und die Frauen lächelten und sagten: *Das ist nur der Rauch eines Vulkans, meine Kleinen. Ihr braucht euch keine Sorgen zu machen.* Und ich sah, wie das Lächeln ihre Gesichter verließ, als sie sich von den Augen ihrer Kinder abwandten und wieder den blauen Himmel anstarrten, der sich mit Schwarz füllte.

»Alles klar mit dir?«

Albert schaute mich an. Ich blinzelte. »Ja. Danke, Mister.«

»Träumst mit offenen Augen, was?«

»Ja, Sir.«

Albert schüttelte lachend den Kopf. »Also ehrlich, ihr jungen Leute. Mit dem Kopf in den Wolken.«

Er schloss den großen Schuppen auf und ließ uns hinein. Drinnen standen zwei Reihen Betten, eine an jeder Wand. Die Betten waren aus Metall und dunkelgrün gestrichen.

Darauf lagen saubere weiße Matratzen und Kissen ohne Kissenbezug. Der Boden war aus grau gestrichenem Beton, glänzend und sauber gewischt. Das Sonnenlicht fiel in breiten Streifen durch die Oberlichter. Von der Decke hingen lange Ketten in Schlaufen. Sie reichten bis zum Dach, das in der Mitte des Gebäudes so hoch wie fünf Mann war. Albert zeigte uns, wie man an einer Seite der Schlaufe zog, um das Oberlicht zu öffnen, und es mit der anderen Seite wieder schloss. Er zeigte uns die Kabinen am Ende des Gebäudes, in denen wir duschen oder auf die Toilette gehen konnten. Dann zwinkerte er uns zu.

»Bitte schön, die Damen. Ist nicht gerade das Grandhotel, aber zeigt mir mal ein Hotel, in dem man sich einfach so zwanzig polnische Mädchen aufs Zimmer holen kann. Ihr solltet mal sehen, was manche von den Erntehelfern treiben, sobald das Licht aus ist. Ich sag euch, ich sollte mit dem Vieh aufhören und einen Film drehen.«

Albert lachte, aber wir Mädchen standen nur da und schauten ihn an. Ich verstand nicht, wieso er über Filme redete. In meinem Dorf gingen die Männer jedes Jahr, wenn der Regen aufgehört hatte, in die Stadt und brachten einen Projektor und einen Dieselgenerator mit, und dann banden sie ein Seil zwischen zwei Bäume, und wir schauten uns auf einem weißen Bettlaken einen Film an. Der Film hatte keinen Ton, man hörte nur das Rumpeln des Generators und das Lärmen der Tiere im Dschungel. So lernten wir etwas über eure Welt. Der einzige Film, den wir hatten, hieß *Top Gun*, und wir schauten ihn fünfmal an. Ich erinnere mich, wie wir ihn das erste Mal sahen. Die Jungen in meinem Dorf waren aufgeregt, weil sie dachten, der Film hätte mit Waffen zu tun, aber es ging nicht um eine Waffe. Es war ein Film über einen Mann, der überall sehr schnell hinfahren musste, manchmal auf einem Motorrad und manchmal in einem Flugzeug, das er selbst lenkte, manchmal auch auf dem Kopf. Wir Kinder im Dorf diskutierten darüber und stellten zwei Dinge fest: zum einen, dass der Film eigentlich *Der Mann, der es furchtbar eilig hatte* heißen müsste, und zum anderen, dass er, um alles zu erledigen, was er vorhatte, lieber früher aufstehen sollte, statt mit der Frau mit den blonden Haaren, die wir die »Bleibt-im-Bett-Frau« nannten, im Bett zu liegen. Es war der einzige Film, den ich je gesehen hatte, und daher verstand ich nicht, was Albert meinte, als er davon sprach, einen Film zu drehen. Er sah nicht aus, als könnte er ein auf dem Kopf stehendes Flugzeug lenken. Mir war aufgefallen, dass Mr. Ayres ihn nicht mal seinen blauen Traktor lenken ließ. Albert merkte, dass wir Mädchen ihn anstarrten, und schüttelte den Kopf.

»Ach, egal«, sagte er. »Da drüben sind Decken und Handtücher und so in den Schränken. Mrs. Ayres bringt euch sicher nachher was zu essen. Also, ich sehe euch auf der Farm, würde ich sagen.«

Wir vier Mädchen blieben in der Mitte des Gebäudes stehen und sahen zu, wie Albert zwischen den Betten hindurch nach draußen ging. Er lachte noch immer vor sich hin, als er ins Tageslicht hinaustrat. Yevette schaute uns an und tippte sich mit dem Finger an die Schläfe.

»Nicht dran denken. Weiße Männer alle verrückt.«

Sie setzte sich auf die Kante des nächsten Bettes und sie nahm eine getrocknete Ananasscheibe aus ihrer durchsichtigen Plastiktüte und begann darauf herumzukauen. Ich setzte mich neben sie, während das Sarimädchen das Mädchen ohne Namen zu einem etwas entfernten Bett führte, damit sie sich hinlegte, denn sie weinte immer noch.

Albert hatte die Tür offen gelassen, und einige Hühner liefen herein und suchten unter den Betten nach Futter. Das Mädchen ohne Namen schrie, als sie die Hühner hereinkommen sah, und zog die Knie an die Brust und umklammerte ein Kopfkissen. Sie saß da, während ihre Augen über das Kissen lugten und ihre Dunlop-Green-Flash-Turnschuhe unten herausschauten.

»Ruuuhig, Süße. Tun nichts, sind nur Hühner.« Yevette seufzte. »So, Käferlein, da wären wir.«

»Ja, da wären wir.«

»Mädchen schlimm dran, was?«

Ich sah zu dem Mädchen ohne Namen. Sie starrte Yevette an und bekreuzigte sich.

»Ja«, sagte ich.

»Ist vielleicht das Schwerste an Draußensein. Im Gefängnis sagen dir immer, *tu dies, tu das*. Brauchst nicht nachdenken. Und jetzt auf einmal still, ja? Ist gefährlich, ich sag dir. Kommt böse Erinnerung zurück.«

»Meinst du, sie weint deshalb?«

»Ich weiß, ist deshalb, Süße. Müssen jetzt alle auf unser Kopf aufpassen, echt.«

Ich zuckte mit den Schultern und zog die Knie ans Kinn. »Was machen wir jetzt, Yevette?«

»Kein Ahnung, Süße. Ich glaube, wird für uns Problem Nummer eins in diese Land. Wo ich her bin, gibt kein Frieden, aber tausend Gerüchte. Hörst immer Flüstern, wo du hinkannst, wo was gibt. Hier ist aber anderes Problem, Käfer. Hier gibt Frieden, aber kein Informazjoon, du verstehst?«

Ich sah Yevette in die Augen. »Was hast du gemacht, Yevette? Wieso haben die uns ohne Papiere rausgelassen?«

Yevette seufzte. »Hab Einwanderungsmann *Gefallen* getan, klar? Er macht Änderung in Computer, Kreuz an richtige Stelle, du weißt schon, und – *peng* – kommen Namen für Freilassung. Du, ich und die beide andere. Wachmänner fragen nicht. Sehen nur Namen im Computer heute Morgen und – bumm – holen dich raus und zeigen dir Tür. Ist egal, ob Sozialarbeiter dich abholt oder nicht. Gucken nur auf Titti-Mädchen in Zeitung, echt. Jetzt wir sind hier. Frei.«

»Nur haben wir keine Papiere.«

»Stimmt. Habe aber kein Angst.«

»Ich schon.«

»Musst du nicht.«

Yevette drückte meine Hand, und ich lächelte.

»So ist richtig.«

Ich schaute mich um. Das Sarimädchen und das Mädchen ohne Namen waren sechs Betten weiter. Ich beugte mich zu Yevette und flüsterte: »Kennst du jemanden in diesem Land?«

»Klar, Süße. Willjem Shakespeare, Lady Diana, Luftschlacht um England. Hab ich für Staatsbürgerprüfung gelernt. Kannst mich testen.«

»Nein. Ich meine, ob du weißt, wohin du gehst, wenn wir hier wegkönnen?«

»Klar, Süße. Kenne Leute in London. Hälfte von Jamaika wohnt in Cole Harbour Lane. Regen sich sicher dauernd auf über Leute aus Niiegeeeeria wohnen nebenan. Was ist mit dir? Hast Familie hier?«

Ich zeigte ihr den britischen Führerschein, den ich in meiner durchsichtigen Plastiktüte hatte. Es war eine kleine Plastikkarte mit dem Foto von Andrew O'Rourke darauf. Yevette nahm sie und hielt sie hoch.

»Was 'n das?«

»Das ist ein Führerschein. Die Adresse des Mannes steht drauf. Ich werde ihn besuchen.«

Yevette hielt sich die Karte vor die Nase und starrte darauf. Dann hielt sie sie von sich weg und blinzelte. Dann betrachtete sie sie wieder aus der Nähe. Sie zwinkerte.

»Das ist *weißer Mann*, Käferlein.«

»Das weiß ich.«

»Okay, okay, war nur Frage. Wollte nur sehen, ob du blind oder dumm.«

Ich lächelte. Yevette nicht.

»Sollten zusammenbleiben, Süße. Komm mit mir nach London, hm? Da wir finden sicher Leute von dir.«

»Aber ich kenne sie doch nicht, Yevette. Ich weiß nicht, ob ich ihnen trauen kann.«

»Aber du vertraust diese Mann hier?«

»Ich bin ihm einmal begegnet.«

»Sorry, Käfer, aber Mann gar nicht dein *Typ*.«

»Ich bin ihm in meinem Land begegnet.«

»Was zum Teufel macht Mann in Niiegeeeria?«

»Ich habe ihn an einem Strand kennengelernt.«

Yevette warf lachend den Kopf zurück und schlug sich auf die Schenkel. »WU-ha-ha-ha-ha! Guck einer an. Und die sagen, du bist *Jungfrau*!«

Ich schüttelte den Kopf. »So war es nicht.«

»Erzähl nicht, so war es nicht, kleine Miss Sexy-Käfer. Musst was mit Mann gemacht haben, dass er dir gibt dies wertvolle Karte.«

»Seine Frau war auch dabei, Yevette. Eine wunderschöne Dame. Sie heißt Sarah.«

»Warum gibt dir Führerschein? Ist Frau so schön, er denkt, verdammt, ich brauche Führerschein nicht mehr, Frau so schön, ich nie mehr fahre wohin, sitze nur zu Hause und schaue Frau an?«

Ich sah weg.

»Was? Hast du Karte gestohlen?«

»Nein.«

»Was? Was passiert?«

»Ich kann nicht darüber sprechen. Es ist in einem anderen Leben passiert.«

»Vielleicht zu lange feines Englisch gelernt, Käferlein, redest verrückt. Hast nur ein Leben, Süße. Egal, ob du Teil davon nicht magst, gehört immer noch zu dir.«

Ich zuckte mit den Schultern und ich legte mich aufs Bett und betrachtete die Kette, die nah bei mir vom Dach baumelte. Jedes Glied war mit dem davor und danach verbunden. Sie war zu stark, als dass ein Mädchen wie ich sie hätte zerreißen können. Die ganze Kette schwang leicht hin und her und schimmerte im Sonnenlicht, das durch die Oberlichter fiel. Als könnte man am Erwachsenenende ziehen und früher oder später würde das Kind auftauchen, wie wenn man einen Eimer aus dem Brunnen zieht. Als würde man nie mit einem kaputten Ende dastehen, das mit nichts mehr verbunden ist.

»Es fällt mir schwer, an den Tag zu denken, an dem ich Andrew und Sarah getroffen habe, Yevette. Jetzt kann ich mich nicht entscheiden, ob ich sie besuchen soll oder nicht.«

»Erzähl mir alles, Käfer. Ich sage, ob gut für dich sind.«

»Ich möchte nicht darüber reden, Yevette.«

Yevette stemmte die Hände in die Hüften und riss die Augen auf. »Hört euch an, kleine Miss Afrika!«

Ich lächelte. »Es gibt sicher auch Dinge in deinem Leben, über die du nicht sprechen möchtest, Yevette.«

»Nur damit du nicht wirst neidisch, Käfer. Wenn ich erzähle, wie ich gelebt in Luxusleben, du wirst neidisch und explodierst, und dann muss Sarimädchen drüben Bescherung wegmachen, und sieht so schon müde aus.«

»Es ist mir ernst, Yevette. Redest du über das, was dir zugestoßen ist, weshalb du nach Großbritannien gekommen bist?«

Yevette hörte auf zu lächeln. »Nee, wenn ich sage, was passiert, keiner glaubt mir. Leute glauben, Jamaika nur Sonne und Ganja und Jah Rastafari. Ist aber nicht so. Kommst du auf falsche Seite von Politik, Käfer, lassen dich leiden. Lassen deine Familie leiden. Und ich meine nicht leiden wie eine Woche kein Eiscreme. Ich meine leiden wie Aufwachen in Blut von deine Kindern und plötzlich im Haus ganz ganz still, für immer und immer, Amen.«

Yevette saß reglos da und schaute auf ihre Flipflops. Ich legte meine Hand auf ihre. Über uns schwangen die Ketten hin und her, und dann seufzte Yevette.

»Aber Leute nie glauben das von mein Land.«

»Was hast du denn dem Mann von der Einwanderungsbehörde erzählt?«

»Bei Asylgespräch? Du willst wissen, was ich gesagt habe?«

»Ja.«

Yevette zuckte mit den Schultern. »Ich ihm gesagt, wenn er mich rausholt von da, er kann machen mit mir, was er will.«

»Das verstehe ich nicht.«

Yevette verdrehte die Augen. »Gott sei Dank, Einwanderungsmann bisschen schlauer als du, Käfer. Du nie gemerkt, dass Besprechungsräume haben keine Fenster? Ich schwöre, Frau von diese Mann hatte zehn Jahre Beine über Kreuz, so hat er auf Angebot gestürzt. Und war nicht nur an ein Tag. Mann brauchte *vier Gespräche*, bis wusste, meine Papiere sind in Ordnung. Kapierst du?«

Ich streichelte ihre Hand. »Oh, Yevette.«

»Ist gar nichts, Käfer. Verglichen mit was sie tun, wenn die mich schicken nach Jamaika? *Gar nichts.*«

Yevette lächelte mich an. Die Tränen liefen aus ihren Augenwinkeln und über die Rundung ihrer Wange. Ich wischte ihr die Tränen ab und fing dann selbst an zu weinen, so dass Yevette *mir* die Tränen abwischen musste. Es war lustig, weil wir nicht aufhören konnten zu weinen. Yevette fing an zu lachen, und dann lachte ich auch, und je mehr wir lachten, desto weniger konnten wir aufhören zu weinen, bis wir so viel Lärm machten, dass das Sarimädchen uns mit einem Zischen aufforderte, leise zu sein, um die Frau ohne Namen nicht zu stören, die in irgendeiner Sprache verrücktes Zeug vor sich hin redete.

»Guck uns an, Käfer. Was soll jetzt mit uns werden?«

»Ich weiß es nicht. Glaubst du wirklich, die haben uns freigelassen, weil du das mit dem Mann von der Einwanderungsbehörde gemacht hast?«

»Ich weiß genau, Käfer. Mann hat sogar Datum gesagt.«

»Aber er hat dir deine Papiere nicht gegeben?«

»Keine Papiere. Er sagt, sein Macht hat auch Grenzen, du verstehst? Er macht Kreuz in kleine Kasten in Computer, damit Beamte uns freilassen, dann kann sagen, *Hand ist ausgerutscht.* Aber Asylantrag genehmigen? Ist was anderes.«

»Also bist du jetzt illegal?«

Yevette nickte. »Du und ich, Käfer. Du und ich und die zwei hier. Sie lassen uns vier frei wegen dem, was ich mit Einwanderungsmann gemacht hab.«

»Warum wir vier, Yevette?«

»Er sagt, sieht verdächtig aus, wenn nur mich laufen lässt.«

»Wie hat er uns andere ausgewählt?«

Yevette zuckte mit den Schultern. »Vielleicht macht Augen zu und piekt Nadel in Liste, weiß nicht.«

Ich sah kopfschüttelnd zu Boden.

»Was?«, fragte Yevette. »Gefällt dir nicht, Käfer? Ihr Mädchen sollten dankbar sein, was ich getan habe.«

»Wir können ohne Papiere aber nichts anfangen, Yevette. Verstehst du das nicht? Wenn wir geblieben wären, wenn wir das richtige Verfahren mitgemacht hätten, hätten sie uns vielleicht mit Papieren entlassen.«

»Nein-nein, Käfer, nein-nein. So läuft nicht. Nicht für Leute aus Jamaika und auch nicht für Leute aus Niiegeeeria. Kapier doch, Süße: gibt nur ein Ort, wo richtige Verfahren endet, ist De-por-ta-zjoon.«

Bei jeder Silbe klopfte sie mir mit der Handfläche gegen die Stirn und lächelte dann.

»Wenn uns deportieren, wir getötet werden zu Hause. Richtig? Aber so wir haben zumindest Chance, Süße, glaub mir.«

»Aber wir können nicht arbeiten, wenn wir illegal hier sind, Yevette. Wir können kein Geld verdienen. Wir können nicht leben.«

Yevette zuckte mit den Schultern. »Wenn tot bist, kannst auch nicht leben. Bist wohl zu schlau, um zu kapieren.«

Ich seufzte und schüttelte den Kopf. Yevette grinste. »So ist gut«, sagte sie. »Junges Ding wie du muss reallisstisch sein. Hör zu. Meinst du, diese englische Leute die du kennst können uns helfen?«

Ich betrachtete den Führerschein. »Ich weiß es nicht.«

»Aber kennst sonst keine, was?«

»Nein.«

»Und was machen wir, wenn da sind, wenn ich mitkomme?«

»Ich weiß es nicht. Vielleicht könnten wir eine Arbeit finden, bei der sie uns nicht nach den Papieren fragen.«

»Leicht für dich. Bist klug, redest schön. Viele Arbeit für Mädchen wie du.«

»Du redest doch auch schön, Yevette.«

»Ich rede wie ein Frau, die verschluckt hat ein Frau, die schön redet. Bin dumm, weißt du.«

»Du bist nicht dumm, Yevette. Alle, die so weit gekommen sind wie wir, die überlebt haben – wie könnten wir dumm sein? Dumme kommen nicht so weit, das kannst du mir glauben.«

Yevette beugte sich zu mir und flüsterte: »Was? Hast nicht gesehen, wie Sarimädchen über Taxi kichert?«

»Na schön. Vielleicht ist Sarimädchen nicht so schlau. Aber sie ist hübscher als wir alle.«

Yevette machte ihre großen Augen und drückte die durchsichtige Plastiktüte enger an sich. »Das tut weh, Käfer. Wie du kannst sagen, ist Hübscheste? Wollte Ananasscheibe mit dir teilen. Aber Pech gehabt, Süße.«

Ich kicherte, und Yevette lächelte und rubbelte mir über den Kopf.

Dann drehten wir uns ganz plötzlich um, weil das Mädchen ohne Namen einen Schrei ausstieß. Sie stand auf ihrem Bett und hielt die Tüte mit den Dokumenten mit beiden Händen an die Brust gedrückt und fing wieder an zu schreien.

»Macht, dass sie weggehen! Sie bringen uns alle um, versteht ihr Mädchen das denn nicht!«

Yevette stand auf und ging zu ihr. Sie schaute zu dem Mädchen ohne Namen hoch. Die Hühner pickten und gackerten um Yevettes Flipflops.

»Hör zu, Süße, ich dir schon gesagt, kommen keine Männer dich zu töten. Sind nur *Hühner*. Haben mehr Angst vor uns als wir vor ihnen. Guck mal!«

Yevette lief mit gesenktem Kopf in eine Gruppe Hennen, die mit flatternden Flügeln und fliegenden Federn auseinanderstob, und die Hennen sprangen auf die Matratzen, und das Mädchen ohne Namen schrie und schrie und trat mit den Turnschuhen nach den Hühnern. Plötzlich hörte sie auf zu schreien und zeigte mit dem Finger. Ich konnte nicht sehen, wohin sie zeigte, weil überall Hühnerfedern waren, die in den hellen Sonnenstrahlen schwebten. Ihr Finger zitterte, und sie flüsterte: »Seht! Seht! Mein Kind!«

Wir Mädchen schauten hin, doch als die Federn alle zu Boden gesunken waren, war nichts zu sehen. Das Mädchen ohne Namen lächelte einen hellen Sonnenstrahl an, der auf den sauberen, grau gestrichenen Boden fiel. Tränen tropften aus ihren Augen. »Mein Kind«, sagte sie und streckte die Arme nach dem Lichtstrahl aus. Ich sah, wie ihre Finger zitterten.

Ich schaute zu Yevette und dem Sarimädchen. Das Sarimädchen sah zu Boden. Yevette zuckte mit den Schultern. Ich schaute wieder zu dem Mädchen ohne Namen und fragte:»Wie heißt dein Kind?«

Das Mädchen ohne Namen lächelte. Ihr Gesicht strahlte.»Sie heißt Aabirah. Sie ist meine Jüngste. Ist sie nicht schön?«

Ich sah zu der Stelle, auf die sie schaute.»Ja. Sie ist reizend.« Dann sah ich Yevette mit aufgerissenen Augen an.»Sie ist doch reizend, Yevette?«

»Oh. Klar. Und wie. Richtige Herzensbrecherin. Wie heißt, sagst du?«

»Aabirah.«

»Klingt schön. Hör mal, Aa-bi-rah, kommst mit und hilfst Hühner aus Scheune jagen?«

Und so fingen Yevette und das Sarimädchen und die jüngste Tochter des Mädchens ohne Namen an, die Hennen aus dem Gebäude zu scheuchen. Ich saß da und hielt die Hand des Mädchens ohne Namen. Ich sagte:»Deine Tochter ist eine große Hilfe. Sieh nur, wie sie die Hennen jagt.« Das Mädchen ohne Namen lächelte. Ich lächelte auch. Ich glaube, wir beide freuten uns, dass sie ihre Tochter zurückhatte.

Wenn ich den Mädchen zu Hause diese Geschichte erzählen würde, wäre eines der neuen Wörter, die ich ihnen erklären müsste,»Improvisieren«. Wir Flüchtlinge sind sehr gut darin. Wir haben nicht die Dinge, die wir brauchen – beispielsweise unsere Kinder –, und sind sehr geschickt darin, aus wenig etwas zu machen. Seht nur, was das Mädchen ohne Namen aus einem kleinen Flecken Sonnenlicht machte. Oder wie das Sarimädchen die ganze Farbe Gelb in eine leere, durchsichtige Plastiktüte packte.

Ich legte mich aufs Bett und schaute zu den Ketten hoch. Ich dachte, der Sonnenschein, diese Farbe Gelb, vielleicht werde ich davon nicht mehr viel sehen. Vielleicht war Grau die neue Farbe meines Lebens. Zwei Jahre in dem grauen Abschiebegefängnis, und nun war ich eine illegale Einwanderin. Das heißt, man ist frei, bis sie einen fangen. Das heißt, man lebt in einer *Grauzone*. Ich überlegte, wie ich leben würde. Ich dachte an die Jahre, in denen ich so still wie möglich leben, meine Farben verbergen und in Zwielicht und Schatten leben würde. Ich seufzte und versuchte, tief durchzuatmen. Ich wollte weinen, als ich zu den Ketten hinaufsah und an die Farbe Grau dachte.

Ich dachte, wenn der Chef der Vereinten Nationen eines Morgens anriefe und sagte: *Sei gegrüßt, Little Bee, dir wird die große Ehre zuteil, eine Nationalflagge für alle Flüchtlinge dieser Welt zu entwerfen*, dann wäre die Flagge, die ich entwerfen würde, grau. Man würde keinen besonderen Stoff dafür brauchen. Ich würde sagen, die Flagge könnte jede beliebige Form haben und aus allem bestehen, was gerade zur Hand war. Ein abgetragener alter BH, beispielsweise, der vom vielen Waschen grau geworden ist. Man könnte ihn vom Ende eines Besenstiels flattern lassen, wenn man keinen Fahnenmast hat. Wenn man aber einen Fahnenmast hat, zum Beispiel einen in der Reihe der großen weißen Fahnenmasten vor dem Gebäude der Vereinten Nationen in New York City, dann würde der alte graue Büstenhalter in der langen Reihe bunter Flaggen ein wunderbares Spektakel abgeben. Er würde zwischen dem Sternenbanner und der großen, roten chinesischen Flagge wehen. Das wäre ein toller Trick. Ich musste lachen, als ich darüber nachdachte.

»Was zum Teufel lachst du, Käfer?«

»Ich habe über die Farbe Grau nachgedacht.«

Yevette runzelte die Stirn. »Nicht du auch verrückt werden, bitte, Käferlein.«

Ich legte mich wieder aufs Bett und schaute zur Decke hoch, sah aber nur die langen Ketten, die herunterbaumelten. Ich dachte, daran könnte ich mich erhängen, kein Problem.

Am Nachmittag kam die Frau des Bauern. Sie brachte uns zu essen. Brot und Käse in einem Korb und ein scharfes Messer zum Brotschneiden. Ich dachte, wenn die Männer kommen, kann ich mir die Adern mit dem Messer aufschneiden. Die Frau des Bauern war freundlich. Ich fragte sie, warum sie so gut zu uns sei. Sie sagte, weil wir alle Menschen seien. Ich sagte: *Verzeihen Sie, Miss, aber ich glaube nicht, dass Yevette ein Mensch ist. Ich glaube, sie gehört zu einer anderen Spezies mit einem größeren Mundwerk.* Yevette und die Frau des Bauern fingen an zu lachen, und wir erzählten ein bisschen, woher wir alle kamen und wohin wir wollten. Sie erklärte mir den Weg nach Kingston-upon-Thames, sagte aber auch, ich solle nicht hingehen. *Ihr solltet nicht in die Vororte gehen, meine Liebe,* sagte sie. *Ist weder Fisch noch Fleisch, in den Vororten. Unnatürliche Orte, voller unnatürlicher Leute.* Ich lachte. Ich sagte, *Vielleicht passe ich da genau rein.*

Die Frau des Bauern war überrascht, als wir um fünf statt vier Teller baten, brachte sie aber trotzdem. Wir teilten das Essen in fünf Portionen und gaben der Tochter der Frau ohne Namen die größte davon, weil sie noch im Wachstum war.

In dieser Nacht träumte ich von meinem Dorf, bevor die Männer kamen. Es gab eine Schaukel, die die Jungen gemacht hatten. Sie bestand aus einem alten Autoreifen, den die Jungen mit Seilen an den höchsten Ast eines Baumes gehängt hatten. Es war ein großer alter Limba-Baum, und er stand ein Stückchen entfernt von unseren Häusern in der Nähe der Schule. Als ich noch zu klein war, um auf die Schaukel zu gehen, setzte mich meine Mutter in den dunkelroten Staub neben dem Stamm des Limba, damit ich den großen Kindern beim Schaukeln zusehen konnte.

Ich hörte gern zu, wenn sie lachten und sangen. Zwei, drei, vier Kinder gleichzeitig, wild übereinander, mit verknoteten Armen und Beinen und Köpfen, die beim Schaukeln an der niedrigsten Stelle im roten Staub schleiften. *Aie! Autsch! Geh runter von mir! Nicht schubsen!* An der Schaukel gab es immer viel Geschnatter und Gelächter, und von den Zweigen des Limba-Baums über meinem Kopf antworteten mürrische Nashornvögel mit Geschrei. Nkiruka stieg manchmal von der Schaukel und hob mich hoch und gab mir weiche Teigbröckchen, die ich zwischen meinen rundlichen Fingern kneten konnte.

Als ich ein kleines Mädchen war, gab es nur Glück und Gesang. Wir hatten viel Zeit dafür. Wir mussten uns nicht beeilen. Es gab keine Elektrizität und kein fließendes Wasser und auch keine Traurigkeit, weil noch nichts davon unser Dorf erreicht hatte. Ich saß zwischen den Wurzeln meines Limba-Baums und lachte, während ich Nkiruka beim Schaukeln zusah, vor und zurück, vor und zurück. Die Seile der Schaukel waren sehr lang, so dass sie eine Weile brauchte, um von einem Ende zum anderen zu schwingen. Die Schaukel schien es nie eilig zu haben. Ich sah ihr den ganzen Tag zu und ahnte nicht, dass ich ein Pendel betrachtete, das die letzten friedlichen Jahre meines Dorfes abzählte.

In meinem Traum sah ich den Reifen vor und zurück schwingen, vor und zurück, in jenem Dorf, das noch nicht wusste, dass es auf einem Ölfeld stand und bald Männer darum kämpfen würden, weil sie in wahnsinniger Eile hinunter ins Öl bohren wollten. Das ist das Problem mit dem Glück – es steht immer auf Dingen, die Männer haben wollen.

Ich träumte, dass ich Nkiruka vor und zurück, vor und zurück schwingen sah, und als ich aufwachte, hatte ich Tränen in den Augen, und ich sah im Mondlicht etwas anderes vor und zurück schwingen, vor und zurück. Ich wusste nicht, was es war. Ich wischte mir die Tränen aus den Augen und machte sie weit auf, und dann sah ich, was am Ende meines Bettes durch die Luft schwang.

Es war ein einzelner Dunlop-Green-Flash-Turnschuh. Der andere war der Frau ohne Namen vom Fuß gefallen. Sie hatte sich an einer der langen Ketten erhängt, die bis zum Dach reichten. Sie war nackt bis auf den einen Schuh. Sie war sehr dünn. Ihre Rippen und Hüftknochen stachen hervor. Ihre offenen Augen quollen heraus und waren nach oben ins dünne, blaue Licht verdreht. Sie glitzerten. Die Kette hatte ihr den Hals, der so dünn war wie ihr Knöchel, gebrochen. Ich schaute den Dunlop-Green-Flash-Turnschuh und den nackten dunkelbraunen Fuß mit der grauen Sohle an, die am Fußende meines Bettes vor und zurück schwangen. Der Turnschuh schimmerte im Mondlicht wie ein träger, silberner Fisch, und der nackte Fuß jagte ihn wie ein Hai. Sie umkreisten einander. Die Kette quietschte leise.

Ich ging hin und berührte das nackte Bein des Mädchens ohne Namen. Es war kalt. Ich schaute zu Yevette und dem Sarimädchen hinüber. Beide schliefen. Yevette murmelte im Schlaf vor sich hin. Ich wollte hingehen und sie wecken, rutschte aber auf etwas Nassem aus. Ich kniete mich hin und berührte es. Es war Urin. Er war so kalt wie der gestrichene Betonboden. Eine Pfütze hatte sich unter dem Mädchen ohne Namen gesammelt. Ich schaute hoch und sah einen einzelnen Urintropfen am großen Zeh ihres nackten Fußes hängen, der funkelnd zu Boden fiel. Ich stand schnell auf. Der Urin machte mich schrecklich niedergeschlagen. Ich wollte die anderen Mädchen nicht wecken, weil sie ihn dann auch sehen würden, und dann würden wir ihn alle sehen, und keine von uns könnte es mehr leugnen. Ich weiß nicht, warum mich die kleine Urinpfütze zum Weinen brachte. Ich weiß nicht, warum der Verstand ausgerechnet an solch kleinen Dingen zerbricht.

Ich ging zu dem Bett, in dem das Mädchen ohne Namen

geschlafen hatte, und nahm ihr T-Shirt. Damit wollte ich den Urin aufwischen, doch dann entdeckte ich die durchsichtige Plastiktüte mit den Dokumenten am Fußende. Ich machte sie auf und fing an, die Geschichte des Mädchens ohne Namen zu lesen.

Die-Männer-kamen-und-sie ... Ich weinte noch immer, und es war schwer, im dämmrigen Mondlicht zu lesen. Ich legte die Dokumente des Mädchens wieder zurück und verschloss sorgfältig die Tüte. Ich hielt sie ganz fest. Ich dachte, ich kann die Geschichte dieses Mädchens für mich selbst nehmen. Ich könnte die Dokumente und die Geschichte mit dem offiziellen roten Stempel nehmen, der beweist, dass sie WAHR ist. Vielleicht könnte ich meinen Asylantrag mit diesen Papieren genehmigt bekommen. Ich spielte eine Minute mit diesem Gedanken, doch während ich die Geschichte des Mädchens in meinen Händen hielt, schien die Kette lauter zu quietschen, und ich musste die Geschichte wieder aufs Bett legen, weil ich wusste, wie sie endete. In meinem Land hat eine Geschichte große Macht, und Gott steh dem Mädchen bei, das eine nimmt, die nicht ihr gehört. Also ließ ich sie auf dem Bett des Mädchens liegen, jedes einzelne Wort, mit allen Büroklammern und Fotos des Narbengewebes und den Namen der vermissten Töchter und der vielen roten Tinte, die besagte, dies sei BESTÄTIGT.

Dann gab ich Yevette, die noch schlief, einen kleinen Kuss auf die Wange und ging leise über die Felder davon.

Yevette zu verlassen war das Schwerste, was ich getan hatte, seit ich aus meinem Dorf weggegangen war. Doch wenn man ein Flüchtling ist und der Tod kommt, bleibt man nicht eine Minute an dem Ort, den er besucht hat. Nach dem Tod kommen viele Dinge – Traurigkeit, Fragen und Polizisten –, und von alldem sollte man sich fernhalten, wenn die Papiere nicht in Ordnung sind.

Nein, für uns Dahintreibende gibt es keine Flagge. Wir

sind Millionen, aber keine Nation. Wir können nicht zusammenbleiben. Vielleicht können wir einzeln oder zu zweit für einen Tag oder einen Monat oder sogar ein Jahr zusammenkommen, doch dann dreht sich der Wind und trägt die Hoffnung davon. Der Tod kam, und ich ging voller Angst davon. Mir bleibt nur meine Scham und die Erinnerung an bunte Farben und das Echo von Yevettes Lachen. Manchmal fühle ich mich so einsam wie die Königin von England.

Es war nicht schwer zu erkennen, wohin ich gehen musste. London erleuchtete den Himmel. Die Wolken glühten orange, als brenne die Stadt, die mich erwartete. Ich ging bergauf, durch Felder mit irgendeinem Getreide und einen hohen Wald mit irgendwelchen Bäumen, und als ich zum letzten Mal auf den Hof hinuntersah, ging ein helles Licht vor der Scheune an, in der sie uns untergebracht hatten. Ich glaube, es war eine automatische Lampe, und mitten in ihrem Strahl stand als einzelner, zitronengelber Punkt das Sarimädchen. Sie war zu weit entfernt, als dass ich ihr Gesicht hätte erkennen können, doch ich stellte mir vor, wie sie verwundert blinzelte, als das Licht anging. Wie eine Schauspielerin, die versehentlich auf die Bühne gegangen ist. Wie ein Mädchen, das keine Sprechrolle hat, das denkt, warum haben die jetzt dieses helle Licht auf mich gerichtet?

Ich hatte große Angst, doch ich fühlte mich nicht allein. Die ganze Nacht über war es, als würde meine große Schwester Nkiruka neben mir gehen. Ich konnte beinahe ihr Gesicht sehen, das im blassen, orangefarbenen Licht glühte. Wir gingen die ganze Nacht hindurch, über Felder und durch Wälder. Wir mieden die Lichter der Dörfer. Wann immer wir einen Bauernhof sahen, mieden wir auch ihn. Einmal hörten uns die Hofhunde und bellten, aber es geschah nichts. Wir gingen weiter. Ich hatte müde Beine. Zwei Jahre war ich im Abschiebegefängnis gewesen und nirgendwohin gegangen, und ich war schwach. Doch obwohl meine Knöchel wehtaten und meine Waden auch, war es gut, sich zu bewegen und frei zu sein und die Nachtluft im Gesicht zu spüren und das taunasse Gras an meinen Beinen. Ich weiß, meine Schwester war auch glücklich. Sie pfiff leise vor sich hin. Als wir einmal eine Pause machten, um uns auszuruhen, bohrte sie am Rand eines Feldes die Zehen in die Erde und lächelte. Als ich sie lächeln sah, fühlte ich mich stark genug, um weiterzugehen.

Das orangefarbene Glühen der Nacht verblasste, und ich konnte allmählich die Felder und Hecken um uns herum erkennen. Zuerst war alles grau, doch dann kamen die Farben ins Land – Blau und Grün, aber sehr weich, als trügen die Farben überhaupt kein Glück in sich. Dann ging die Sonne auf, und die ganze Welt wurde golden. Das Gold war überall um mich herum, und ich ging durch ganze Wolken davon. Die Sonne strahlte auf den weißen Nebel, der über den Feldern hing, und der Nebel wirbelte um meine Beine. Ich schaute zu meiner Schwester, doch sie war mit der Nacht verschwunden. Dennoch lächelte ich, weil ich merkte, dass sie mir ihre Kraft dagelassen hatte. Ich schaute mir den wunderschönen Sonnenaufgang an und dachte, ja, ja, von nun an wird alles so schön sein wie dies hier. Ich werde nie wieder Angst haben. Ich werde nie wieder einen Tag in der Farbe Grau gefangen sein.

Vor mir war ein leises Dröhnen und Grollen zu hören. Der Lärm schwoll im Nebel an und ab. Das ist ein Wasserfall, dachte ich. Ich muss aufpassen, dass ich im Nebel nicht in den Fluss falle.

Ich ging weiter, vorsichtiger, und der Lärm wurde lauter. Jetzt klang er gar nicht mehr wie ein Fluss. Mitten im Dröhnen waren einzelne Geräusche auszumachen. Jedes Geräusch wurde lauter, grollte und bebte und verklang. In der Luft hing ein schmutziger, scharfer Geruch. Jetzt konnte ich Autos und Lastwagen hören. Ich ging näher heran. Ich erreichte eine grasbewachsene Anhöhe, und da war sie. Die Straße war unglaublich. Auf meiner Seite gab es drei Reihen Verkehr, der von rechts nach links fuhr. Dann kam eine niedrige Metallbarriere und danach drei weitere Reihen Verkehr, der von links nach rechts fuhr. Die Autos und Lastwagen fuhren sehr schnell. Ich ging hinunter zum Straßenrand und streckte die Hand aus, um den Verkehr anzuhalten, weil ich hinüberwollte, doch der Verkehr hielt nicht an. Ein Lastwagen hupte, und ich musste zurückweichen.

Ich wartete auf eine Verkehrslücke und rannte zur Mitte der Straße. Ich kletterte über die Metallbarriere. Diesmal hupten ganz viele Autos. Ich rannte weiter und den grünen Hang auf der anderen Straßenseite hinauf. Dort setzte ich mich hin. Ich war außer Atem. Ich sah den Verkehr unter mir vorbeirasen, drei Reihen in die eine Richtung und drei in die andere. Wenn ich den Mädchen zu Hause diese Geschichte erzählen würde, würden sie sagen, *na schön, es war Morgen, also fuhren die Leute zur Arbeit auf die Felder. Warum aber tauschen die Leute, die von rechts nach links fahren, nicht ihre Felder mit den Leuten, die von links nach rechts fahren? So könnten alle auf den Feldern in der Nähe ihres Hauses arbeiten.* Ich würde nur mit den Schultern zucken, weil alle Antworten zu weiteren albernen Fragen wie dieser führen würden: *Was ist ein Büro, und was kann man da anbauen?*

Ich merkte mir die Autobahn als Ort, an dem ich mich mühelos umbringen konnte, falls plötzlich die Männer kämen, und dann stand ich auf und ging weiter. Ich ging noch eine Stunde über die Felder. Dann erreichte ich einige kleinere Straßen, an denen Häuser standen. Ich war verblüfft, als ich sie sah. Sie waren zwei Stockwerke hoch und aus starken, roten Ziegeln gebaut. Sie hatten schräge Dächer mit sauberen Reihen von Dachziegeln. Sie hatten weiße Fensterrahmen, und in allen war Glas. Nichts war kaputt. Alle Häuser waren sehr fein, und eines sah aus wie das andere. Vor fast jedem Haus stand ein Auto. Ich ging die Straße entlang und starrte auf die schimmernden Reihen. Es waren wunderschöne Autos, elegant und glänzend, nicht so wie die bei mir zu Hause. In meinem Dorf gab es nur zwei Autos, einen Peugeot und einen Mercedes. Der Peugeot kam, bevor ich geboren wurde. Das weiß ich, weil mein Vater der Fahrer war und mein Dorf der Ort, an dem sein Peugeot zweimal hustete und im roten Staub starb. Er ging in das erste Haus im Dorf, um nach einem Mechaniker zu fragen. Einen Mechaniker hatten sie nicht, dafür aber meine Mutter, und mein Vater begriff, dass er sie mehr brauchte als einen Mechaniker, und so blieb er da. Der Mercedes kam, als ich fünf Jahre alt war. Der Fahrer war betrunken und krachte in den Peugeot meines Vaters, der noch immer genau da stand, wo mein Vater ihn stehengelassen hatte, nur dass sich die Jungen einen der Reifen als Sitz für die Schaukel im Limba-Baum geholt hatten. Der Fahrer des Mercedes stieg aus und ging zum ersten Haus und traf dort meinen Vater und sagte, *Tut mir leid.* Mein Vater lächelte und sagte, *Wir sollten uns bei Ihnen bedanken, Sir, Sie haben unser Dorf ins Weltgeschehen eingebunden – dies ist unser allererster Verkehrsunfall.* Und der Fahrer des Mercedes lachte, und er blieb ebenfalls da, und er wurde ein sehr guter Freund meines Vaters, so gut, dass ich ihn Onkel nannte. Und mein Vater und mein Onkel lebten sehr glücklich an diesem Ort, bis zu dem Nachmittag, an dem die Männer kamen und sie erschossen.

Daher war es erstaunlich, all diese neuen, wunderschön glänzenden Autos vor den großen, perfekten Häusern zu sehen. Ich kam durch viele solcher Straßen.

Ich ging den ganzen Morgen. Die Gebäude wurden größer und schwerer. Die Straßen wurden breiter und voller. Ich starrte alles an und kümmerte mich nicht um den Hunger in meinem Bauch oder die Schmerzen in meinen Beinen, weil ich über jedes neue Wunder staunte. Wann immer ich etwas zum ersten Mal sah – ein fast nacktes Mädchen auf einer Reklametafel oder einen roten Doppeldeckerbus oder ein glitzerndes Gebäude, das so hoch war, dass einem schwindlig wurde –, war die Aufregung in meinem Magen so heftig, dass es wehtat. Der Lärm war zu viel – das Donnern des Verkehrs und das Geschrei. Bald waren solche Menschenmengen auf den Straßen, dass ich mir wie ein Nichts vorkam. Ich wurde auf dem Gehweg herumgeschubst und gestoßen, und keiner beachtete mich. Ich ging so gerade wie möglich weiter, und als die Gebäude so hoch wurden, dass es aussah, als könnten sie unmöglich stehen bleiben, und der Lärm so laut wurde, dass er meinen Körper zu zerreißen schien, bog ich um eine Ecke und keuchte und rannte über eine letzte verkehrsreiche Straße, die Autos hupten und die Fahrer schrien, und dann lehnte ich mich über eine niedrige weiße Steinmauer und schaute und schaute, weil vor mir der Themsefluss lag. Boote tuckerten durch das schlammige braune Wasser und tuteten unter den Brücken. Links und rechts entlang des Flusses wuchsen riesige Türme hoch in den blauen Himmel. Manche wurden erst gebaut, enorme gelbe Kräne bewegten sich über ihnen.

Ich blieb am Flussufer stehen und starrte endlos auf diese Wunder. Die Sonne schien vom leuchtend blauen Himmel. Es war warm, und eine sanfte Brise wehte am Flussufer. Ich spürte meine Schwester Nkiruka im Fließen des Flusses und im Wehen des Windes und flüsterte ihr zu: »Sieh dir diesen Ort an, Schwester. Hier wird alles gut. In einem so schönen Land gibt es Platz für zwei Mädchen wie uns. Wir werden nicht mehr leiden.«

Ich lächelte und ging den Uferweg entlang nach Westen. Ich wusste, wenn ich dem Ufer folgte, würde ich nach

Kingston gelangen – deshalb nennen sie es nämlich Kingston-upon-Thames. Ich wollte so schnell wie möglich dorthin, weil mir die Menschenmengen in London allmählich Angst machten. In meinem Dorf sahen wir nie mehr als fünfzig Leute auf einmal. Wenn man jemals mehr sah, bedeutete es, dass man gestorben und in die Stadt der Geister gelangt war. Dorthin gehen die Toten, in diese Stadt, um zu Tausenden dort zu leben, weil sie keinen Platz mehr brauchen, um Cassava anzubauen. Wenn man tot ist, hungert man nicht nach Cassava, nur nach Gesellschaft.

Eine Million Menschen waren um mich herum. Ihre Gesichter eilten vorbei. Ich schaute und schaute. Ich sah die Gesichter meiner Familie nicht, doch wenn man alle verloren hat, hört man nie auf, nach ihnen zu suchen. Meine Schwester, meine Mutter, mein Vater und mein Onkel. In jedem Gesicht, das ich sehe, suche ich nach ihnen. Würde ich euch zufällig begegnen, würdet ihr als Erstes bemerken, wie meine Augen in euer Gesicht starren, als wollten sie jemand anderen in euch sehen, als versuchten sie verzweifelt, euch zu einem Geist zu machen. Ich hoffe, wenn wir uns begegneten, würdet ihr das nicht persönlich nehmen.

Ich eilte am Uferweg entlang, durch die Menge, durch meine Erinnerungen, durch diese Stadt der Toten. Einmal brannten meine Beine, und ich musste neben einer hohen Nadel aus Stein, in die seltsame Symbole gemeißelt waren, eine Pause machen. Ich blieb einen Moment stehen, und die Toten flossen um mich herum, so wie die schlammige braune Themse um den Pfeiler einer Brücke herumfließt.

Wenn ich den Mädchen zu Hause diese Geschichte erzählen würde, müsste ich ihnen erklären, wie es möglich war, in einem Fluss aus Menschen zu ertrinken und sich dabei so ganz und gar allein zu fühlen. Aber ehrlich, ich glaube, dafür würde ich keine Worte finden.

4

Ich weiß noch, dass ich früh am Morgen von Andrews Begräbnis, noch bevor Little Bee kam, aus dem Schlafzimmerfenster unseres Hauses in Kingston-upon-Thames geschaut habe. Unten am Teich stach Batman mit einem Kindergolfschläger aus Plastik nach den Bösen. Er wirkte dünn und verloren. Ich fragte mich, ob ich ihm Milch warmmachen und etwas Gutes hineinrühren sollte. Ich weiß noch, dass ich überlegte, ob man irgendetwas in eine Tasse rühren kann, das eine praktische Hilfe wäre. Mein Kopf befand sich in jenem kristallinen, reflektierenden Zustand, der mit Schlafmangel einhergeht.

Von hier aus konnte ich in die Gärten der ganzen Straße blicken, sie bildeten ein gekrümmtes grünes Rückgrat, die Wirbel bestanden aus Grills und verblichenen Plastikschaukeln. Durch die doppelverglasten Scheiben drang der Lärm einer Autoalarmanlage und das Dröhnen der Flugzeuge, die in Heathrow starteten. Ich drückte die Nase an die Scheibe und dachte: Diese verdammten Vororte sind das Fegefeuer. Wie hat es uns alle bloß hierher verschlagen? Warum enden so viele von uns so furchtbar weit draußen?

Im Garten nebenan hängte mein Nachbar an jenem Morgen der Beerdigung seine blauen Unterhosen auf die Leine. Die Katze wand sich um seine Beine. Bei mir im Schlafzimmer lief *Today* im Radio. John Humphrys erklärte, der Footsie-Aktienindex sei ziemlich im Keller.

Ja, aber ich habe meinen Mann verloren. Ich sprach es laut aus, während eine eingesperrte Fliege schwach gegen die Fensterscheibe flog. Ich sagte: *Tut mir leid, mein Mann ist tot. Mein Mann, Andrew O'Rourke, der gefeierte Kolumnist, hat sich das Leben genommen. Und ich fühle …* Eigentlich wusste ich gar nicht, was ich fühlte. Für Kummer gibt es keine Erwachsenensprache. In den Nachmittagsshows machen sie das viel besser. Natürlich wusste ich, dass ich *am Boden zerstört* sein sollte. Dass *mein Leben seine Grundlage verloren* hatte. Nennen sie es nicht so? Aber Andrew war seit fast einer Woche tot, und meine Augen waren immer noch trocken. Das ganze Haus stank nach Gin und Lilien. Noch immer versuchte ich, angemessen traurig zu sein. Wühlte noch immer in den Erinnerungen meines kurzen, durchwachsenen Lebens mit dem armen Andrew. Suchte nach dem Schlussstein, der Erinnerung, die irgendein Symptom des Leidens auslösen würde, wenn ich sie aufbrach. Tränen vielleicht, unter unglaublichem Druck herausgepresst. *Wissen Sie, Trisha, mein Leben geriet in eine schreckliche Abwärtsspirale. Ich konnte mir einfach nicht vorstellen, jetzt jeden Tag ohne ihn bewältigen zu müssen.*

Es war anstrengend, nach Trauer zu schürfen, wo vielleicht gar keine zu finden war. Womöglich war es einfach noch zu früh. Im Augenblick empfand ich mehr Mitleid mit der gefangenen Fliege, die vor dem Fenster summte. Ich öffnete den Riegel und ließ sie hinaus. Sie war, verletzlich und schwach, wieder im Spiel.

Der Tag hinter dem Glas roch nach Sommer. Mein Nachbar hatte sich an seiner Wäscheleine einen Meter nach links bewegt. Mit den Unterhosen war er fertig. Jetzt kamen die Socken an die Reihe. Seine Wäsche hing da wie Gebetsfahnen, die den Göttern der Nachmittagsshows huldigten: *Ich bin wohl leider in einen Vorort gezogen. Kann man da irgendetwas machen?*

Plötzlich tauchte ein Fluchtgedanke auf, frech und unangekündigt. Ich könnte einfach weggehen, auf der Stelle, oder nicht? Ich könnte Charlie, meine Kreditkarte und meine rosa Lieblingsschuhe nehmen und ins nächste Flugzeug steigen. Haus, Job und Trauer würden tief unter mir zu einem winzigen Punkt zusammenschrumpfen. Ich erinnere mich, dass ich mit schuldbewusster Erregung begriff, dass es keinen einzigen Grund mehr gab, weshalb ich hier sein musste – weit weg von der Mitte meines Herzens, gestrandet in den Vororten.

Doch das Leben lässt uns ungern entkommen. In genau diesem Augenblick klopfte es. Ich machte auf, und Little Bee stand vor der Tür. Ich starrte sie eine Weile nur an. Keiner von uns sagte etwas. Schließlich ließ ich sie herein und setzte sie aufs Sofa. Schwarzes Mädchen in rot-weißem Hawaii-Hemd, verschmiert mit der lehmigen Erde von Surrey. Sofa von Habitat. Erinnerungen aus der Hölle.

»Ich weiß nicht, was ich sagen soll. Ich dachte, du wärst tot.«

»Ich bin nicht tot. Vielleicht wäre das besser.«

»Sag das nicht. Du siehst sehr müde aus. Du musst dich sicher ausruhen.«

Das Schweigen dauerte zu lange.

»Ja. Sie haben recht. Ich brauche ein bisschen Ruhe.«

»Wie um Himmels willen bist du … ich meine, wie hast du überlebt? Wie bist du hergekommen?«

»Ich bin gegangen.«

»Von Nigeria hierher?«

»Bitte. Ich bin sehr müde.«

»Oh. Ja. Natürlich. Ja. Möchtest du eine Tasse …«

Ich wartete ihre Antwort nicht ab, sondern ergriff die Flucht. Ich ließ Little Bee auf dem Sofa sitzen, gestützt auf die Kissen von John Lewis, und rannte nach oben. Ich schloss die Augen und legte meine Stirn an das kühle

Glas des Schlafzimmerfensters. Ich wählte eine Telefonnummer. Die Nummer eines Freundes. Eigentlich mehr als ein Freund. Lawrence war mehr als das.

»Was ist los?«, fragte Lawrence.

»Du klingst genervt.«

»Oh. Sarah. Du bist das. Mein Gott, entschuldige. Ich dachte, es wäre das Kindermädchen. Sie ist spät dran. Und das Baby hat gerade auf meine Krawatte gekotzt. *Scheiße.*«

»Es ist etwas passiert, Lawrence.«

»Was?«

»Bei mir ist jemand aufgetaucht, mit dem ich wirklich nicht gerechnet habe.«

»So ist das bei Beerdigungen immer. Die ganze abgelegte Vergangenheit kommt theatralisch aus dem Orkus. Du kannst sie nicht fernhalten.«

»Ja, natürlich, aber es ist mehr als das. Es ist …«, stotterte ich und verstummte.

»Sorry, Sarah, ich weiß, es klingt schrecklich, aber ich hab es furchtbar eilig. Kann ich dir irgendwie helfen?«

Ich drückte mein erhitztes Gesicht ans kalte Glas. »Tut mir leid. Ich bin ein bisschen durcheinander.«

»Das ist wegen der Beerdigung. Ist doch klar, dass du ziemlich durch den Wind bist. Das lässt sich gar nicht vermeiden. Ich wünschte, du würdest mir erlauben, zu kommen. Wie fühlst du dich?«

»Angesichts der Beerdigung?«

»Angesichts der ganzen Situation.«

Ich seufzte.

»Ich fühle gar nichts. Ich bin ganz taub.«

»Oh, Sarah.«

»Ich warte einfach nur auf den Bestatter. Vielleicht bin ich etwas nervös. Das ist alles. Wie im Wartezimmer vom Zahnarzt.«

»Aha«, erwiderte Lawrence vorsichtig.

Pause. Im Hintergrund stritten seine Kinder am Frühstückstisch. Mir wurde klar, dass ich ihm nicht erzählen konnte, dass Little Bee bei mir aufgetaucht war. Nicht jetzt. Auf einmal kam es mir unfair vor, seine Probleme noch zu vergrößern. Spät dran, Baby kotzt auf Krawatte, Kindermädchen kommt nicht ... und dann auch noch ein angeblich totes nigerianisches Mädchen, das auf dem Sofa seiner Geliebten wiederauferstanden ist. Das konnte ich ihm nicht antun. So ist das mit Liebhabern. Man ist eben nicht verheiratet. Um im Rennen zu bleiben, muss man Rücksicht nehmen. Dem anderen gewisse Rechte auf ein eigenes Leben zugestehen. Also schwieg ich. Ich hörte, wie Lawrence tief durchatmete, der Verzweiflung nahe.

»Was bringt dich denn so durcheinander? Dass du nicht genug fühlst?«

»Mein Mann wird beerdigt. Da sollte ich wenigstens traurig sein.«

»Du hast dich unter Kontrolle. Du bist eben keine Heulsuse. Sei doch froh.«

»Ich kann nicht um Andrew weinen. Ich denke immer wieder an diesen Tag in Afrika. Am Strand.«

»Sarah?«

»Ja?«

»Ich dachte, wir hätten uns geeinigt, dass du das am besten vergessen solltest. Geschehen ist geschehen. Wir waren doch einer Meinung, dass du in die Zukunft schauen musst, oder?«

Ich drückte meine linke Hand flach gegen die Fensterscheibe und starrte auf den Stumpf meines verlorenen Fingers.

»Ich glaube, das mit dem ›in die Zukunft schauen‹ funktioniert so nicht mehr, Lawrence. Ich glaube, ich kann nicht einfach weiter verdrängen, was geschehen ist. Ich glaube, ich kann es nicht. Ich ...« Meine Stimme erstarb.

»Sarah? Tief durchatmen.«

Ich öffnete die Augen. Draußen am Teich stach Batman noch immer heftig in die Luft. Im Radio meckerte *Today* weiter vor sich hin. Der Nachbar war fertig mit Wäscheaufhängen und stand jetzt einfach mit halb geschlossenen Augen da. Bald würde er sich an eine neue Aufgabe machen: Kaffee mahlen oder die Fadenspule seiner Motorsense reparieren. Kleine Probleme. Saubere Probleme.

»Jetzt, wo Andrew, na ja, *fort* ist, Lawrence. Glaubst du, du und ich werden ...«

Pause am anderen Ende. Dann wieder Lawrence, der vorsichtige Lawrence, unverbindlich.

»Andrew war kein Hindernis, solange er lebte«, sagte er. »Gibt es irgendeinen Grund, die Dinge zu verändern?«

Ich seufzte wieder.

»Sarah?«

»Ja?«

»Konzentrier dich jetzt bitte mal nur auf heute, okay? Konzentrier dich auf die Beerdigung, halte durch, bring den Tag irgendwie hinter dich. Hör auf, den verflixten Toast an den Computer zu schmieren!«

»Lawrence?«

»Tut mir leid. Das war der Kleine. Er hat ein Stück Toast mit Butter und verteilt es überall ... tut mir leid, ich muss Schluss machen.«

Lawrence hängte ein. Ich drehte mich vom Fenster weg und setzte mich aufs Bett. Ich wartete. Ich schob es vor mir her, nach unten zu gehen und mich um Little Bee zu kümmern. Stattdessen betrachtete ich mich im Spiegel, die Witwe. Ich versuchte, körperliche Spuren von Andrews Ableben zu entdecken. Eine neue Falte auf der Stirn? Dunkle Ränder unter den Augen? War da wirklich gar nichts?

Wie ruhig meine Augen seit dem Tag am Strand in Afrika wirkten. Nach einem so fundamentalen Verlust wird der

Verlust einer weiteren Sache – eines Fingers, vielleicht, oder eines Ehemanns – absolut bedeutungslos. Meine grünen Augen sahen im Spiegel friedlich aus – still wie ein Gewässer, das entweder sehr tief ist oder sehr seicht.

Warum konnte ich nicht weinen? Bald würde ich mich einer Kirche voller Trauergäste stellen müssen. Ich rieb mir heftig die Augen, wovon unsere Schönheitsexpertinnen dringend abraten. Wenigstens rote Augen musste ich der Trauergemeinde präsentieren. Ich musste ihnen zeigen, dass Andrew mir wirklich viel bedeutet hatte. Selbst wenn ich seit Afrika nicht mehr an das Konzept einer dauerhaften Liebe geglaubt hatte, messbar bei Tests, wenn man am häufigsten Antwort B angekreuzt hat. Also grub ich die Daumen in die Haut unter meinen Wimpern. Wenn ich der Welt schon keinen Kummer zeigen konnte, wollte ich ihr wenigstens zeigen, was er mit den Augen anrichten konnte.

Schließlich ging ich nach unten und starrte Little Bee an. Sie saß noch immer auf dem Sofa, die Augen geschlossen, den Kopf in die Kissen gelehnt. Ich hustete, und sie wachte abrupt auf. Braune Augen, orangefarbene gemusterte Seidenkissen. Sie blinzelte mich an, und ich starrte sie weiter an. Der Lehm klebte noch an ihren Stiefeln. Ich fühlte gar nichts.

»Warum bist du gekommen?«

»Ich wusste nicht, wo ich sonst hin sollte. Sie und Andrew, Sie sind die einzigen Leute, die ich in diesem Land kenne.«

»Aber du kennst uns doch kaum. Wir sind uns nur einmal begegnet.«

Little Bee zuckte mit den Schultern. »Sie sind die Einzigen, denen ich begegnet bin.«

»Andrew ist tot. Heute Vormittag ist seine Beerdigung.«

Little Bee schaute mich benommen an.

»Verstehst du?«, sagte ich. »Mein Mann ist *gestorben.* Er wird *beerdigt.* Das ist eine Art Zeremonie. In einer Kirche. So machen wir das in diesem Land.«

Little Bee nickte. »Ich weiß, was Sie in diesem Land machen.«

Etwas in ihrer Stimme klang so alt und müde, dass es mir Angst machte. Es klopfte wieder. Charlie öffnete dem Bestatter und rief den Flur entlang, *Mama, es ist Bruce Wayne!*

»Geh in den Garten spielen, Liebling«, sagte ich.

»Aber Mama, ich möchte Bruce Wayne sehen!«

»*Bitte*, Liebling. Geh einfach.«

Als ich zur Tür kam, warf der Bestatter einen raschen Blick auf den Stumpf meines Fingers. Das machen die meisten Leute, aber selten mit einem so professionellen Blick, der konstatiert: *linke Hand, Mittelfinger, erstes und zweites Fingerglied, ja, das könnten wir mit einer Wachsprothese hinbekommen, einer schmalen, mit hellem westeuropäischem Hautton, und wir könnten den Übergang mit einer Kryolan-Grundierung kaschieren, und im Sarg könnten wir die rechte Hand über die linke legen, und schon wäre alles in Butter, Madam.*

Cleverer Bestatter, dachte ich. Wenn ich tot wäre, könntest du wieder eine ganze Frau aus mir machen.

»Mein aufrichtiges Beileid, Madam. Wir sind bereit, wann immer Sie kommen möchten.«

»Vielen Dank. Ich hole nur meinen Sohn und meine … meine Freundin.«

Ich sah, wie der Bestatter meinen Gin-Atem ignorierte. Er schaute mich an. Er hatte eine kleine Narbe auf der Stirn. Seine Nase war platt und schief. Sein Gesicht verriet nichts. Es war ebenso leer wie mein Kopf.

»Nehmen Sie sich so viel Zeit, wie Sie brauchen, Madam.«

Ich ging in den Garten. Batman buddelte unter den Rosen. Ich ging zu ihm. Er hatte einen Spaten in der Hand und hob eine Löwenzahnpflanze samt Wurzeln aus der Erde. Unser Haus-Rotkehlchen war hungrig und schaute aus einiger Entfernung zu. Batman hielt sich den Löwenzahn vors Gesicht und untersuchte die Wurzel. Kniend schaute er zu mir auf.

»Ist das ein Unkraut, Mama?«

»Ja, Liebling. Wenn du dir nicht sicher bist, frag das nächste Mal lieber, bevor du es ausgräbst.«

Batman zuckte die Achseln. »Soll ich es in die wilde Ecke setzen?«

Ich nickte, und Batman trug den Löwenzahn in eine kleine Ecke des Gartens, wo Andrew solchen Missetätern eine Heimat gegeben hatte, weil er hoffte, sie würden Schmetterlinge und Bienen anlocken. *In unserem kleinen Garten habe ich einen wilden Flecken angelegt, um mich an das Chaos zu erinnern*, hatte Andrew in seiner Kolumne geschrieben. *Unser modernes Leben ist zu geordnet, zu aseptisch.*

Das war vor Afrika gewesen.

Batman setzte den Löwenzahn zwischen die Brennnesseln.

»Mama, ist Unkraut böse?«

Ich sagte, das hänge davon ab, ob man ein Junge oder ein Schmetterling sei. Batman verdrehte die Augen wie ein Journalist, der einen Politiker interviewt, der sich nicht festlegen will. Ich musste unwillkürlich lächeln.

»Wer ist die Frau auf dem Sofa, Mama?«

»Sie heißt Little Bee.«

»Das ist ein komischer Name.«

»Nicht wenn man eine Biene ist.«

»Sie ist aber keine Biene.«

»Nein. Sie ist ein Mensch. Sie kommt aus einem Land namens Nigeria.«

»Hm. Ist sie eine von den Guten?«

Ich stand auf. »Wir müssen jetzt gehen, Liebling. Der Bestatter holt uns ab.«

»Bruce Wayne?«

»Ja.«

»Fahren wir zur Bat-Höhle?«

»Sozusagen.«

»Hm. Ich komm gleich.«

Ich spürte, wie mir der Schweiß auf den Rücken trat. Ich trug ein graues Wollkostüm und einen Hut, der nicht ganz schwarz, aber eine spätabendliche Reverenz davor war. Er verstieß nicht gegen die Tradition, hatte sich der Finsternis aber auch nicht völlig unterworfen. Am Hut war ein schwarzer Schleier befestigt, den ich im richtigen Augenblick herunterlassen konnte. Ich hoffte, jemand würde mir Bescheid sagen, wann das war.

Ich trug marineblaue Handschuhe, die grenzwertig passend für eine Beerdigung waren. Der Mittelfinger des linken Handschuhes war abgeschnitten und umgenäht. Das hatte ich zwei Abende zuvor gemacht, sobald ich betrunken genug war, um es zu ertragen, in einem gnädigen Moment zwischen nicht mehr nüchtern und nicht mehr fähig. Der abgetrennte Finger des Handschuhs lag noch auf dem Nähtisch. Es fiel mir schwer, ihn wegzuwerfen.

In meiner Jackentasche steckte das Handy, das ich schon auf lautlos geschaltet hatte. Dazu ein Zehn-Pfund-Schein für die Kollekte, falls es denn eine Kollekte gab. Bei einer Beerdigung war es eher unwahrscheinlich, sicher war ich mir nicht. (Und falls es eine Kollekte gab, waren zehn Pfund dann richtig? Fünf erschienen mir lächerlich wenig; zwanzig obszön und protzig.)

Ich hatte niemanden mehr, den ich nach solch normalen Dingen fragen konnte. Little Bee wäre mir keine Hilfe. Ich konnte sie schlecht fragen: *Sind die blauen Handschuhe in*

Ordnung? Sie würde sie nur anstarren, als hätte sie noch nie zuvor ein Paar Handschuhe gesehen, was durchaus der Fall sein konnte. *(Ja, aber sind sie auch dunkel genug, Little Bee? Mal ganz unter uns – du als Flüchtling vor dem Horror und ich als Herausgeberin eines coolen Magazins – würden wir diese Blauschattierung mutig oder respektlos nennen?)*

Die normalen Dinge würden am schwersten werden, das wurde mir plötzlich klar. Unleugbar fehlte mir nun, da Andrew fort war, ein Mensch mit einer ausgeprägten Meinung über das Leben in einem zivilisierten Land.

Unser Rotkehlchen hüpfte mit einem Wurm im Schnabel zwischen dem Fingerhut hervor. Die Haut des Wurms war rotbraun, wie ein Bluterguss.

»Komm, Batman, wir müssen gehen.«

»*Gleich*, Mama.«

In der Stille des Gartens schüttelte das Rotkehlchen seinen Wurm und schluckte mit der raschen Gleichgültigkeit eines Gottes sein Leben vom Licht in die Dunkelheit. Ich fühlte gar nichts. Ich betrachtete meinen Sohn, der blass und verwirrt in unserem ordentlich angelegten Garten hockte, und schaute an ihm vorbei zu Little Bee, die müde und verdreckt auf uns wartete.

Nun, so wurde mir klar, war die Wirklichkeit endlich eingedrungen. Wie albern sich mein sorgfältig errichtetes Verteidigungsbollwerk gegen die Natur ausnahm: mein freches Magazin, mein gutaussehender Ehemann, meine Maginot-Linie aus Mutterschaft und Affären. Die Welt, die wirkliche Welt, war eingedrungen. Sie hatte sich auf mein Sofa gesetzt und ließ sich nicht länger leugnen.

Ich ging zur Haustür, um dem Bestatter zu sagen, dass wir in einer Minute kommen würden. Er nickte. Hinter ihm sah ich seine Männer, blass und verkatert in ihren Fräcken. Ich habe in meinem Leben mehr als einen Gin getrunken und erkannte den feierlichen Gesichtsausdruck. Ein Viertel Mitleid, drei Viertel Ich-trinke-*nie*-wieder. Die Männer nickten mir zu. Für eine Frau mit einem sehr guten Job ist es eine eigentümliche Erfahrung, von Männern mit Tattoos und Kopfschmerzen bemitleidet zu werden. So werden mich von nun an vermutlich alle Leute anschauen, wie eine Fremde in diesem Land meines Herzens, das ich nie hätte bereisen sollen.

Auf der Straße vor unserem Haus warteten Leichenwagen und Limousine. Ich ging die Auffahrt hinunter und warf einen Blick durch das grüne Glas des Leichenwagens. Drinnen stand Andrews Sarg auf schimmernden Chromrollen. Andrew, der acht Jahre lang mein Ehemann gewesen war. Ich dachte: Jetzt müsste ich etwas empfinden. Ich dachte: Rollen. Wie praktisch.

In unserer Straße erstreckten sich die Doppelhaushälften in beide Richtungen bis ins Unendliche. Wolken zogen über den Himmel, nichtssagend und bedrückend, alle gleich, alle drohten mit Regen. Ich blickte wieder zu Andrews Sarg und dachte an sein Gesicht. Ich sah es tot vor mir. Wie langsam er gestorben war in diesen beiden Jahren. Wie unmerklich sich sein Gesicht verwandelt hatte, von todernst zu ernstlich tot. Die beiden Gesichter verschwammen schon ineinander. Mein lebender Mann und mein toter Mann – nicht mehr klar abgegrenzt, als würde ich die beiden unter dem Sargdeckel verschmolzen finden wie siamesische Zwillinge, mit weit aufgerissenen Augen, die in beide Richtungen ins Unendliche blickten.

Und nun kam mir ein neuer Gedanke, durchdrungen von der Klarheit des Grauens: *Andrew war einmal ein leidenschaftlicher, liebevoller, kluger Mann.*

Ich starrte auf den Sarg meines Ehemanns und klammerte mich an diesen Gedanken. Ich hielt ihn meinem Gedächtnis hin wie eine zaghafte weiße Flagge. Ich erinnerte mich, wie Andrew gewesen war, als wir bei derselben Zeitung gearbeitet hatten. Damals lieferte er sich eine lautstarke Auseinandersetzung mit seinem Chefredakteur über irgendein hehres Prinzip, worauf er mit Pauken und Trompeten fristlos entlassen wurde und wild und wunderschön in den Flur herausgestürmt kam. Zum ersten Mal dachte ich, das ist ein Mann, auf den man stolz sein kann. Dann stolperte Andrew praktisch über mich, weil ich mit offenem Mund im Flur gelauscht hatte und nun tat, als müsste ich schnell in die Redaktion. Andrew grinste und sagte, *Hätten Sie Lust, einem ehemaligen Kollegen ein Essen auszugeben?* Es war das große Los. Als hätte man den Blitz in einer Flasche eingefangen.

Nach Charlies Geburt kühlte unsere Ehe ab. Als ob der eine Blitzschlag reichen müsste und fast die ganze Hitze, die er abstrahlte, von unserem Kind absorbiert worden sei. Nigeria hatte den Niedergang beschleunigt und der Tod den Schlusspunkt gesetzt, doch die Entfremdung und meine Affäre mit Lawrence waren dem vorausgegangen. Das war es, was mich lähmte. Es gab keine spontane Trauer um Andrew, weil ich ihn ganz allmählich verloren hatte. Zuerst aus meinem Herzen, dann aus meinen Gedanken und schließlich aus meinem Leben.

In diesem Augenblick überkam mich echter Kummer. Dies war der Schock, der mich zittern ließ, als hätte etwas ein Erdbeben tief in meinem Inneren ausgelöst, das nun blindlings an die Oberfläche drängte. Ich zitterte, doch es gab keine befreienden Tränen.

Ich ging wieder ins Haus und holte meinen Sohn und Little Bee. Zusammengewürfelt, benebelt, halb losgelöst gingen wir zur Beerdigung meines Mannes. Noch immer zitternd saß ich in der Kirchenbank und begriff, dass wir nicht um die Toten weinen. Wir weinen um uns selbst, und ich hatte mein Mitleid nicht verdient.

Als es vorbei war, fuhr uns jemand nach Hause. Ich saß auf dem Rücksitz des Wagens und hielt Charlie ganz fest. Ich weiß noch, dass es nach altem Zigarettenrauch roch. Ich streichelte Charlie über den Kopf und zeigte ihm die alltäglichen Dinge, an denen wir vorbeifuhren, beschwor einen hoffnungsvollen Zauber herauf, indem ich die Namen von Häusern, Geschäften und Autos flüsterte. Wir brauchten ganz normale Substantive, entschied ich. Die alltäglichen Dinge würden uns retten. Es machte nichts, dass Charlies Batmankostüm mit Graberde verdreckt war. Zu Hause tat ich es in die Wäsche und gab ihm das saubere. Als es zu wehtat, die Waschmittelpackung zu öffnen, benutzte ich die andere Hand.

Ich weiß noch, wie ich mit Charlie dasaß und zusah, wie das Wasser in die Maschine strömte und hinter der runden Glastür stieg. Die Maschine startete ruckelnd ihr übliches knirschendes Vorspiel, und Charlie und ich führten ein vollkommen normales Gespräch. Das war für mich der schlimmste Augenblick. Wir sprachen darüber, was wir zu Mittag essen wollten. Charlie sagte, er wolle Chips. Ich lehnte ab. Er beharrte darauf. Ich gab nach. Im Augenblick war ich nicht in der Lage, Widerstand zu leisten, das wusste mein Sohn ganz genau. Ich gestand ihm auch Tomatenketchup und Eis zu. Ich las Triumph in seinem Gesicht und Schrecken in seinen Augen. Mir wurde klar, dass sich für Charlie und mich hinter den ganz normalen Substantiven ein ganz und gar unnormaler Schmerz verbarg.

Wir aßen, und dann ging Little Bee mit Charlie in den Garten spielen. Ich war so auf meinen Sohn konzentriert gewesen, dass ich sie völlig vergessen hatte und über ihre Anwesenheit ganz erstaunt war.

Ich saß reglos am Küchentisch. Meine Mutter und meine Schwester waren mit uns aus der Kirche nach Hause gekommen und umkreisten mich auf einer Umlaufbahn aus

Trostgesten und häuslichen Aktivitäten. Hätte man uns mit einer sehr langen Belichtungszeit fotografiert, wäre nur ich scharf zu erkennen gewesen, umgeben von einem geisterhaften Heiligenschein, azurblau wie die Strickjacke meiner Schwester und leicht schief von der Neigung meiner Mutter, sich mir am einen Ende ihrer Umlaufbahn zu nähern und zu fragen, ob mit mir alles in Ordnung sei. Ich glaube, ich habe sie kaum gehört. Sie tanzten eine Stunde um mich herum, respektierten mein Schweigen, spülten ohne unnötiges Geklapper die Teetassen, ordneten die Beileidskarten alphabetisch, mit einem Minimum an Geraschel, bis ich sie bat, nach Hause zu fahren, wenn sie mich liebten.

Nachdem sie gegangen waren, unter zärtlichen, langen Umarmungen, so dass ich schon bereute, sie verbannt zu haben, setzte ich mich wieder an den Küchentisch und beobachtete Little Bee, die im Garten mit Batman spielte. Es war wohl unverantwortlich von uns gewesen, unser Heim im Stich zu lassen und den ganzen Morgen bei einer Beerdigung zu verbringen. In unserer Abwesenheit waren ein paar Bösewichte der schlimmsten Sorte in den Lorbeerbusch eingedrungen und mussten jetzt mit Wasserpistolen und Bambusstöcken vertrieben werden. Es war eine gefährliche und mühsame Aufgabe. Zuerst kroch Little Bee auf allen vieren in den Lorbeer, der Saum ihres überdimensionierten Hawaii-Hemdes schleifte über die Erde. Wenn sie einen dort lauernden Bösen entdeckte, stürzte sie sich schreiend auf ihn und trieb ihn so ins Freie. Dort wartete mein Sohn schon mit der Wasserpistole, um ihm den Rest zu geben. Ich staunte, wie schnell die beiden ein Team geworden waren. Ich war mir nicht sicher, ob mir das gefiel. Doch was sollte ich machen? In den Garten gehen und sagen: *Little Bee, könntest du bitte aufhören, dich mit meinem Sohn anzufreunden?* Mein Sohn würde lautstark eine Erklärung fordern, und es hätte keinen Sinn, ihm zu sagen, dass Little

Bee nicht auf unserer Seite stand. Nicht jetzt, wo sie gemeinsam so viele von den Bösen erledigt hatten.

Nein, es würde nicht mehr funktionieren, ich konnte weder sie noch das, was in Afrika geschehen war, weiter verleugnen. Eine Erinnerung kann man verbannen, sogar auf unbestimmte Zeit, sie durch unbarmherzige alltägliche Erfordernisse wie die Leitung eines erfolgreichen Magazins, die Erziehung eines Sohnes und das Begräbnis eines Ehemannes aus dem Bewusstsein abschieben. Ein menschliches Wesen ist jedoch etwas völlig anderes. Die Existenz eines nigerianischen Mädchens, das lebendig in meinem Garten stand – eine Regierung mag so etwas leugnen oder als statistische Anomalie abtun, doch ein Mensch kann das nicht.

Ich saß am Küchentisch und starrte aus plötzlich feuchten Augen auf den Stumpf, wo früher mein Finger gewesen war. Mir wurde klar, dass es endlich Zeit war, mich dem zu stellen, was am Strand geschehen war.

Es hätte natürlich gar nicht so weit kommen dürfen. Es gibt Länder auf der Welt und Regionen im eigenen Geist, die man nicht bereisen sollte. Davon war ich stets überzeugt, und ich habe mich immer als vernünftige Frau betrachtet. Unabhängig, aber nicht tollkühn. Ich wünschte, ich könnte fremde Gegenden auf Armeslänge von mir halten, wie es andere vernünftige Frauen offenbar tun.

Ich Schlauberger wollte im Urlaub mal ganz woandershin. In Nigeria tobte damals ein Ölkrieg. Das hatten Andrew und ich nicht gewusst. Der Krieg war kurz, verworren und wurde in den Medien kaum erwähnt. Die britische und die nigerianische Regierung leugnen bis heute, dass es ihn überhaupt gegeben hat. Gott weiß, nicht nur sie haben es mit Leugnen versucht.

Ich frage mich noch immer, wie ich auf die Idee kommen konnte, einen Urlaub in Nigeria anzunehmen. Ich würde gern behaupten, es sei das einzige kostenlose Angebot, das wir in jenem Frühjahr in der Redaktion erhielten, aber sie kamen kistenweise – wir hatten Kartons voll ungeöffneter Umschläge, in denen Piz Buin aus zerrissenen Probetütchen sickerte. Ich hätte mich auch für die Toskana oder Belize entscheiden können. Die ehemaligen Sowjetstaaten waren gerade in. Aber nein. Meine eigenwillige Ader – die mich auch dazu brachte, *Nixie* herauszugeben, statt zu einem zahmeren Hochglanzmagazin zu gehen, und eine Affäre mit Lawrence anzufangen, statt meine Beziehung zu Andrew zu reparieren –, jener ständig nach außen drängende Impuls weckte in mir eine pubertäre Erregung, als ein Päckchen mit der Aufschrift *Warum nicht mal in Nigeria Urlaub machen?* auf meinem Schreibtisch landete. Darunter hatte ein Witzbold mit fettem schwarzem Marker die offensichtliche Antwort gekritzelt. Aber ich war neugierig und öffnete den Umschlag. Heraus fielen zwei unbefristete Flugtickets und eine Hotelreservierung. Man brauchte praktisch nur noch mit einem Bikini in der Tasche am Flughafen zu erscheinen.

Andrew flog wider besseres Wissen mit. Das Außenministerium riet von Reisen in bestimmte Gegenden Nigerias ab, doch wir waren der Meinung, unsere gehöre nicht dazu. Ich musste ihn erst überreden und erinnerte ihn an unsere Flitterwochen auf Kuba, wo ebenfalls furchtbare Gegenden existierten. Andrew gab nach. Vermutlich glaubte er, ihm bliebe keine andere Wahl, wenn er mich behalten wollte.

Die Tourismusbehörde, die die Unterlagen verschickt hatte, bezeichnete den Strand von Ibeno als »Reiseziel voller Abenteuer«. Als wir dorthin kamen, war es eher ein geographisch begrenztes Katastrophengebiet. Im Norden lag ein malariaverseuchter Dschungel, im Westen ein breites braunes Flussdelta. Das Wasser schimmerte in allen Regenbogenfarben – vom Öl. Inzwischen weiß ich, dass der Fluss auch aufgebläht war von den Leichen der Ölarbeiter.

Im Süden lag der Atlantik. An jenem südlichen Rand begegnete ich einem Mädchen, das nicht zur Zielgruppe meines Magazins gehörte. Mit blutenden Füßen war Little Bee aus dem, was von ihrem Dorf übrig war und demnächst ein Ölfeld werden sollte, nach Südosten geflohen. Sie floh vor Männern, die sie umbringen würden, weil man sie dafür bezahlte, und Kindern, die sie umbringen würden, weil man es ihnen befahl. Ich saß an meinem Küchentisch und stellte mir vor, wie sie über die Felder und durch den Dschungel floh, bis sie den Strand erreichte, an dem Andrew und ich unkonventionelle Ferien machten. Weiter als bis zum Strand kam sie nicht.

Mein fehlender Finger juckte, wenn ich nur daran dachte.

Als sie aus dem Garten hereinkamen, schickte ich Batman zum Spielen in seine Bat-Höhle und zeigte Little Bee die Dusche. Dann suchte ich ihr ein paar Kleidungsstücke zusammen. Als Batman im Bett war, mixte ich uns zwei Gin Tonic. Little Bee setzte sich und hielt ihr Glas fest, die Eiswürfel klirrten. Ich kippte meinen G&T hinunter wie Medizin.

»Also«, sagte ich. »Ich bin bereit. Ich bin bereit, mir anzuhören, was passiert ist.«

»Sie wollen wissen, wie ich überlebt habe?«

»Fang einfach vorn an, in Ordnung? Sag mir, wie es war, als du zum Meer gekommen bist.«

Also erzählte sie mir, wie sie sich an dem Tag, an dem sie den Strand erreichte, versteckt hatte. Sie war sechs Tage lang gelaufen, war nachts durch die Felder gerannt und hatte sich bei Tagesanbruch in Dschungeln und Sümpfen versteckt. Ich schaltete das Radio in der Küche aus und saß ganz still da, während sie mir erzählte, wie sie sich in einem Dschungelausläufer verkrochen hatte, der sich bis zum Sand hinunterzog. Dort lag sie während der heißesten Zeit des Tages und schaute auf die Wellen. Sie sagte mir, sie habe nie zuvor das Meer gesehen und nicht so recht daran geglaubt.

Am späten Nachmittag war Little Bees Schwester Nkiruka aus dem Dschungel gekommen und hatte ihr Versteck gefunden. Sie setzte sich neben sie. Sie umarmten sich lange. Sie waren glücklich, dass Nkiruka ihrer Spur hatte folgen können, fürchteten sich aber, weil es anderen dann auch möglich war. Nkiruka sah ihrer Schwester in die Augen und sagte, sie müssten sich neue Namen ausdenken. Es sei nicht sicher, ihre richtigen Namen zu verwenden, die so deutlich ihren Stamm und ihre Region verrieten. Nkiruka sagte, ihr neuer Name sei »Kindness«, Freundlichkeit. Ihre jüngere Schwester wollte etwas Passendes auswählen, doch ihr fiel kein Name für sich ein.

Die beiden Schwestern warteten. Die Schatten wurden dunkler. Zwei Nashornvögel begannen in den Bäumen über ihren Köpfen Samenkörner zu knacken. Und dann – sie saß an meinem Küchentisch und sagte, sie erinnere sich so deutlich, dass sie beinahe die Hand ausstrecken und den pelzigen schwarzen Rücken des kleinen Dings streicheln könne – flog eine Biene mit der Meeresbrise heran und landete zwischen den Schwestern. Die Biene war klein und setzte sich auf eine blasse Blume – Frangipani, sagte sie, war sich aber nicht sicher, wie der europäische Name lautete – und flog dann ohne viel Aufhebens weiter. Sie hatte die Blume gar nicht bemerkt, bevor die Biene kam, und sah erst jetzt, wie schön sie war. Sie wandte sich an Kindness.

»Mein Name ist Little Bee«, sagte sie.

Als Kindness den Namen hörte, lächelte sie. Little Bee erzählte mir, ihre große Schwester sei ein sehr hübsches Mädchen gewesen. Eines der Mädchen, bei denen Männer, wie sie sagten, allen Ärger vergessen konnten. Eines der Mädchen, die, wie die Frauen sagten, Ärger *bedeuteten*. Little Bee fragte sich, was davon wohl zutreffen würde.

Die beiden Schwestern lagen still und ruhig da, bis die Sonne unterging. Dann schlichen sie über den Strand, um sich in der Brandung die Füße zu waschen. Das Salz brannte in den Wunden, aber sie schrien nicht. Es war vernünftiger, still zu sein. Sie wussten nicht, ob die Männer, die sie jagten, schon aufgegeben hatten. Die Schwestern hatten gesehen, was man ihrem Dorf angetan hatte. Eigentlich durfte es keine Überlebenden geben, die davon erzählen konnten. Die Männer jagten die fliehenden Frauen und Kinder und vergruben dann die Leichen unter Ästen und Steinen.

Als sie wieder in ihrem Versteck waren, wickelten die Mädchen einander frische grüne Blätter um die Füße und warteten auf die Dämmerung. Es war nicht kalt, aber sie hatten seit zwei Tagen nichts gegessen. Sie zitterten. Affen schrien unter dem Mond.

Ich denke an die beiden Schwestern, wie sie dort die Nacht hindurch zitterten. Während ich sie im Geiste vor mir sehe, folgen kleine rötliche Krebse dem schwachen Blutgeruch bis an die Stelle, wo die Füße der Mädchen eben in der Brandung standen, doch sie finden dort noch nichts Totes. Die weichen rötlichen Krebse machen harte kleine klackende Geräusche unter den leuchtend weißen Sternen. Nacheinander graben sie sich in den Sand ein und warten.

Ich wünschte, mein Gehirn würde nicht diese furchtbaren Einzelheiten hinzufügen. Ich wünschte, ich wäre eine Frau, die sich vor allem für Schuhe und Abdeckstifte interessiert. Ich wünschte, ich wäre keine Frau, die am Küchentisch sitzt und sich anhört, wie sehr sich ein Flüchtlingsmädchen vor der Dämmerung fürchtete.

So wie Little Bee es erzählte, hing bei Sonnenaufgang dicker weißer Nebel im Dschungel und ergoss sich über den Sand. Die Schwestern sahen ein weißes Paar den Strand entlangkommen. Es redete in der offiziellen Sprache von Little Bees Land, aber es waren die ersten Weißen, die sie je gesehen hatte. Sie und Kindness hockten hinter einer Gruppe Palmen und beobachteten die beiden. Sie wichen zurück, als das Paar auf einer Höhe mit ihrem Versteck war. Die Weißen blieben stehen und schauten aufs Meer.

»Hör dir die Brandung an, Andrew«, sagte die weiße Frau. »Es ist so unglaublich friedlich hier.«

»Ehrlich gesagt finde ich es trotzdem ein bisschen unheimlich. Wir sollten wieder aufs Hotelgelände gehen.«

Die weiße Frau lächelte. »Sichere Gelände sind dazu da, dass man sie verlässt. Als ich dich kennenlernte, warst du mir auch unheimlich.«

»Natürlich. Ein großer irischer Liebesgott. Wir sind Wilde, das weißt du doch.«

»Barbaren.«

»Vagabunden.«

»Sexbesessene.«

»Ach, Schatz, da höre ich aber deine Mutter reden.«

Die weiße Frau lachte und drängte sich eng an den Körper des Mannes. Sie küsste ihn auf die Wange.

»Ich liebe dich, Andrew. Ich bin froh, dass wir weggefahren sind. Es tut mir so leid, dass ich dich enttäuscht habe. Es wird nicht wieder vorkommen.«

»Ehrlich?«

»Ehrlich. Ich liebe Lawrence nicht. Wie könnte ich? Lass uns von vorn anfangen, ja?«

Der weiße Mann am Strand lächelte. Im Schatten legte Little Bee die Hand um Kindness' Ohr. Sie flüsterte: *Was meint sie mit Sexbesessene?* Kindness verdrehte die Augen. *Na, du weißt schon.* Little Bee biss sich fest auf die Hand, um nicht zu kichern.

Aber dann hörten die Schwestern Hunde. Sie konnten alles hören, weil eine kühle Morgenbrise wehte, die alle Geräusche vom Landesinneren herantrug. Die Hunde waren noch weit entfernt, aber die Schwestern hörten sie bellen. Kindness ergriff ihren Arm. Unten am Strand schaute die weiße Frau zum Dschungel hinauf.

»Oh, hör nur, Andrew«, sagte sie. »Hunde!«

»Vermutlich sind die Einheimischen auf der Jagd. In diesem Dschungel muss es reichlich Beute geben.«

»Trotzdem hätte ich nicht gedacht, dass sie mit Hunden jagen.«

»Mit was denn sonst?«

Die weiße Frau zuckte mit den Schultern. »Keine Ahnung. Elefanten?«

Der weiße Mann lachte. »Ihr unerträglichen Engländer«, sagte er. »Für euch ist das Empire noch immer lebendig. Ihr braucht nur die Augen zu schließen.«

Jetzt kam ein Soldat aus der Richtung, aus der das weiße Paar gekommen war, über den Strand gelaufen. Er keuchte. Er trug eine olivgrüne Hose und eine hellgraue Weste, die dunkel von Schweiß war. Er hatte Militärstiefel an, an denen schwer der feuchte Sand klebte. Ein Gewehr hing ihm über den Rücken, der Lauf war zum Himmel gerichtet.

»Verdammt noch mal«, sagte der Weiße. »Da ist schon wieder dieser dämliche Wachmann.«

»Er macht nur seinen Job.«

»Klar, aber können die uns nicht mal eine Minute in Ruhe lassen?«

»Entspann dich. Der Urlaub war umsonst. Da kann man keine großen Ansprüche stellen.«

Der Wachmann war jetzt auf einer Höhe mit dem weißen Paar und blieb stehen. Er hustete. Stützte die Hände auf die Knie. »Bitte, Mister, Missus«, sagte er. »Bitte kommen zurück auf Hotelgelände.«

»Aber wieso?«, wollte die weiße Frau wissen. »Wir wollen doch nur am Strand spazieren gehen.«

»Es ist nicht sicher, Missus«, antwortete der Wachmann. »Nicht sicher für Sie und Mister. Sorry, Boss.«

»Aber wieso?«, sagte der weiße Mann. »Worin besteht denn das Problem?«

»Kein Problem. Sehr guter Ort hier. Sehr gut. Aber alle Touristen müssen auf Hotelgelände bleiben, bitte.«

Im Dschungel bellten die unsichtbaren Hunde jetzt lauter. Die Schwestern konnten die Rufe der Männer hören, die mit ihnen liefen. Kindness zitterte. Die Schwestern hielten einander umklammert. Einer der Hunde jaulte, und die anderen stimmten ein. Im Versteck war ein Plätschern auf trockenem Laub zu hören, es roch nach Urin – das war Kindness' Angst. Little Bee schaute ihr in die Augen. Ihre Schwester schien sie gar nicht wahrzunehmen.

Unten am Strand sagte der weiße Mann: »Ist es eine Frage des Geldes?«

Und der Wachmann sagte: »Nein, Mister.«

Der Wachmann richtete sich auf und schaute zum Dschungel, wo die Hunde lärmten. Er nahm das Gewehr ab. Little Bee sah, wie er es hielt. Er entsicherte es und überprüfte das Magazin. Zwei Magazine – daran erinnere ich mich auch –, die mit blauem Isolierband aneinandergeklebt waren.

Der weiße Mann sagte: »Jetzt machen Sie bloß nicht so ein Theater. Sagen Sie einfach, wie viel Sie wollen. Na los. Meine Frau hat es gründlich satt, auf diesem verfluchten Gelände eingesperrt zu sein. Was müssen wir Ihnen geben, wenn wir allein spazieren gehen wollen? Einen Dollar?«

Der Wachmann schüttelte den Kopf. Er sah nicht den weißen Mann an, sondern auf einen Schwarm roter Vögel, der in zweihundert Metern Entfernung aufflog.

»Kein Dollar«, sagte der Wachmann.

»Dann eben zehn Dollar«, sagte die weiße Frau.

»Du lieber Himmel, Sarah«, meinte der weiße Mann. »Das ist *viel* zu viel. Das ist hier ein Wochenlohn.«

»Sei nicht so geizig«, erwiderte die weiße Frau. »Was sind für uns denn schon zehn Dollar? Es ist doch schön, etwas für die Leute zu tun. Sie haben weiß Gott wenig genug.«

»Na gut, dann eben fünf Dollar«, sagte der weiße Mann.

Der Wachmann schaute zu den Baumwipfeln hinauf. Einhundertfünfzig Meter weiter zuckten die Palmwipfel.

»Sie kommen jetzt mit mir zurück«, sagte der Wachmann. »Hotelgelände ist am besten für Sie.«

»Hören Sie«, sagte der weiße Mann. »Tut mir leid, falls wir Sie beleidigt haben. Ich respektiere Sie dafür, dass Sie kein Geld annehmen. Aber mein Chefredakteur sagt mir einundfünfzig Wochen im Jahr, was am besten für mich ist. Ich bin nicht hergekommen, um mir auch noch den Urlaub zensieren zu lassen.«

Der Wachmann hob den Lauf der Waffe. Er feuerte dreimal in die Luft, knapp über den Kopf des weißen Mannes. Das Hundegebell und die Rufe der Männer verstummten kurz. Dann ertönten sie umso lauter.

Das weiße Paar stand ganz still da. Mit offenem Mund. Vermutlich waren sie betroffen wegen der Kugeln, die sie verfehlt hatten.

»Bitte, Mister und Missus«, sagte der Wachmann. »Gibt Problem hier. Sie kennen nicht mein Land.«

Die Schwestern hörten das Zischen der Macheten, die sich einen Weg freischlugen. Kindness ergriff Little Bees Hand und zog sie auf die Füße. Die beiden Schwestern traten aus der Deckung des Dschungels auf den Sand. Hand in Hand standen sie da und schauten voller Hoffnung und Erwartung den weißen Mann und die weiße Frau an – Andrew und mich. Es war ein Entwicklungsland, ihnen blieb nichts anderes übrig.

Sie standen auf dem Sand, klammerten sich aneinander fest, hielten sich mühsam aufrecht. Kindness reckte den Hals und hielt Ausschau nach den Hunden, doch Little Bee sah mich unverwandt an. Sie ignorierte Andrew, sie ignorierte den Wachmann.

»Bitte, Missus«, sagte sie, »nehmen Sie uns mit aufs Hotelgelände.«

Der Wachmann blickte von ihr zum Dschungel. Dann schüttelte er den Kopf.

»Hotelgelände nur für Touristen. Nicht für euch.«

»Bitte«, sagte Little Bee und sah mir in die Augen. »Böse Männer jagen uns. Sie werden uns töten.«

Sie sprach zu mir als Frau, in dem Wissen, dass ich sie verstehen würde. Aber ich verstand sie nicht. Drei Tage zuvor, bevor wir nach Heathrow fuhren, hatte ich auf einer nackten Betonplatte im Garten gestanden und Andrew gefragt, wann genau er sein verdammtes Treibhaus dort bauen wolle. Das war das größte Problem in meinem Leben – das Treibhaus beziehungsweise dessen Nichtvorhandensein. Das fehlende Treibhaus und alle anderen vergangenen und künftigen Bauten, die helfen konnten, die viel größere emotionale Lücke zwischen mir und meinem Ehemann zu beheben. Ich war eine moderne Frau und kannte Enttäuschung besser als Angst. Die Jäger wollten sie *töten*? Mein Magen verkrampfte sich, doch mein Kopf beharrte noch darauf, dass es sich bloß um eine Redensart handelte.

»Du lieber Himmel«, sagte ich. »Du bist doch noch ein Kind. Warum sollte dich jemand töten wollen?«

Little Bee schaute wieder zu mir und sagte: »Weil wir gesehen haben, wie sie alle anderen töteten.«

Ich wollte den Mund aufmachen, doch Andrew kam mir zuvor. Ich glaube, er litt unter dem gleichen intellektuellen Jetlag. Als wären unsere Herzen am Strand angekommen, während unser Verstand mehrere Stunden hinterherhinkte. Andrews Augen waren schreckenerfüllt, aber er sagte: »Das ist doch völliger Unsinn. Ein typischer nigerianischer Trick. Komm, wir gehen zurück zum Hotel.«

Andrew zog mich mit sich den Strand entlang. Ich gab nach, drehte aber den Kopf nach hinten zu den Schwestern. Der Wachmann folgte uns. Er ging rückwärts und zielte dabei mit der Waffe auf den Dschungel. Little Bee und Kindness folgten in zehn Metern Abstand.

»Hört auf, uns nachzulaufen«, sagte der Wachmann.

Er richtete sein Gewehr auf die Schwestern. Sie sahen ihn an. Der Wachmann war ein bisschen älter als die Mädchen, vielleicht sechzehn oder siebzehn, und trug einen dünnen Schnurrbart. Ich vermute, er war stolz, dass ihm einer wuchs. Er hatte ein grünes Barett, unter dem Schweiß hervorsickerte. Ich sah die Adern an seinen Schläfen. Seine Augäpfel waren gelb.

Little Bee fragte: »Wie ist dein Name, Soldat?«

Und er sagte: »Mein Name ist ›Ich erschieße euch, wenn ihr uns weiter nachlauft‹.«

Little Bee zuckte die Achseln und klopfte sich an die Brust. »Mein Name ist Little Bee. Hier ist mein Herz. Schieß hierhin, wenn du willst.«

Und Kindness sagte: »Kugel ist okay. Kugel ist schnell.«

Sie folgten uns weiter den Strand entlang. Der Wachmann riss die Augen auf. »Wer jagt euch denn, Mädchen?«

»Die Männer, die unser Dorf niedergebrannt haben. Die Männer von der Ölfirma.«

Das Gewehr in seiner Hand begann zu zittern. »*Jesuschristus.*«

Die Schreie der Männer und das Hundegebell waren jetzt sehr laut. Ich konnte die Brandung nicht mehr hören.

Fünf braune Hunde rannten aus dem Dschungel. Sie bellten wie wahnsinnig. Ihre Flanken und Pfoten bluteten von den Dornen im Dschungel. Die Schwestern schrien auf und liefen an dem Wachmann vorbei. Der Wachmann blieb stehen, hob das Gewehr und feuerte. Der erste Hund schlug einen Purzelbaum im Sand. Sein Ohr war abgeschossen und wohl auch ein Stück von seinem Kopf. Die Hundemeute kam schlitternd zum Stehen und fiel über den gestürzten Hund her. Sie rissen Stücke aus seinem Hals, während seine Hinterbeine noch traten und zuckten. Ich schrie. Der Wachmann zitterte.

Sechs Männer kamen aus dem Dschungel gelaufen. Sie trugen zerrissene Jogginghosen, Westen und Turnschuhe, Goldketten. Sie kamen rasch näher. Sie beachteten die Hunde nicht. Einer hielt einen gespannten Bogen in der Hand. Die anderen schwenkten die Macheten, um den Wachmann zu provozieren. Sie kamen genau auf uns zu.

Es gab einen Anführer. Er hatte eine Wunde am Hals. Sie war brandig – das konnte ich riechen. Ich wusste, er würde bald sterben. Ein anderer Mann trug eine Kette aus Draht, an der getrocknete braune Dinger hingen, die wie Pilze aussahen. Als er Kindness entdeckte, zeigte er auf sie, beschrieb mit den Fingern Kreise um seine Brustwarzen und grinste. Ich versuche, dies so sachlich wie möglich zu berichten.

Der Wachmann sagte: »Gehen Sie weiter, Mister und Missus.«

Doch der Mann mit der Halswunde – der Anführer – erwiderte: »Nein, stehenbleiben.«

»Ich schieße«, sagte der Wachmann.

Doch der Mann entgegnete: »Vielleicht erwischst du einen von uns, vielleicht auch zwei.«

Der Mann mit dem Bogen zielte auf den Hals des Wachmanns und sagte: »Vielleicht auch keinen. Vielleicht hättest du uns erschießen sollen, als wir weit weg waren.«

Der Wachmann hörte auf, rückwärts zu gehen, und auch wir blieben stehen. Little Bee und Kindness traten hinter uns, brachten mich und meinen Mann zwischen sich selbst und die Jäger.

Die Jäger reichten eine Flasche herum, in der ich Wein vermutete. Sie tranken abwechselnd daraus. Der Mann mit Pfeil und Bogen bekam eine Erektion. Ich konnte sie unter der Jogginghose erkennen. Doch sein Gesichtsausdruck veränderte sich nicht, und er ließ den Hals unseres Wachmanns nicht aus den Augen. Er trug ein schwarzes Stirnband. Darauf stand EMPORIO ARMANI. Ich schaute Andrew an. Ich versuchte, ruhig zu sprechen, doch die Worte wurden in meiner Kehle zerdrückt.

»Andrew, bitte gib ihnen alles, was sie wollen.«

Andrew blickte den Mann mit der Halswunde an und fragte: »Was wollen Sie?«

Die Jäger schauten einander an. Der Mann mit der Halswunde trat vor mich hin. Seine Augen blinzelten, verdrehten sich, schnappten zurück und schauten mich irre an, die Pupillen winzig, die Iris hart wie eine Kugel und glänzend wie Kupfer. Sein Mund zuckte von einem Lächeln zu einer Grimasse zu einem grausamen, dünnen Strich und endete in bitterer, belustigter Verachtung. Die Gefühle, die sich in seinem Gesicht spiegelten, wechselten so rasch, als zappte man durch die Programme. Ich konnte seinen Schweiß und die Fäulnis riechen. Er gab ein unfreiwilliges Stöhnen von sich, das ihn selbst zu überraschen schien – er öffnete die Augen weit –, und dann riss er mir das Strandtuch herunter. Er schaute auf den blasslila Stoff in seinen Händen und schien sich zu fragen, wie er dorthin gekommen war. Ich schrie auf und kreuzte die Arme über der Brust. Ich krümmte mich weg von diesem Mann, von seinem Blick – eben noch geduldig, als ermutigte er ein Kind, dem das Lernen schwerfällt; dann wütend; dann voll unheilschwangerer abendlicher Ruhe.

Ich trug einen sehr knappen grünen Bikini. Wenn ich das noch einmal sage, verstehe ich es vielleicht selbst. Weil es in der umkämpften Deltaregion eines afrikanischen Landes, das sich mitten in einem Ölkrieg befand, in dem drei Seiten gegeneinander kämpften, einen Strand gleich neben dem Krieg gab, weil die staatliche Tourismusbehörde jeder im *Writers' and Artists' Yearbook* aufgeführten Zeitschrift Flugtickets für diesen Strand geschickt hatte, weil der Schnitt in diesem Jahr der letzte Schrei war und ich als Chefredakteurin den ersten Zugriff auf kostenlose Modelle hatte, trug ich einen sehr knappen grünen Bandeau-Bikini von Hermès. Als ich so dastand und die Arme über den Brüsten kreuzte, war ich überzeugt, ich hätte mir damit einen Freifahrtschein ins Jenseits besorgt.

Der verwundete Mann kam mir so nahe, dass ich spürte, wie der Sand unter meinen Füßen einsank. Er fuhr mit den Fingern über meine Schulter, meine nackte Haut und sagte: »Was wir *wollen?* Wir wollen … unser Englisch … verbessern.«

Die Jäger brachen in Gelächter aus. Wieder machte die Flasche die Runde. Als einer von ihnen sie zum Mund hob, sah ich einen Moment lang etwas mit einer Pupille herausschauen. Es wurde gegen das Glas gedrückt. Dann setzte der Mann die Flasche ab, und das Ding verschwand in der Flüssigkeit. Ich sage Flüssigkeit, weil ich nicht mehr glaubte, dass es sich um Wein handelte.

Andrew sagte: »Wir haben Geld und können nachher noch mehr holen.«

Der verletzte Mann kicherte und gab ein Grunzen von sich wie ein Schwein, worauf er noch mehr kichern musste. Dann wurde sein Gesicht plötzlich vollkommen ernst. Er sagte: »Geben Sie mir, was Sie jetzt haben. Ein Nachher gibt es nicht.«

Andrew zog die Brieftasche hervor. Er gab sie dem verwundeten Mann. Dieser nahm sie – seine Hand zitterte dabei –, zog die Geldscheine heraus und warf die Brieftasche in den Sand. Er reichte das Geld nach hinten zu den Männern, ohne hinzuschauen oder es zu zählen. Er atmete sehr schwer, Schweiß lief ihm übers Gesicht. Die Wunde am Hals klaffte weit. Sie war grün-blau. Sie sah obszön aus.

Ich sagte: »Sie brauchen medizinische Hilfe. Die könnten wir Ihnen im Hotel besorgen.«

Der Mann sagte: »Medizin repariert nicht, was die Mädchen gesehen haben. Die Mädchen müssen bezahlen, weil sie das gesehen haben. Geben Sie mir die Mädchen.«

»Nein.«

Der verwundete Mann sah mich verblüfft an. »Was sagen Sie?«

»Ich sagte nein. Die Mädchen kommen mit uns aufs Hotelgelände. Wenn Sie sie aufhalten wollen, wird unser Wachmann Sie erschießen.«

Der verwundete Mann riss die Augen in gespielter Furcht auf. Er legte die Hände auf den Kopf und drehte sich zweimal schlurfend um sich selbst. Als er mich wieder anschaute, grinste er. »Woher sind Sie, Missus?«

»Wir leben in Kingston«, sagte ich.

Der Mann legte den Kopf schief und betrachtete mich interessiert.

»Kingston-upon-Thames«, sagte ich. »Das ist in London.«

Der Mann nickte. »Ich weiß, wo Kingston ist. Ich habe da Maschinenbau studiert.«

Er schaute auf den Sand hinunter. Stand einen Moment schweigend da. Dann bewegte er sich, und zwar sehr schnell. Die Machete schoss hoch, die Klinge blitzte in der aufgehenden Sonne, ich bemerkte ein winziges Zucken – für mehr blieb dem Wachmann keine Zeit. Die Klinge drang in seine Kehle und klang. Sie klang wie eine Glocke, als sie auf die Halswirbelsäule traf. Das Metall klang noch, als der Mann sie herausriss und der Wachmann in den Sand fiel. Ich erinnere mich genau an den Klang, es war, als sei die Machete eine Glocke und das Leben des Wachmanns der Klöppel.

Der Mörder sagte: »Haben Sie so ein Geräusch schon mal in Kingston-upon-Thames gehört?«

Es war mehr Blut, als ein magerer afrikanischer Junge in sich haben konnte. Es hörte einfach nicht auf. Der Wachmann lag da, Sand auf den Augäpfeln, mit klaffender Kehle, als wäre sie mit einem Scharnier weit geöffnet worden. Sie sah aus wie ein Mund. Eine ganz ruhige Mittelschichtstimme in meinem Kopf sagte: *Pac-Man. Pac-Man. Meine Güte, er sieht aus wie Pac-Man.* Wir standen schweigend da, während der Wachmann verblutete. Es dauerte ewig. Ich weiß noch, dass ich dachte, *Gott sei Dank haben wir Charlie bei meinen Eltern gelassen.*

Als ich den Kopf hob, beobachtete mich der Mörder. Sein Gesichtsausdruck war nicht bösartig. Ich kannte diesen Blick von Kassiererinnen, wenn ich meine Bonuskarte vergessen hatte. Ich kannte diesen Blick von Lawrence, wenn ich meine Periode hatte. Der Mörder betrachtete mich mit mildem Ärger, mehr nicht.

»Dieser Wachmann ist wegen Ihnen gestorben«, sagte er.

Damals muss ich noch etwas gefühlt haben, denn mir liefen Tränen übers Gesicht.

»Sie sind wahnsinnig«, sagte ich.

Der Mörder schüttelte den Kopf. Er legte die Hände um den Griff der Machete und hielt sie so, dass die Spitze auf einer Höhe mit meiner Kehle war. Er schaute kummervoll an der vibrierenden Achse der Klinge entlang.

»Ich lebe hier«, sagte er. »Sie sind wahnsinnig, herzukommen.«

Da fing ich an zu weinen, vor lauter Angst. Andrew zitterte. Kindness begann, in ihrer Stammessprache zu beten.

»Ekenem-i Maria«, sagte sie. »Gratia ju-i obi Dinweni nonyel-i, I nwe ngozi kali ikporo nine na gnozi dili nwa afo-i bu Jesu.«

Der Mörder schaute zu Kindness und sagte: »Du stirbst als Nächste.«

Kindness erwiderte seinen Blick. »Nso Maria Nne Ciuku«, betete sie, »yo nyel'anyi bu ndi njo, kita, n'ubosi nke unwo anyi. Amen.«

Der Mörder nickte. Er atmete. Ich hörte die kalte Brandung an- und abschwellen. Die braunen Hunde ließen den Kadaver des getöteten Tieres liegen und kamen näher. Sie standen da mit zitternden Beinen und gesträubtem Fell, das vom Blut verkrustet war. Der Mörder machte einen Schritt auf Kindness zu, aber mein Verstand hätte es wohl nicht überlebt, die Machete in sie eindringen zu sehen.

»Nein«, sagte ich. »Bitte ... bitte lassen Sie sie in Ruhe.«

Der Mörder blieb stehen und wandte sich zu mir. »Sie schon wieder?«

Er lächelte.

Andrew sagte: »Sarah, bitte, ich glaube, wir sollten am besten ...«

»*Was* sollten wir, Andrew? Den Mund halten und hoffen, dass sie uns nicht auch töten?«

»Ich glaube nur, dass es uns nichts angeht und daher ...«

»Ah, es geht Sie nichts an«, sagte der Mörder.

Er wandte sich zu den anderen Jägern und breitete die Arme aus. »Geht ihn nichts an, sagt er. Er sagt, ist Angelegenheit für schwarze Männer. Ha, ha, ha, ha!«

Die Jäger lachten. Sie schlugen einander auf den Rücken, und die Hunde umkreisten uns langsam. Als der Mörder uns wieder anschaute, wirkte er ernst.

»Ich höre zum ersten Mal weißen Mann sagen, dass ihn etwas nichts angeht. Ihr habt unser Gold. Ihr habt unser Öl. Was habt ihr gegen unsere Mädchen?«

»Gar nichts«, sagte der arme Andrew. »So war es nicht gemeint.«

»Sind Sie ein Rassist?«

»Nein, natürlich nicht.«

Der Mörder starrte Andrew an. »Und? Wollen Sie diese Mädchen retten, Mister?«

Andrew hustete. Ich beobachtete ihn. Die Hände meines Mannes zuckten – seine starken, schönen Hände, die ich oft angeschaut hatte, wenn sie eine Kaffeetasse umfassten oder sich auf der Tastatur bewegten, um Abgabetermine einzuhalten. Mein Mann, der gestern seine Sonntagskolumne von der Abfluglounge des Flughafens aus verschickt hatte, auf die Minute pünktlich wie immer. Ich hatte noch nach Tippfehlern gesucht, als unser Flug aufgerufen wurde. Der letzte Absatz lautete: *Wir sind eine eigennützige Gesellschaft. Wie sollen unsere Kinder lernen, zuerst an andere zu denken, wenn wir es nicht tun?*

»Und?«, fragte der Mörder. »Wollen Sie sie retten?«

Andrew schaute auf seine Hände. Er stand lange Zeit so da. Über uns kreisten Seevögel und riefen einander in ihrer gequälten Sprache etwas zu. Ich versuchte, das Zittern meiner Beine zu beherrschen.

»Bitte«, sagte ich. »Wenn wir die Mädchen mitnehmen dürfen, geben wir Ihnen, was immer Sie wollen. Lassen Sie uns bitte aufs Hotelgelände gehen, dann bekommen Sie alles. Geld, Medizin, egal was.«

Der Mörder stieß ein hohes, schrilles Jaulen aus, und ein Schauer ließ seinen Körper erbeben. Er kicherte, und ein Blutrinnsal sprang zwischen seinen geraden weißen Zähnen hervor und spritzte auf den schmutzig grünen Nylonstoff seiner Weste.

»Glauben Sie, das interessiert mich? Sehen Sie nicht das Loch in meinem Hals? In zwei Tagen bin ich tot. Meinen Sie, mir liegt an Geld und Medizin?«

»Was wollen Sie dann?«, fragte Andrew.

Die Machete wechselte von der rechten in die linke Hand. Der Mörder hob die rechte Hand mit ausgestrecktem Mittelfinger. Dann schüttelte er ihn ganz dicht vor Andrews Gesicht und sagte: »Weißer Mann hat mir mein Leben lang diesen Finger gezeigt. Heute können Sie ihn mir für immer geben. Schneiden Sie Ihren Mittelfinger ab, Mister, und geben Sie ihn mir.«

Andrew zuckte zurück, schüttelte den Kopf und ballte die Fäuste. Er faltete die Daumen über die Finger. Der Mörder nahm die Machete bei der Klinge und hielt meinem Mann den Griff hin.

»Tun Sie es. Schnipp, schnapp. Geben Sie mir den Finger, und ich gebe Ihnen die Mädchen.«

Lange Pause.

»Und wenn nicht?«

»Dann können Sie gehen. Aber zuerst müssen Sie die Geräusche hören, die diese Kinder beim Sterben machen. Haben Sie schon mal gehört, wie ein Mädchen langsam stirbt?«

»Nein.«

Der Mörder schloss die Augen und schüttelte in aller Ruhe den Kopf. »Eine scheußliche Musik. Die werden Sie nicht vergessen. Vielleicht wachen Sie eines Tages in Kingston-upon-Thames auf und begreifen, dass Sie mehr als einen Finger verloren haben.«

Little Bee weinte jetzt. Kindness hielt ihre Hand.

»Hab keine Angst«, sagte sie. »Wenn sie uns töten, essen wir heute Abend das Brot mit Jesus.«

Der Mörder riss die Augen wieder auf und starrte Andrew an. »Bitte, Mister. Ich bin kein Wilder. Ich will diese Mädchen nicht töten.«

Andrew streckte die Hand aus und nahm die Machete. Am Griff war Blut, das Blut des Wachmanns. Andrew sah mich an. Ich trat neben ihn und legte ihm sanft die Hand auf die Brust. Ich weinte.

»Oh, Andrew. Ich glaube, du musst es tun.«

»Ich kann nicht.«

»Es ist nur ein Finger.«

»Wir haben nichts Böses getan. Wir sind nur am Strand spazieren gegangen.«

»Nur ein Finger, Andrew, und dann gehen wir zurück.«

Andrew sank im Sand auf die Knie. »Ich kann nicht glauben, dass das wirklich passiert.« Er schaute auf die Klinge der Machete und schabte mit ihr über den Sand, um sie zu reinigen. Er legte die linke Hand mit der Handfläche nach oben in den Sand und krümmte alle Finger außer dem mittleren. Dann hielt er mit der Rechten die Machete in die Höhe, ließ sie aber nicht hinuntersausen. »Woher sollen wir wissen, Sarah, dass er die Mädchen danach nicht trotzdem tötet?«

»Dann hast du jedenfalls getan, was du konntest.«

»Ich könnte mir an dieser Klinge Aids holen. Ich könnte sterben.«

»Ich bin immer bei dir. Ich bin so stolz auf dich.«

Am Strand war es still. Seevögel schwebten tief am blauen Himmel, ohne die Schwingen zu bewegen, nur getragen von der Meeresbrise. Der Rhythmus der Brandung hatte sich nicht verändert, obwohl der Abstand zwischen einer Welle und der nächsten unendlich schien. Ich wartete mit den Mädchen, den Männern und den blutigen Hunden ab, was mein Ehemann tun würde, und in diesem Augenblick schienen wir alle gleich, nur Geschöpfe der Natur, die ohne Anstrengung auf dem gewaltigen, warmen Wind der Ereignisse trieben, die größer waren als wir.

Auf einmal schrie Andrew auf und ließ die Machete niedersausen. Die Klinge zischte durch die heiße Luft. Dann schnitt sie in den Sand. Ziemlich weit von seiner Hand entfernt.

»Ich mach das nicht«, sagte er. »So eine verdammte Scheiße. Ich glaube nicht, dass er die Mädchen gehen lässt. Sieh ihn dir doch an. Er bringt sie so oder so um.«

Andrew stand auf und ließ die Machete im Sand liegen. Ich schaute ihn an, und da hörte ich auf, etwas zu fühlen. Ich begriff, dass ich keine Angst mehr hatte. Und nicht wütend auf Andrew war. Als ich ihn anschaute, sah ich kaum noch einen Mann. Ich dachte, wir würden nun alle umgebracht, und das kümmerte mich sehr viel weniger als erwartet. Mich störte nur, dass wir das Treibhaus hinten im Garten nicht gebaut hatten. Dann kam mir ein vernünftiger Gedanke: *Wie gut, dass ich zwei gesunde Eltern habe, die sich um Charlie kümmern können.*

Der Mörder seufzte achselzuckend und sagte:»Okay, Mister hat entschieden. Jetzt, Mister, rennen Sie zurück nach England. Sie können erzählen, Sie waren in Afrika und haben einen echten Wilden getroffen.«

Als sich der Mörder abwandte, fiel ich auf die Knie. Ich schaute Little Bee unverwandt an. Sie sah, was der Mörder nicht sah. Sie sah, wie die weiße Frau die linke Hand auf den festgebackenen Sand legte, nach der Machete griff und sich mit einem kleinen Schlag den Mittelfinger abtrennte, wie ein Mädchen, das an einem stillen Samstag in Surrey zwischen Reiterfest und Mittagessen eine Möhre schneidet. Sie sah, wie sie die Machete fallenließ und sich auf den Fersen zurücklehnte und ihre Hand hielt. Ich nehme an, die weiße Frau sah einfach nur verblüfft aus.

Ich glaube, ich sagte:»Oh, oh, oh, oh.«

Der Mörder fuhr herum und sah das Blut durch meine geschlossene Faust quellen. Vor mir im Sand lag mein Finger. Der Finger sah lächerlich und nackt aus. Ich schämte mich für ihn. Die Augen des Mörders wurden ganz groß.

»Oh, Scheiße, verdammte Scheiße«, sagte Andrew. »Scheiße, was hast du getan, Sarah? Was zum Teufel hast du getan?«

Er kniete sich hin und drückte mich an sich, doch ich stieß ihn mit der unversehrten Hand weg. Schleim quoll mir aus Mund und Nase.

»Es tut weh, Andrew. Es tut weh, du *Arsch*.«

Der Mörder nickte. Er bückte sich und hob meinen toten Finger auf. Dann deutete er damit auf Little Bee.

»Du wirst leben«, sagte er.»Die Missus hat für dein Leben bezahlt.«

Dann richtete er meinen Finger auf Kindness.

»Du aber wirst sterben, Kleine. Der Mister wollte nicht für dich bezahlen. Und meine Jungs, die brauchen eben ein bisschen Blut.«

Kindness umklammerte Little Bees Hand. Mit hoch erhobenem Kopf sagte sie: »Ich habe keine Angst. Der Herr ist mein Hirte.«

Der Mörder seufzte. »Dann ist er ein dummer und nachlässiger Hirte.«

Da hörte ich – lauter als die Brandung – meinen Mann schluchzen.

Zwei Jahre später, in Kingston-upon-Thames am Küchentisch, konnte ich es noch immer hören. Ich starrte auf meine versehrte Hand, die mit der Handfläche nach unten auf dem blauen Tischtuch lag.

Little Bee war auf dem Sofa eingeschlafen, den unberührten Gin Tonic neben sich. Ich wusste nicht, wann sie aufgehört hatte zu erzählen und meine Erinnerung begonnen hatte. Ich stand auf, um mir noch einen Drink zu machen. Ich hatte keine Zitronen mehr, also spritzte ich ein bisschen Saft aus der Plastikflasche hinein. Die Eiswürfel im Glas klirrten heftig. Der Gin Tonic schmeckte widerlich, verlieh mir aber Mut. Ich griff zum Telefon und wählte die Nummer des Mannes, den ich wohl als meinen »Geliebten« bezeichnen muss, obwohl es mich bei dem Wort schüttelt.

Mir fiel ein, dass ich Lawrence nun schon zum zweiten Mal an diesem Tag anrief. Ich hatte versucht, es nicht zu tun. Fast eine Woche war es mir gelungen – seit Andrew gestorben war. So lange war ich meinem Mann seit Jahren nicht treu gewesen.

»Sarah? Bist du das?«

Lawrence flüsterte. Meine Kehle wurde eng. Ich konnte nicht sofort antworten.

»Sarah? Ich habe den ganzen Tag an dich gedacht. War

es sehr schlimm? Du hättest mich zur Beerdigung kommen lassen sollen.«

Ich schluckte. »Es wäre unpassend gewesen.«

»Oh, Sarah, wer hätte es denn gewusst?«

»Ich hätte es gewusst, Lawrence. Mein Gewissen ist so ziemlich alles, was mir geblieben ist.«

Schweigen. Sein langsamer Atem am Telefon. »Es ist in Ordnung, wenn du Andrew noch liebst. Für mich jedenfalls.«

»Du meinst, ich liebe ihn noch?«

»Es ist nur eine Idee. Falls es dir hilft.«

Ich lachte – ein beinahe unhörbares Ausatmen. »Heute versuchen alle, mir zu helfen. Sogar Charlie ist ohne jedes Theater ins Bett gegangen.«

»Es ist doch normal, dass die Leute dir helfen wollen. Du musstest viel ertragen.«

»Unerträglich bin *ich*. Ich staune, dass Leute wie du mich immer noch gernhaben.«

»Du bist sehr hart mit dir.«

»Tatsächlich? Heute habe ich gesehen, wie der Sarg meines Mannes auf Rollen herumgeschoben wurde. Wann sollte ich mir wohl Gedanken über mich selbst machen, wenn nicht an einem solchen Tag?«

»Hm«, sagte Lawrence.

»Nicht viele Männer würden sich einen Finger abschneiden, oder?«

»Was? Nein. Ich definitiv nicht.«

Meine Kehle brannte. »Ich habe zu viel von Andrew erwartet, oder? Nicht nur am Strand. Ich habe zu viel vom Leben erwartet.«

Langes Schweigen.

»Was hast du von mir erwartet?«, fragte Lawrence.

Die Frage kam unerwartet, und ich hörte den Zorn in seiner Stimme. Meine Hand mit dem Hörer zitterte.

»Du sprichst in der Vergangenheit. Ich wünschte, du würdest das nicht tun.«

»Nein?«

»Nein. Bitte nicht.«

»Oh. Ich dachte, darum ginge es bei diesem Anruf. Ich habe gedacht, deshalb hat sie mich nicht zur Beerdigung eingeladen. So würdest du es doch machen, wenn du dich von mir trennen wolltest, oder? Es gäbe eine Art Vorbemerkung, was für ein schwieriger Mensch du bist, und dann würdest du es mir beweisen.«

»Bitte, Lawrence. Das ist schrecklich.«

»Oh, Gott, ich weiß. Es tut mir leid.«

»Sei bitte nicht böse auf mich. Ich habe angerufen, weil ich dich um Rat fragen wollte.«

Pause. Dann ein Lachen. Nicht bitter, aber trostlos.

»Du fragst nicht um Rat, Sarah.«

»Nein?«

»Nein. Niemals. Nicht in wichtigen Dingen jedenfalls. Du fragst, ob deine Strümpfe zu deinen Schuhen passen. Du fragst, welches Armband an dein Handgelenk passt. Aber du willst keinen Input. Du willst nur einen Beweis von deinen Bewunderern, dass sie dir Aufmerksamkeit schenken.«

»Bin ich wirklich so schlimm?«

»Eigentlich noch schlimmer. Denn wenn ich dir mal sage, dass Gold gut zu deiner Haut passt, trägst du demonstrativ Silber.«

»Ehrlich? Das ist mir gar nicht aufgefallen. Tut mir leid.«

»Egal. Ich mag es, dass es dir nicht einmal auffällt. Es gibt jede Menge Frauen, denen es wichtig ist, was man von ihrem Schmuck hält.«

Ich ließ meinen Gin Tonic im Glas kreisen und trank einen vorsichtigen Schluck. »Du willst, dass ich mich besser fühle, was?«

»Ich sage nur, dass man einer Frau wie dir nicht jeden Tag begegnet.«

»Und das ist ein Lob, ja?«

»Ja, ein relatives Lob. Und jetzt hör auf, nach Komplimenten zu angeln.«

Ich glaube, da lächelte ich zum ersten Mal seit einer Woche.

»So haben wir noch nie miteinander geredet, oder? Ehrlich geredet, meine ich«, sagte ich.

»Willst du eine ehrliche Antwort darauf?«

»Anscheinend nicht.«

»Ich habe ehrlich geredet, und du hast nicht zugehört.«

Das Haus um mich herum war dunkel und still. Das einzige Geräusch kam von den Eiswürfeln, die in meinem Glas klirrten. Als ich sprach, brach meine Stimme.

»Jetzt höre ich zu, Lawrence. Weiß Gott, ich höre zu.«

Kurze Stille. Dann drang eine andere Stimme in die Leitung. Es war seine Frau Linda, die im Hintergrund rief: *Wer ist da am Telefon?* Und Lawrence rief zurück: *Nur jemand von der Arbeit.*

Oh, Lawrence. Als würde man »nur« sagen, wenn es wirklich jemand aus dem Büro wäre. Da würdest du einfach sagen *Jemand von der Arbeit.*

Ich dachte an Linda und wie es sich anfühlen musste, Lawrence mit mir zu teilen. Ihr kalter Zorn – nicht weil sie gezwungen war, ihn zu teilen, sondern weil er so naiv war zu glauben, dass sie es nicht ganz genau *wusste.* Mir kam der Gedanke, dass der Betrug eine gewisse ungleichgewichtige Symmetrie in ihrer Beziehung geschaffen haben musste. Ich stellte mir den langweiligen Durchschnittsgeliebten vor, den Linda sich aus Rache genommen hatte – aus Trotz und übereilt. Es war zu schrecklich. Aus Respekt für Linda legte ich auf.

Ich versuchte, meinen Gin Tonic ohne Zittern zu halten,

und schaute zu Little Bee hinüber, die schlafend dalag. Die Erinnerungen an den Strand wirbelten durch meinen Kopf, ungeformt, sinnlos, furchtbar. Ich rief Lawrence noch einmal an.

»Kannst du herkommen?«

»Ich würde gern, aber heute Abend geht es nicht. Linda trifft sich mit einer Freundin, ich muss mich um die Kinder kümmern.«

»Kannst du keinen Babysitter nehmen?«

Ich merkte, dass ich bettelte, und verfluchte mich dafür. Auch Lawrence hatte meinen Tonfall bemerkt.

»Liebes? Du weißt, dass ich kommen würde, wenn ich könnte.«

»Natürlich.«

»Kommst du ohne mich klar?«

»Natürlich.«

»Wie?«

»Oh, ich werde wohl so klarkommen, wie britische Frauen immer klargekommen sind, bevor man die Schwäche erfand.«

Lawrence lachte. »Schön. Hör mal, du wolltest meinen Rat. Können wir am Telefon darüber reden?«

»Ja. Natürlich. Ich … Also … Ich muss dir etwas sagen. Es ist alles ein bisschen kompliziert. Little Bee ist heute Morgen hier aufgetaucht.«

»Wer?«

»Eines der nigerianischen Mädchen. Von dem Tag am Strand.«

»Mein Gott! Du hast gesagt, die Männer hätten sie getötet.«

»Ich war mir auch ganz sicher. Ich habe gesehen, wie die Männer sie weggeschleppt haben. Sie und die andere. Ich habe gesehen, wie sie schreiend und strampelnd über den Strand geschleift wurden. Ich habe ihnen nachgesehen, bis sie nur noch winzige Punkte waren, und etwas ist in mir einfach gestorben.«

»Und jetzt? Ist sie einfach so vor deiner Tür aufgetaucht?«

»Heute Morgen. Zwei Stunden vor der Beerdigung.«

»Und du hast sie *reingelassen*?«

»Würde das nicht jeder machen?«

»Nein, Sarah. Die meisten Leute würden es nicht machen.«

»Es war, als wäre sie von den Toten auferstanden, Lawrence. Ich konnte ihr schlecht die Tür vor der Nase zuschlagen.«

»Aber was hat sie gemacht, wo war sie?«

»Ist offenbar auf ein Schiff gelangt. Sie hat das Land verlassen und ist hergekommen. Dann war sie zwei Jahre in einem Abschiebegefängnis in Essex.«

»Einem Abschiebegefängnis? Du lieber Himmel, was hat sie denn angestellt?«

»Anscheinend werden Asylsuchende grundsätzlich dort eingesperrt.«

»*Zwei Jahre* lang?«

»Glaubst du mir etwa nicht?«

»Ich glaube *ihr* nicht. Zwei Jahre Abschiebehaft? Sie muss etwas angestellt haben.«

»Sie ist Afrikanerin und hat kein Geld. Ich nehme an, für beides hat sie je ein Jahr bekommen.«

»Jetzt werde nicht sarkastisch. Wie hat sie dich gefunden?«

»Sie hatte Andrews Führerschein. Seine Brieftasche war im Sand liegengeblieben.«

»Oh, mein Gott. Und sie ist noch da?«

»Sie schläft auf meinem Sofa.«

»Du musst vollkommen fertig sein.«

»Heute Morgen habe ich gedacht, ich verliere den Verstand. Es war so unwirklich.«

»Warum hast du mich nicht angerufen?«

»Das habe ich doch. Dein Kindermädchen war spät dran, erinnerst du dich? Du hattest es eilig.«

»Bedroht sie dich? Sag mir bitte, dass du die Polizei gerufen hast.«

»Nein, so ist es nicht. Sie hat den ganzen Nachmittag richtig schön mit Charlie gespielt. Er war Batman, sie Robin. Ein tolles Team.«

»Macht dich das nicht verrückt?«

»Wenn ich jetzt verrückt werde, bin ich verloren.«

»Aber was macht sie bei dir? Was will sie von dir?«

»Ich nehme an, sie möchte eine Weile hierbleiben. Sie sagt, sie kennt sonst niemanden.«

»Meinst du das ernst? Kann sie denn bleiben? Rechtlich gesehen, meine ich.«

»Ich bin mir nicht sicher. Ich habe nicht danach gefragt. Sie war erschöpft. Ich glaube, sie ist den ganzen Weg vom Abschiebegefängnis bis hierher gelaufen.«

»Sie ist wahrscheinlich verrückt.«

»Sie hatte kein Geld. Sie konnte schlecht den Bus nehmen.«

»Hör zu, das gefällt mir nicht. Ich mache mir Sorgen, wenn du mit ihr allein bist.«

»Was soll ich denn deiner Meinung nach tun?«

»Ich denke, du solltest sie wecken und wegschicken. Das meine ich ernst.«

»Wohin denn? Und wenn sie sich weigert?«

»Dann möchte ich, dass du die Polizei rufst und sie abholen lässt.«

Ich sagte nichts.

»Hast du mich verstanden, Sarah? Ich will, dass du die Polizei rufst.«

»Ich habe dich verstanden. Ich wünschte, du würdest nicht sagen ›*Ich will*‹.«

»Ich denke doch nur an dich. Was, wenn sie gemein wird?«
»Little Bee? Ich glaube nicht, dass auch nur ein Funke Gemeinheit in ihr steckt.«
»Woher willst du das wissen? Du kennst das Mädchen überhaupt nicht. Wenn sie nun nachts mit einem Küchenmesser in dein Zimmer kommt? Wenn sie wahnsinnig ist?«
Ich schüttelte den Kopf. »Mein Sohn würde es merken, Lawrence. Seine Bat-Sinne würden es ihm sagen.«
»*Verdammte Scheiße*, Sarah! Das ist nicht witzig! Ruf die Polizei.«
Ich schaute zu Little Bee, die mit leicht geöffnetem Mund tief und fest auf meinem Sofa schlief. Sie hatte die Knie an die Brust gezogen. Ich schwieg.
»Sarah?«
»Ich werde nicht die Polizei rufen. Sie kann hierbleiben.«
»Aber wieso? Dabei kann doch nichts Gutes herauskommen.«
»Letztes Mal konnte ich ihr nicht helfen. Vielleicht kann ich es heute.«
»Und was genau willst du damit beweisen?«
Ich seufzte. »Vielleicht deine Behauptung, dass ich niemals Ratschläge annehme.«
»Du weißt, dass ich etwas anderes meinte.«
»Ja. Womit wir wieder am Ausgangspunkt wären.«
»Und der wäre?«
»Dass ich manchmal schwierig bin.«
Lawrence lachte, aber es klang gezwungen.
Ich legte auf und betrachtete lange die weißen Dielen des Küchenbodens. Dann ging ich nach oben, um bei meinem Sohn auf dem Boden zu schlafen. Ich wollte in seiner Nähe sein. Ich gestand mir ein, dass Lawrence nicht unrecht hatte: Ich wusste wirklich nicht, was Little Bee vielleicht nachts tun würde.
Ich saß da, den Rücken gegen die kalte Heizung in Char-

lies Zimmer gelehnt, die Knie unter einer Daunendecke, und versuchte mich zu erinnern, was ich in Lawrence gesehen hatte. Ich trank meinen Gin Tonic aus und verzog das Gesicht bei dem Geschmack der Ersatzzitrone. Es war ein vergleichsweise kleines Problem: der Mangel an echten Zitronen. Beinahe tröstlich. Ich komme aus einer Familie, deren Probleme immer klein und zu bewältigen waren.

In meiner Familie gab es keine außerehelichen Affären. Mama und Papa liebten einander entweder sehr oder sie hatten arbeitslose Schauspieler angeheuert, die fünfundzwanzig Jahre lang bei uns zu Hause die freundlichen Turteltauben gaben und auch später noch aufs Stichwort aus den Kulissen sprangen, wenn die Sprösslinge zu einem Wochenendbesuch von der Universität oder einem Sonntagsessen mit Eltern und Freund aufzutauchen drohten. In meiner Familie machte man in Devon Urlaub und blieb ein Leben lang mit dem Partner zusammen. Ich fragte mich, warum es bei mir anders gelaufen war.

Ich schaute zu meinem Sohn, der reglos und blass im Batmankostüm unter seiner Daunendecke schlief. Ich horchte auf seinen Atem, regelmäßig und fest und tief im Schlaf versunken. Ich konnte mich nicht erinnern, wann ich zuletzt so geschlafen hatte, jedenfalls nicht seit meiner Heirat mit Andrew. Schon nach einem Monat wusste ich, dass er nicht der Richtige war. Danach hält einen die wachsende Unzufriedenheit nachts wach. Das Gehirn weigert sich, die alternativen Leben loszulassen, die man hätte haben können. Wer gut schläft, schläft nicht in der Gegend herum.

Aber ich hatte zumindest eine glückliche Kindheit, und ich hieß Sarah Summers. Ich benutze Summers noch beruflich, habe den Namen aber persönlich verloren. Als Mädchen mochte ich, was alle Mädchen mögen: rosa Plastikarmbänder, später dann silberne; ein paar Jungs als Freunde, zur Übung, und dann ohne besondere Eile Männer. England, das war Frühnebel, der bis zur Schulter des Pferdes stieg, Kuchen, der auf dem Gitter abkühlte; zartes Erwachen. Meine erste wirkliche Entscheidung war mein Studienfach. Alle meine Lehrer sagten, ich solle Jura studieren, worauf ich mich natürlich für Journalismus einschrieb. Ich lernte Andrew O'Rourke kennen, als wir beide für eine Londoner Abendzeitung arbeiteten. Sie schien den Geist der Stadt perfekt zu verkörpern. Einunddreißig Seiten Promi-Klatsch und London-Nachrichten und eine Seite Nachrichten aus der Welt jenseits des Londoner Stadtautobahnrings, die die Zeitung als eine Art Memento mori anbot.

London machte Spaß. Männer rauschten wie große Schiffe hindurch, manche schon havariert. Ich mochte Andrew, weil er nicht wie die anderen war. Vielleicht lag es an seinem irischen Blut, aber er ließ sich nicht einfach vom Strom fortreißen. Andrew war der Auslandsredakteur der Zeitung, ein bisschen so etwas wie die Schweizer Marine. Er wurde wegen seiner Sturheit gefeuert, und ich nahm ihn mit nach Hause, damit er meine Eltern kennenlernte. Dann nahm ich seinen Namen an, damit niemand anders ihn bekam.

O'Rourke ist ein harter Name, und ich stellte mir vor, dass mein Glück ihn sanfter machen würde. Doch als Sarah O'Rourke verlor ich die Gewohnheit, glücklich zu sein. Sie wich einem Gefühl verwunderter Entfremdung. Die Ehe kam so plötzlich. Wenn ich in Ruhe darüber nachgedacht hätte, wäre mir wohl klar geworden, dass Andrew und ich uns zu ähnlich waren – dass wir gleich stur waren; dass unsere Bewunderung füreinander unweigerlich in gegenseitige Zermürbung umschlagen würde. Wir hatten nur deshalb so schnell geheiratet, weil meine Mutter mich angefleht hatte, Andrew nicht zu heiraten. In einer Ehe muss einer *weich* sein, sagte sie. Einer von euch muss auch mal sagen können: »Gut, dann machen wir es so, wie du willst.« Das wirst nicht du sein, mein Liebes, also muss es der Mann sein.

Andrew O'Rourkes Namen anzunehmen war die zweite wirkliche Entscheidung meines Lebens, und sie war falsch. Ich nehme an, Little Bee würde mich verstehen. Als wir beide unseren wirklichen Namen aufgaben, waren wir verloren.

Du solltest sie wegschicken, hatte Lawrence gesagt. Aber nein, nein, das konnte ich nicht. Wir waren durch das, was am Strand geschehen war, verbunden. Sie wegzuschicken wäre, als würde ich einen Teil meiner selbst verlieren. Als würde ich einen Finger oder Namen abwerfen. Das würde ich nicht noch einmal zulassen. Ich saß auf dem Boden und sah meinen friedlich schlafenden Sohn an. Ich beneidete ihn, weil er so schlafen konnte.

Nach Afrika hatte ich eine ganze Woche nicht geschlafen. Die Mörder gingen einfach über den Strand davon, und Andrew und ich kehrten schweigend aufs Hotelgelände zurück. Nach einer qualvollen halben Stunde mit dem Hotelarzt, der den Stumpf meines Fingers in Mull wickelte und fest verband, machten wir uns ans Packen. Ich war wie betäubt. Auf dem Rückflug nach London war ich irgendwie erstaunt, so wie damals am Ende meiner Kindheit, dass eine so große Geschichte einfach ohne mich weitergehen konnte. Aber so ist es wohl mit Mördern. Was für einen selbst das Ende aller Unschuld ist, ist für sie nur ein beliebiger Dienstagmorgen. Sie kehren zurück auf ihren Planeten des Todes, ohne mehr Gedanken an die Welt der Lebenden zu verschwenden als unsereins an ein Touristenziel: einen Ort, den man kurz besucht und von dem man mit ein paar Andenken und dem nagenden Gefühl zurückkehrt, dass man zu viel dafür bezahlt hat.

Auf dem Rückflug hielt ich meine verletzte Hand hoch, um das schmerzhafte Pochen zu mildern. Durch den Nebel der Schmerzmittel schlich sich ein unerwarteter Gedanke heran: dass es vernünftig wäre, Andrew meine Verletzung niemals berühren zu lassen, weder jetzt noch später. In

Gedanken sah ich die Mörder, die die Mädchen über den Strand geschleppt hatten. Ich sah sie verschwinden. Ich sah sie über den Horizont meiner Welt in das gefährliche Land meiner Seele gleiten, in dem ich nachts wach lag und daran dachte, was diese Männer den beiden wohl angetan hatten.

Es verblasste nicht. Aber ich kehrte zum Magazin zurück. Die Gründung von *Nixie* war die dritte wirkliche Entscheidung meines Lebens gewesen, und ich weigerte mich, sie je zu bereuen. Auch würde ich Entscheidung vier nicht zurücknehmen – Charlie, die beste Entscheidung von allen – oder Entscheidung fünf, Lawrence, den ich wirklich aufgeben wollte, bis mir das Grauen in Nigeria zeigte, dass es unnötig war. Ich konzentrierte mich ganz darauf, mein Leben in den Griff zu bekommen, und zwang mich, den Strand entfernt und unpersönlich zu betrachten. Es gab Probleme in Afrika, natürlich gab es die. Aber es hatte keinen Sinn, an einem bestimmten Ereignis zu kleben, ohne das Gesamtbild zu sehen. Lawrence betonte das immer wieder, und dieses eine Mal befolgte ich seinen Rat. Ich richtete Daueraufträge für zwei Hilfsorganisationen in Afrika ein. Wenn mich Leute fragten, was mit meinem Finger geschehen sei, sagte ich, Andrew und ich hätten im Urlaub einen Roller gemietet und einen kleinen Unfall gehabt. Meine Seele fiel in vorübergehende Starre. Zu Hause war ich ruhig. Bei der Arbeit der Boss. Nachts schlief ich nicht, hoffte aber, tagsüber auf Dauer zu funktionieren.

Ich stand vom Boden in Charlies Zimmer auf. Betrachtete mich noch einmal im Spiegel. Ich hatte Tränensäcke unter den Augen und neue scharfe Falten auf der Stirn. Die Maske zeigte endlich Risse. Ich dachte, es geht nicht mehr um deine Entscheidungen. Denn die größte Sache in deinem Leben, die Sache, die Andrew getötet hat und dir den Schlaf raubt, ist ohne dich geschehen.

Vor allem wurde mir klar, dass ich es jetzt wissen musste. Ich musste wissen, was geschehen war, nachdem die Mörder die Mädchen über den Strand davongeschleppt hatten. Ich musste wissen, was als Nächstes geschehen war.

5

Ich erwachte auf Sarahs Sofa. Zuerst wusste ich nicht, wo ich war. Ich musste die Augen aufmachen und mich umschauen. Auf dem Sofa lagen Kissen, sie waren aus orangefarbener Seide. Die Kissen waren mit Vögeln und Blumen bestickt. Die Sonne fiel durch die Fenster herein, und an den Fenstern waren Vorhänge, die bis auf den Boden reichten. Sie waren aus orangefarbenem Samt. Es gab einen kleinen Tisch mit einer Glasplatte, so dick, dass sie von der Seite grün aussah. Auf der Ablage unter der Tischplatte lagen Zeitschriften. In einer ging es um Mode und in einer anderen darum, wie man sein Haus schöner macht. Ich setzte mich auf und stellte die Füße auf den Boden. Der Boden war mit Holz bedeckt.

Wenn ich den Mädchen zu Hause diese Geschichte erzählen würde, würden sie mich fragen: *Was ist dieses Zeug, das du Samt nennst, und wie kommt es, dass die Frau, bei der du gewohnt hast, ihr Holz nicht neben dem Haus aufgestapelt hatte wie alle anderen? Wieso hatte sie es überall auf dem Boden herumliegen, war sie so faul?* Und ich müsste ihnen sagen: Samt ist ein Stoff, der so weich ist wie die Unterseite kleiner Wölkchen, und das Holz auf Sarahs Boden war kein Feuerholz, sondern IN SCHWEDEN HERGESTELLTES SCHIFFSBODENPARKETT MIT ANTIKLACKIERUNG UND EINER DECKLAGE AUS ECHTHOLZ VON MINDESTENS 3 MM DICKE, ZERTIFIZIERT

DURCH DEN FOREST STEWARDSHIP COUNCIL (FSC) FÜR DIE HERKUNFT AUS NACHHALTIGER WALD-WIRTSCHAFT, BLOCKVERLEIMUNG MIT MODERNS-TEN MASCHINEN, und das weiß ich, weil ich in der Zeit-schrift über schöne Häuser, die unter der Tischplatte lag, eine Anzeige für genau so einen Boden gesehen habe. Und die Mädchen zu Hause würden die Augen aufreißen und *Wah* rufen, weil sie nun verstünden, dass ich an einem Ort jenseits des Endes der Welt angelangt war – einem Ort, an dem Holz von Maschinen gemacht wurde –, und sie würden sich fragen, welche Hexerei ich als Nächstes über-leben würde.

Stellt euch vor, wie ermüdend es für mich wäre, den Mäd-chen zu Hause meine Geschichte zu erzählen. Das ist der wahre Grund, weshalb keiner uns Afrikanern irgendetwas erzählt. Es liegt nicht daran, dass man meinen Kontinent in Unwissenheit halten will. Es liegt daran, dass niemand Zeit hat, sich hinzusetzen und die Erste Welt von Beginn an zu erklären. Vielleicht würdet ihr das ja gern, aber ihr könnt es nicht. Eure Kultur ist so komplex geworden wie ein Com-puter oder ein Medikament, das ihr gegen Kopfschmerzen nehmt. Ihr könnt es benutzen, aber nicht erklären, wie es funktioniert. Schon gar nicht den Mädchen, die ihr Feuer-holz neben dem Haus aufstapeln.

Würde ich euch beiläufig erzählen, dass Sarahs Haus in der Nähe eines großen Parks voller zahmer Hirsche lag, würdet ihr nicht aufspringen und rufen: *Mein Gott! Hol mir mein Gewehr, dann jage ich eines dieser dummen Tiere!* Nein, ihr würdet sitzenbleiben und euch weise das Kinn reiben und denken, *Hm, das dürfte der Richmond Park in der Nähe von London sein.*

Dies ist eine Geschichte für gebildete Leute wie euch.

Ich muss euch nicht beschreiben, wie der Tee schmeckte, den Sarah für mich machte, als sie an diesem Morgen ins

Wohnzimmer ihres Hauses kam. In meinem Dorf haben wir nie Tee getrunken, obwohl er im Osten meines Landes angebaut wird, da, wo das Land in die Wolken steigt und die Bäume sich wegen der feuchten Luft lange, weiche Moosbärte wachsen lassen. Dort im Osten erstrecken sich die Plantagen über die grünen Hügelflanken und verschwinden im Nebel. Der Tee, den sie dort anbauen, verschwindet ebenfalls. Ich glaube, alles wird exportiert. Ich selbst hatte niemals Tee geschmeckt, bis man mich zusammen mit ihm exportierte. Das Schiff, auf dem ich in euer Land gereist bin, war mit Tee beladen. Er war im Frachtraum in dicken braunen Papiersäcken gestapelt. Ich grub mich zwischen den Säcken ein und versteckte mich dort. Nach zwei Tagen war ich zu schwach, um mich weiter zu verstecken, und kam aus dem Frachtraum heraus. Der Kapitän des Schiffes sperrte mich in eine Kabine. Er sagte, es sei nicht sicher, mich mit der Mannschaft unterzubringen. Also schaute ich drei Wochen und fünftausend Meilen lang durch ein kleines rundes Fenster auf den Ozean und las ein Buch, das mir der Kapitän gegeben hatte. Das Buch hieß *Große Erwartungen* und handelte von einem Jungen namens Pip, doch ich weiß nicht, wie es ausging, weil das Schiff vorher in Großbritannien ankam und der Kapitän mich der Einwanderungsbehörde übergab.

Drei Wochen und fünftausend Meilen auf einem Teeschiff – vielleicht riecht meine Haut noch danach, wenn du daran kratzt. Als sie mich ins Abschiebegefängnis steckten, gaben sie mir eine braune Decke und eine weiße Plastiktasse mit Tee. Und als ich ihn schmeckte, wollte ich nur noch zurück auf das Schiff und nach Hause, in mein Land. Tee ist der Geschmack meines Landes: Er ist bitter und warm, stark und scharf vor lauter Erinnerungen. Er schmeckt nach Sehnsucht. Er schmeckt nach der Entfernung zwischen da, wo man ist, und dort, wo man herkommt. Und er verschwindet – der Geschmack verschwindet von der Zunge, wenn die Lippen noch heiß vom Tee sind. Er verschwindet wie die Plantagen, die sich hoch in den Nebel erstrecken. Ich habe gehört, dass euer Land mehr Tee trinkt als jedes andere. Wie traurig muss euch das machen – wie Kinder, die sich nach ihren abwesenden Müttern sehnen. Es tut mir leid.

Wir tranken Tee in Sarahs Küche. Charlie schlief noch oben in seinem Zimmer. Sarah legte ihre Hand auf meine.

»Wir müssen über das, was geschehen ist, sprechen«, sagte sie. »Bist du dazu bereit? Darüber zu sprechen, was passiert ist, nachdem die Männer euch am Strand mitgenommen hatten?«

Ich antwortete nicht sofort. Ich saß am Tisch, meine Augen wanderten durch die Küche und nahmen all die neuen und wunderbaren Dinge auf. Beispielsweise gab es in Sarahs Küche einen Kühlschrank, einen riesigen silbernen Kasten mit eingebauter Eismaschine. Das Vorderteil der Eismaschine war aus durchsichtigem Glas, und man konnte sehen, was darin passierte. Sie machte einen kleinen, schimmernden Eiswürfel. Er war beinahe fertig. Ihr werdet über mich lachen – das dumme Mädchen vom Dorf –, weil ich einen Eiswürfel so anstarrte. Ihr werdet lachen, aber ich sah zum ersten Mal, dass Wasser fest werden kann. Es war wunderschön – denn wenn das mit Wasser möglich war, war es vielleicht auch mit allem anderen möglich, das ständig entfloh und versickerte und in Sand oder Nebel verschwand. Alles konnte wieder fest werden, ja, sogar die Zeit, als ich mit Nkiruka im roten Staub unter der Schaukel spielte. In jenen Tagen glaubte ich, solche Dinge wären in eurem Land möglich. Ich wusste, dass große Wunder auf mich warteten, wenn ich nur die Mitte, die Quelle all dieser kleinen Wunder entdecken könnte.

Hinter dem kalten Glas zitterte der Eiswürfel an seinem

kleinen Metallarm. Er glänzte wie eine menschliche Seele. Sarah schaute mich an. Ihre Augen schimmerten.

»Bee«, sagte sie. »Ich muss es wirklich wissen. Bist du bereit, darüber zu sprechen?«

Der Eiswürfel war fertig. Mit einem *klonk* fiel er in die Auffangschale. Sarah blinzelte. Die Eismaschine begann mit einem neuen Würfel.

»Sarah«, sagte ich, »du brauchst nicht zu wissen, was geschehen ist. Es war nicht deine Schuld.«

Sarah hielt meine Hände. »Bitte, Bee«, sagte sie. »Ich muss es wissen.«

Ich seufzte. Ich war wütend. Ich wollte nicht darüber sprechen, doch wenn diese Frau mich dazu zwang, würde ich es schnell hinter mich bringen und ihr nichts ersparen.

»Okay, Sarah«, sagte ich. »Nachdem ihr gegangen wart, schleppten uns die Männer über den Strand. Wir gingen eine Weile, vielleicht eine Stunde. Wir kamen zu einem Boot, das umgedreht im Sand lag. Einige Planken waren zerbrochen. Es sah aus, als wäre es im Sturm ans Ufer gespült worden und dort liegengeblieben. Es war ausgeblichen von der Sonne. Die Farbe war abgeblättert. Selbst die Muscheln am Boot zerbröckelten. Die Jäger stießen mich unter das Boot und sagten, ich solle zuhören. Sie sagten, sie würden mich gehen lassen, wenn es vorbei sei. Unter dem Boot war es dunkel, und Krebse krochen herum. Sie vergewaltigten meine Schwester. Sie drückten sie gegen die Seite des Bootes, und dann vergewaltigten sie sie. Ich hörte sie stöhnen. Ich konnte nicht alles hören durch die Planken des Bootes. Das Geräusch war gedämpft. Ich hörte meine Schwester röcheln, als würde sie gewürgt. Ich hörte, wie ihr Körper gegen die Planken schlug. Es dauerte sehr lange. Der heiße Abschnitt des Tages kam, doch unter dem Boot war es kühl und dunkel. Zuerst rief meine Schwester Verse aus der Heiligen Schrift, doch später verließ sie der Verstand, und dann schrie sie die Lieder, die wir als Kinder gesungen hatten. Am Ende kamen nur noch Schreie. Zuerst waren es Schmerzensschreie, aber sie veränderten sich irgendwann und klangen wie die Schreie eines Neugeborenen. Es lag kein Kummer in ihnen. Sie waren automatisch. Sie gingen immer und immer weiter. Jeder Schrei war genau wie der vorherige, als würden sie von einer Maschine erzeugt.«

Ich blickte auf und sah, wie Sarah mich anstarrte. Ihr Gesicht war vollkommen weiß, und ihre Augen waren rot, und sie hatte den Mund mit den Händen bedeckt. Sie zitterte, und ich zitterte auch, weil ich das noch nie jemandem erzählt hatte.

»Ich konnte nicht sehen, was sie mit meiner Schwester taten. Die Planken waren auf der anderen Seite des Bootes zerbrochen. Dort konnte ich hindurchsehen. Den Mörder, der mit der Wunde am Hals, den konnte ich sehen. Er stand weit weg von seinen Männern. Er ging durch die Brandung. Er rauchte Zigaretten aus einem Päckchen, das er dem toten Wachmann aus der Tasche genommen hatte. Er schaute auf den Ozean hinaus. Es sah aus, als wartete er auf jemanden, der von dort kommen würde. Manchmal berührte er die Wunde am Hals mit der Hand. Seine Schultern waren gebeugt. Es war, als trüge er eine schwere Last.«

Sarah bebte am ganzen Körper, dass der Küchentisch vibrierte. Sie weinte.

»Deine Schwester. Deine schöne Schwester, oh, mein Gott, oh, Jesus, ich …«

Ich wollte Sarah nicht weiter wehtun. Ich wollte ihr nicht erzählen, was passiert war, doch nun musste ich es. Ich konnte nicht aufhören zu reden, denn nun, da ich meine Geschichte begonnen hatte, wollte sie zu Ende erzählt werden. Wir können nicht entscheiden, wo wir anfangen und aufhören. Unsere Geschichten erzählen uns.

»Gegen Ende hörte ich, wie Nkiruka bettelte, sie sollten

sie sterben lassen. Ich hörte die Jäger lachen. Dann hörte ich, wie die Knochen meiner Schwester einer nach dem anderen gebrochen wurden. So starb meine Schwester. Ja, sie war ein schönes Mädchen, du hast recht. In meinem Dorf sagte man, sie sei die Art Mädchen, bei der ein Mann allen Ärger vergisst. Doch manchmal wird es nicht so, wie die Leute sagen. Als die Männer und die Hunde mit meiner Schwester fertig waren, warfen sie nur die Teile von ihr ins Meer, die nicht gefressen werden konnten.«

Sarah hörte auf zu weinen und zu zittern. Sie war ganz still. Sie hielt sich an ihrem Tee fest, als würde sie sonst weggeweht.

»Und du«, flüsterte sie. »Was ist mit dir passiert?«

Ich nickte.

»Am Nachmittag wurde es sehr heiß, sogar unter dem Boot. Ein Wind kam vom Meer auf. Er wehte Sand gegen die Seite des Bootes. Der Sand zischte an den Planken. Ich schaute durch die Ritzen, um zu sehen, was geschah. Jenseits der Brandung segelten Möwen im Wind. Sie waren sehr still. Manchmal stürzten sie sich ins Meer und kehrten mit silbernen Fischen im Schnabel zurück. Ich schaute sie ganz genau an, weil ich dachte, dass das, was meiner Schwester passiert war, jetzt auch mir passieren würde, und ich wollte meine Gedanken an etwas Schönes heften. Doch die Männer holten mich nicht. Als sie mit meiner Schwester fertig waren, gingen die Jäger und die Hunde in den Dschungel, um zu schlafen. Der Anführer aber kehrte nicht zu seinen Männern zurück. Er stand in der Brandung. Die Wellen brachen sich an seinen Knien. Er neigte sich in den Wind. Später wurde es so heiß, dass die Möwen nicht mehr fischten. Sie trieben nur auf den Wellen dahin, die Köpfe in die Brust gegraben, etwa so. Dann trat der Anführer hinaus in die Wellen. Als ihm das Wasser bis zur Brust reichte, begann er zu schwimmen. Er schwamm hinaus ins Meer. Die

Möwen flatterten vor ihm hoch und ließen sich wieder nieder. Sie wollten nur schlafen. Der Mann schwamm hinaus, gerade hinaus, und bald konnte ich ihn nicht mehr sehen. Er verschwand, und ich sah nur noch die Linie zwischen Meer und Himmel, und dann wurde es so heiß, dass selbst diese Linie verschwand. Da kam ich unter dem Boot hervor, denn ich wusste, dass die Männer schliefen. Ich schaute mich um. Niemand war am Strand, und es gab keinen Schatten. Es war so heiß, dass ich dachte, ich müsste schon davon sterben. Ich ging ans Meer und machte meine Kleider nass und rannte zum Hotelgelände. Ich rannte durch das flache Wasser, damit ich im Sand keine Spuren hinterließ. Ich gelangte an die Stelle, wo sie den Wachmann getötet hatten. Dort waren mehr Möwen. Sie kämpften um seine Leiche. Sie stoben auf, als ich über den Strand kam. Ich konnte sein Gesicht nicht ansehen. Kleine Krebse krabbelten aus seinen Hosenbeinen. Auf dem Boden lag eine Brieftasche, die hob ich auf. Es war Andrews Brieftasche, Sarah. Es tut mir leid. Ich schaute hinein. Es steckten viele Plastikkarten drin. Auf einer stand FÜHRERSCHEIN, und es war ein Foto von deinem Mann darauf. Die habe ich genommen. Daher habe ich deine Adresse. Es gab noch eine andere Karte, seine Visitenkarte mit der Telefonnummer, und die habe ich auch genommen. Sie wurde mir aus der Hand geweht, ins Wasser, aber ich habe sie zurückgeholt. Dann versteckte ich mich im Dschungel, aber so, dass ich den Strand sehen konnte. Es wurde kühler, und ein Lastwagen kam aus der Richtung des Hotelgeländes angefahren. Es war ein Militärlastwagen mit Plane. Sechs Soldaten sprangen heraus und betrachteten den Wachmann. Sie stießen mit den Stiefelspitzen gegen seine Leiche. Im Radio des Lastwagens lief ›One‹ von U2. Ich kannte das Lied. Es lief immer bei uns zu Hause. Eines Tages kamen nämlich die Männer aus der Stadt und schenkten uns Aufziehradios, eins für jede Familie im Dorf.

Wir sollten sie aufziehen und den BBC World Service hören, aber meine Schwester Nkiruka stellte unseres auf den Musiksender in Port Harcourt ein. Wir stritten uns um die kleine Aufziehkiste, weil ich lieber Nachrichten hören wollte. Nun aber, da ich mich im Dschungel hinter dem Strand versteckte, wünschte ich, ich hätte nie mit meiner Schwester gestritten. Nkiruka liebte Musik, und jetzt begriff ich, dass sie recht hatte, weil das Leben sehr kurz ist und man zu Nachrichten nicht tanzen kann. Da fing ich an zu weinen. Ich weinte nicht, als sie meine Schwester töteten, aber jetzt, als ich die Musik aus dem Lastwagen der Soldaten hörte, weinte ich, weil ich denken musste: Das ist das Lieblingslied meiner Schwester, und sie wird es nie wieder hören. Hältst du mich jetzt für verrückt, Sarah?«

Sarah schüttelte den Kopf. Sie kaute auf ihren Nägeln.

»In meinem Dorf mochten alle U2«, sagte ich. »Vielleicht sogar alle in meinem Land. Wäre das nicht komisch, wenn auch die Ölrebellen in ihren Dschungelcamps U2 gespielt hätten, so wie die Regierungssoldaten in ihren Lastwagen? Ich glaube, alle haben einander getötet und dieselbe Musik gehört. Weißt du was? In meiner ersten Woche im Abschiebegefängnis waren U2 auch hier auf Nummer eins. Das ist wirklich ein toller Trick in dieser Welt, Sarah. Keiner mag den anderen, aber alle mögen U2.«

Sarah verschlang die Hände auf dem Tisch. Sie schaute mich an. »Kannst du weitererzählen? Kannst du mir erzählen, wie du dort weggekommen bist?«

Ich seufzte. »Okay. Die Soldaten wippten mit ihren Stiefeln zur Musik. Sie rollten die Leiche auf ein Tuch. Dann hoben sie das Tuch an den Ecken hoch und trugen es in den Lastwagen. Ich dachte, vielleicht sollte ich zu ihnen laufen und sie um Hilfe bitten. Aber ich hatte Angst, also blieb ich, wo ich war. Die Soldaten fuhren über den Strand davon, und dann war es wieder ganz still. Als die Sonne unterging, beschloss ich, nicht aufs Hotelgelände zu gehen. Ich hatte zu viel Angst vor den Soldaten, also ging ich in die andere Richtung. Überall waren Fledermäuse in der Luft. Ich wartete, bis es dunkel war, bevor ich die Stelle passierte, an der sie meine Schwester getötet hatten. Es schien kein Mond, man sah nur ein blaues Leuchten von den kleinen Lebewesen im Meer. Dann und wann sickerte ein Süßwasserbach über den Strand, aus dem ich trinken konnte. Ich ging die ganze Nacht hindurch, und als es hell wurde, kehrte ich in den Dschungel zurück. Ich fand eine rote Frucht, die ich aß. Ich wusste nicht, wie sie hieß, aber ich hatte Hunger. Sie war bitter, und mir wurde sehr schlecht. Ich hatte große Angst, die Männer würden kommen und mich wiederfinden. Ich vergrub meine Exkremente, um keine Spuren zu hinterlassen. Bei jedem Geräusch dachte ich, die Männer kämen zurück. Ich sagte zu mir, *Little Bee, die Männer wollen dir die Flügel ausreißen.* So ging es zwei Nächte, und in der letzten Nacht kam ich an einen Hafen. Draußen auf dem Meer blitzten rote und grüne Lichter, und es gab eine lange Ufermauer aus Beton. Ich ging die Mauer entlang. Die Wellen durchnässten mich, aber es waren keine Wachen dort. Am Ende der Mauer lagen an der Landseite zwei Schiffe nebeneinander. Das nähere hatte eine italienische Flagge. Das andere war britisch, also kletterte ich über das italienische Schiff, um hinzugelangen. Ich stieg hinunter in den Frachtraum. Er war leicht zu finden, weil es Schilder auf Englisch gab. Englisch ist nämlich die offizielle Sprache meines Landes, weißt du.«

Da hörte ich auf zu reden und schaute aufs Tischtuch. Sarah kam an meine Seite des Tisches und setzte sich auf den Stuhl neben meinem und umarmte mich lange. Dann saßen wir da und hielten unsere kalten Teetassen fest. Ich legte den Kopf auf Sarahs Schulter. Draußen wurde der Tag ein bisschen heller. Wir sagten nichts. Irgendwann hörte ich Schritte auf der Treppe, und Charlie kam in die Küche. Sarah wischte sich die Augen, holte tief Luft und setzte sich aufrecht hin. Charlie trug sein Batmankostüm, aber ohne die Maske und den Gürtel, an den er seine Bat-Werkzeuge hängte. An diesem Morgen schien er keinen Einsatz zu erwarten. Als er mich sah, blinzelte er. Er war wohl überrascht, dass ich noch da war. Er rieb sich schläfrig die Augen und drückte den Kopf an seine Mutter.

»Innoschlafenzeit«, sagte er.

»Wie bitte, Batman?«, fragte Sarah.

»Ist noch Schlafenszeit. Warum seid ihr wach?«

»Mama und Little Bee sind heute Morgen früh aufgewacht.«

»Mmm?«

»Wir hatten uns viel zu erzählen.«

»Mmm?«

»Also, Batman, verstehst du mich nicht, oder bist du anderer Meinung?«

»Mmm?«

»Verstehe, Liebling, du bist eine kleine Fledermaus mit Sonar. Du sendest diese ›Mmms‹ aus, bis eins davon an etwas Festem abprallt, stimmt's?«

»Mmm?«

Charlie starrte seine Mutter an. Sie erwiderte seinen Blick, wandte sich nach einer Weile ab und lächelte mir zu. Ihre Tränen flossen wieder.

»Charlie hat ungewöhnliche Augen, oder? Wie Ökosysteme in Aspik.«

»Gar nicht wahr«, sagte Charlie.

Sarah lachte. »Liebling, ich meine, dass jeder sehen kann, wie viel hinter ihnen vorgeht.« Sie klopfte leicht an die Seite von Charlies Kopf.

»Hmm«, machte Charlie. »Warum weinst du, Mama?«

Sarah brach zusammen. Es war, als würde alle Kraft aus

ihren Knochen strömen. Sie ließ den Kopf auf die Arme sinken und weinte.

»Oh, Charlie«, sagte sie. »Mama weint, weil sie gestern Abend vier Gin Tonic getrunken hat. Mama weint wegen etwas, an das sie lange nicht denken wollte. Es tut mir so leid, Charlie. Mama ist zu erwachsen, um noch sehr viel zu fühlen, und wenn sie was fühlt, ist sie ganz überrascht.«

»Mmm«, machte Charlie.

»Oh, Charlie!«, sagte Sarah.

Sie breitete die Arme aus. Charlie kletterte auf ihren Schoß, und sie umarmten einander. Es war nicht richtig, dass ich dabei war, also ging ich in den Garten und setzte mich neben den Fischteich. Ich dachte lange an meine Schwester.

Später, als die Sonne höher am Himmel stand und der Verkehrslärm auf der Straße zu einem ständigen Grollen geworden war, kam Sarah zu mir in den Garten.

»Tut mir leid«, sagte sie. »Ich musste Charlie in den Kindergarten bringen.«

»Schon gut.«

Sie setzte sich neben mich und legte mir die Hand auf die Schulter. »Wie fühlst du dich?«

Ich zuckte mit den Schultern. »Okay«, sagte ich.

Sarah lächelte, aber es war ein trauriges Lächeln. »Ich weiß nicht, was ich sagen soll.«

»Ich weiß es auch nicht.«

Wir saßen da und beobachteten eine Katze, die sich am anderen Ende des Gartens im Gras rollte, mitten in einem hellen Fleckchen Sonnenschein.

»Die Katze sieht glücklich aus«, sagte ich.

»Mmm«, machte Sarah. »Sie gehört unseren Nachbarn.«

Ich nickte. Sarah holte tief Luft.

»Möchtest du eine Weile hierbleiben?«

»Hier? Bei dir?«

»Ja. Bei mir und Charlie.«

Ich rieb mir die Augen. »Ich weiß nicht. Ich bin illegal hier, Sarah. Die Männer können jede Minute kommen und mich zurück in mein Land schicken.«

»Weshalb haben sie dich denn aus dem Abschiebegefängnis entlassen, wenn du nicht bleiben darfst?«

»Sie haben einen Fehler gemacht. Wenn du gut aussiehst oder gut reden kannst, machen sie manchmal Fehler für dich.«

»Aber du bist jetzt frei. Sie können dich nicht einfach *holen*. Das hier ist nicht Nazideutschland. Es muss ein Verfahren geben, das wir beantragen können. Eine Art Berufung. Ich kann ihnen erzählen, was dir dort geschehen ist. Was geschehen wird, wenn du zurückkehrst.«

Ich schüttelte den Kopf. »Sie werden dir sagen, dass Nigeria ein sicheres Land ist. Menschen wie mich *können* sie einfach holen und zum Flughafen bringen.«

»Bee, ich bin mir sicher, uns fällt etwas ein. Ich gebe eine Zeitschrift heraus. Ich kenne viele Leute. Wir könnten richtig Ärger machen.«

Ich schaute zu Boden. Sarah lächelte. Sie legte ihre Hand auf meine.

»Du bist noch jung, Bee. Du weißt noch nicht, wie die Welt funktioniert. Du hast nur Leid gesehen, also glaubst du, du würdest nichts anderes als Leid erleben.«

»Du hast auch Leid erlebt, Sarah. Du irrst dich, wenn du glaubst, das sei ungewöhnlich. Ich sage dir, Leid ist wie der Ozean. Es bedeckt zwei Drittel der Erde.«

Sarah zuckte zusammen, als wäre ihr etwas ins Gesicht geflogen.

»Was ist los?«, fragte ich.

Sie hielt den Kopf in den Händen. »Gar nichts. Es ist albern.«

Mir fiel nichts ein, was ich sagen konnte. Ich schaute mich

im Garten nach etwas um, mit dem ich mich töten könnte, falls die Männer plötzlich kämen. Am Ende stand ein Schuppen, an dem eine Gartengabel mit drei großen Zinken lehnte. Ein prima Gerät, dachte ich. Wenn die Männer plötzlich kommen, renne ich mit dieser Gabel los und stürze mich auf die scharfen, schimmernden Spitzen.

Ich grub die Nägel in die Erde des Blumenbeetes neben uns und drückte die klebrige Erde zwischen meine Finger.

»Was denkst du gerade, Bee?«

»Mmm?«

»Woran denkst du gerade?«

»Oh. Cassava.«

»Wieso Cassava?«

»In meinem Dorf haben wir Cassava angebaut. Wir haben sie gepflanzt und gewässert und wenn sie hoch stand – so hoch –, haben wir die Blätter gepflückt, so dass das ganze Wachstum in die Wurzeln ging, und wenn sie reif waren, haben wir sie ausgegraben und geschält und gerieben und gepresst und vergoren und gebraten und mit Wasser vermischt und Paste daraus gemacht und gegessen und gegessen und gegessen und gegessen. Ich habe nachts davon geträumt.«

»Was habt ihr sonst noch gemacht?«

»Manchmal haben wir auf einer Schaukel gespielt.«

Sarah lächelte. Sie schaute in den Garten. »Cassava wirst du hier nicht finden. Dafür gibt es tonnenweise Clematis. Eine Menge Kamelien.«

Ich nickte. »In dieser Erde würde auch keine Cassava wachsen.«

Sarah lächelte, aber sie weinte dabei. Ich hielt ihre Hand. Tränen liefen ihr übers Gesicht.

»Oh, Bee, ich fühle mich so furchtbar schuldig.«

»Es ist nicht deine Schuld, Sarah. Ich habe meine Eltern und meine Schwester verloren. Du hast deinen Mann verloren. Wir beide haben etwas verloren.«

»Ich habe Andrew nicht verloren, Bee. Ich habe ihn zerstört. Ich habe ihn mit einem anderen Mann betrogen. Das ist der einzige Grund, warum wir überhaupt in diesem verdammten Nigeria gelandet sind. Wir dachten, wir hätten Urlaub nötig. Um unsere Beziehung zu kitten. Verstehst du?«

Ich zuckte mit den Schultern. Sarah seufzte.

»Ich nehme an, du wirst mir sagen, dass du noch nie Urlaub gemacht hast.«

Ich schaute auf meine Hände. »Ich habe auch noch nie einen Mann gehabt.«

Sarah blinzelte. »Ja. Natürlich. Manchmal vergesse ich, wie jung du bist.«

Wir saßen eine Minute still da. Dann klingelte Sarahs Handy. Sie redete. Als der Anruf beendet war, sah sie sehr müde aus.

»Das war der Kindergarten. Ich soll Charlie abholen. Er hat die anderen Kinder geschlagen. Sie sagen, er sei ausgerastet.« Sie biss sich auf die Lippe. »Das hat er noch nie gemacht.«

Sie griff wieder zum Telefon und drückte einige Knöpfe. Während sie es ans Ohr hielt, schaute sie über meine Schulter in den Garten. Sie kaute noch immer auf ihrer Lippe. Nach ein paar Sekunden hörte man ein anderes Telefon klingeln. Es war ein leises, fernes Geräusch, das aus dem Inneren des Hauses drang. Sarahs Gesicht erstarrte. Dann nahm sie das Telefon langsam vom Ohr und drückte eine Taste. Das Klingeln des anderen Telefons verstummte.

»Oh Gott«, sagte Sarah. »Oh nein.«

»Was ist denn los?«

Sarah holte tief Luft. Ihr ganzer Körper bebte. »Ich wollte Andrew anrufen. Ich weiß nicht, wieso. Es war ganz automatisch, ich habe gar nicht nachgedacht. Wenn es ein Problem mit Charlie gab, habe ich immer Andrew angerufen.

Ich habe vergessen, dass er … du weißt schon. Oh Gott. Ich verliere den Verstand. Ich dachte, ich wäre bereit, zu hören, was mit dir … und deiner Schwester geschehen ist. Aber das war ich nicht. Ich war nicht bereit. Oh Gott.«

Wir saßen da, und ich hielt ihre Hand, während sie weinte. Dann gab sie mir ihr Telefon. Sie deutete auf das Display.

»Siehst du, ich habe ihn noch im Adressbuch.«

Auf dem Display des Telefons stand *Andrew* und dann eine Nummer. Einfach nur *Andrew* – ohne Nachnamen.

»Würdest du ihn für mich löschen, Bee? Ich kann es nicht.«

Ich hielt ihr Telefon in meinen Händen. Ich hatte schon Leute mit Mobiltelefonen telefonieren sehen, sie aber immer für sehr kompliziert gehalten. Ihr werdet mich auslachen – na bitte, das dumme kleine Mädchen, dessen Haut nach Tee riecht und das noch Cassavaflecken an den Fingern hat –, aber ich dachte immer, man müsste eine Frequenz suchen. Ich dachte, man müsste eine Wählscheibe drehen, bis man das Signal seiner Freundin gefunden hätte, ganz leise und schwach, als stellte man bei einem Aufziehradio den BBC World Service ein. Für so kompliziert hielt ich Mobiltelefone. Ich dachte, man müsste die Wählscheibe durch die ganzen zischenden und quietschenden Laute drehen, und zuerst würde man die Stimme der Freundin ganz sonderbar und dünn und von fernem Geheul erstickt hören – als hätte man die Freundin plattgedrückt wie einen Keks und in eine Metalldose voller Affen geworfen –, doch dann würde man die Wählscheibe noch ein winziges bisschen weiter drehen, und die Freundin würde auf einmal etwas sagen wie *God save the Queen!* und vom Wetter in den Schifffahrtsgebieten rund um die Britischen Inseln berichten. Und dann könnte man miteinander reden.

Nun aber entdeckte ich, dass es viel einfacher war, ein Mobiltelefon zu benutzen. In eurem Land ist alles so einfach. Neben dem Namen Andrew stand *Optionen*, und ich drückte darauf. Option 3 war *Löschen*, also drückte ich darauf, und schon war Andrew O'Rourke fort.

»Danke«, sagte Sarah. »Ich konnte es einfach nicht selber tun.«

Sie schaute lange auf ihr Telefon.

»Ich habe so schreckliche Angst, Bee. Ich kann niemanden anrufen. Andrew war manchmal wirklich unerträglich, aber immer so *vernünftig*. Wahrscheinlich war es verrückt, Charlie gleich wieder in den Kindergarten zu bringen. Aber ich dachte, es wäre gut, wenn er seinen üblichen Tagesablauf hat. Ich kann ja niemanden mehr fragen, Bee, verstehst du? Ich weiß nicht, ob ich das alleine schaffe. In allem, was Charlie angeht, die richtigen Entscheidungen zu treffen. Viele Jahre lang, verstehst du? Das richtige Benehmen, die richtigen Schulen, die richtigen Freunde, die richtige Universität, die richtige Frau. Oh Gott, der arme Charlie.«

Ich legte meine Hand auf ihre. »Wenn du willst, komme ich mit zum Kindergarten.«

Sarah legte den Kopf schief und sah mich lange an. Dann lächelte sie. »Aber nicht in diesen Sachen.«

Zehn Minuten später verließ ich mit Sarah das Haus. Ich trug ein rosa Sommerkleid, das sie mir geliehen hatte. Es war das Hübscheste, was ich je getragen hatte. Um den Halsausschnitt waren ganz zarte weiße Blümchen gestickt. Ich kam mir vor wie die Königin von England. Es war ein sonniger Morgen, und es wehte ein kühler Wind, und ich hüpfte hinter Sarah den Gehweg entlang, und immer, wenn wir an einer Katze oder einem Postboten oder einer Frau mit Kinderwagen vorbeikamen, lächelte ich und sagte: *How do you do?* Die Leute schauten mich an, als wäre ich verrückt, warum, weiß ich auch nicht. Ich dachte, so grüßt man doch nicht seine Monarchin.

Der Kindergarten gefiel mir nicht. Er war in einem großen Haus mit hohen Fenstern, aber die Fenster waren geschlossen, obwohl so ein schöner Tag war. Die Luft drinnen war stickig. Es roch nach Toilette und Plakafarbe, und das war genau wie der Geruch des Therapieraums im Abschiebegefängnis, und die Erinnerung machte mich traurig. Im Abschiebegefängnis machten sie die Fenster nicht auf, weil man sie nicht aufmachen konnte. Im Therapieraum gaben sie uns Plakafarbe und Pinsel und sagten, wir sollten uns selbst ausdrücken. Ich benutzte viel rote Farbe. Als die Therapieassistentin sah, was ich malte, empfahl sie mir, *nach vorn zu blicken. Ich sagte, Ja, Madam, es wird mir ein Vergnügen sein. Wenn Sie nur ein kleines Fenster für mich öffnen würden oder noch besser eine Tür, dann werde ich sofort mit Freuden nach vorn blicken.* Ich lächelte, doch die Therapieassistentin fand das nicht komisch.

Die Gruppenleiterin in Charlies Kindergarten fand mich auch nicht komisch. Ich wusste, dass sie die Gruppenleiterin war, weil sie einen Anstecker an ihrer grünen Schürze trug, auf dem *Gruppenleiterin* stand. Sie starrte mich an, sprach aber nicht mit mir, sondern mit Sarah. Sie sagte, *Tut mir leid, wir können keine Besucher dulden, das ist gegen die Regeln. Ist das Ihr Kindermädchen?* Sarah schaute von mir zu der Gruppenleiterin. Sie antwortete, *Hören Sie, es ist ein bisschen kompliziert.* Die Gruppenleiterin runzelte die Stirn. Schließlich durfte ich an der Tür stehen, während Sarah ins Zimmer ging und versuchte, Charlie zu beruhigen.

Der arme Charlie. Sie hatten ihn gezwungen, sein Batmankostüm auszuziehen – damit hatte alles angefangen. Sie hatten ihn dazu gezwungen, weil er eingenässt hatte. Sie wollten ihn sauber haben, aber Charlie wollte nicht sauber sein. Er zog es vor, in seiner schwarzen Maske und dem Umhang zu stinken, statt in dem weißen Baumwolloverall, in den sie ihn gesteckt hatten, frisch zu riechen. Sein Gesicht war rot und mit Plakafarbe und Tränen verschmiert. Er heulte vor Wut. Sowie sich jemand näherte, schlug er mit seinen kleinen Fäusten um sich. Er biss und kratzte und schrie. Er stand mit dem Rücken in eine Ecke gepresst. Er schaute ins Zimmer und brüllte, NEIN NEIN NEIN NEIN NEIN!

Sarah ging zu ihm und kniete sich hin, so dass ihr Gesicht ganz nah an seinem war. Sie sagte, *Oh, Liebling.* Charlies Gebrüll verstummte. Er schaute Sarah an. Seine Unterlippe zitterte. Dann wurde sein Kiefer wieder fest. Er beugte sich zu seiner Mutter und spuckte. Er sagte, GEH WEG, ICH WILL MEINEN PAPA!

Die übrigen Kinder mussten sich am anderen Ende des Zimmers im Schneidersitz auf den Boden setzen und bekamen vorgelesen. Die Kinder saßen mit dem Rücken zu Charlie, doch sie drehten sich immer wieder um und blickten mit blassen, verängstigten Gesichtern zu ihm hin. Eine Frau las ihnen eine Geschichte vor. Sie trug Jeans und weiße Turnschuhe und ein türkises Sweatshirt. Sie sagte gerade, *Und Max zähmte sie, indem er DREH DICH UM UND SCHAU ZU MIR, CAITLIN, indem er ihnen unverwandt in die Augen sah und sagte, EMMA, KONZENTRIERE DICH BITTE, JAMES, HÖR AUF ZU FLÜSTERN, indem er ihnen unverwandt in die Augen sah und sagte, OLLIE, WÜRDEST DU JETZT BITTE NACH VORN SCHAUEN, HINTER DIR GIBT ES GAR NICHTS ZU SEHEN.*

Sarah kniete auf dem Boden und wischte sich Charlies Spucke von der Wange. Sie weinte. Sie streckte die Arme nach Charlie aus. Er drehte sich um und verbarg sein Gesicht in der Ecke. Die Frau, die vorlas, sagte, *Seid still.*

Ich ging zu Sarah. Die Gruppenleiterin warf mir einen Blick zu, als wollte sie sagen, *Du sollst doch an der Tür stehen bleiben.* Ich antwortete mit einem Blick, der sagte, *Wie können Sie es wagen?* Es war ein sehr guter Blick. Ich hatte ihn von Königin Elisabeth der Zweiten gelernt, von der Rückseite der britischen Fünf-Pfund-Note. Die Gruppenleiterin machte einen Schritt zurück, und ich ging zu Sarah. Ich berührte ihre Schulter.

Sarah blickte auf. »Oh Himmel«, sagte sie. »Der arme Charlie, ich weiß nicht, was ich tun soll.«

»Was tust du denn sonst, wenn er so ist?«

»Ich komme irgendwie damit klar. Ich komme immer klar. Oh Gott, Bee, ich weiß nicht, was mit mir geschieht. Ich weiß nicht mehr, wie ich mit irgendetwas klarkommen soll.«

Sarah schlug die Hände vors Gesicht. Die Gruppenleiterin führte sie beiseite, zu einem Stuhl.

Ich ging zu Charlie in die Ecke. Ich stellte mich neben ihn und schaute auch in die Ecke. Ich sah ihn nicht an, ich sah auf die Mauersteine und sonst nichts. Ich sagte auch nichts. Ich bin gut darin, Mauersteine anzuschauen und nichts zu sagen. Das habe ich im Abschiebegefängnis zwei Jahre lang gemacht, mein persönlicher Rekord.

Ich überlegte, was ich in diesem Kindergartenzimmer machen würde, wenn plötzlich die Männer kämen. Ich kann euch sagen, es war kein einfaches Zimmer. Es gab beispielsweise nichts, mit dem man sich schneiden konnte. Alle Scheren waren aus Plastik, mit runden, weichen Enden. Wenn ich mich in diesem Zimmer plötzlich töten müsste, wüsste ich nicht, wie ich es anstellen soll.

Nach langer Zeit schaute Charlie zu mir hoch. »Was machst du?«

Ich zuckte mit den Schultern. »Ich überlege, wie ich von hier wegkommen kann.«

Stille. Charlie seufzte. »Die haben mein Batmankostüm weggenommen.«

»Warum haben sie das getan?«

»Weil ich in mein Batmankostüm Pipi gemacht hab.«

Ich kniete mich hin und sah ihm in die Augen. »Mir geht es wie dir. Ich habe zwei Jahre an so einem Ort verbracht. Wo wir Sachen machen müssen, die wir nicht wollen. Bist du deswegen wütend?«

Charlie nickte.

»Das macht mich auch wütend«, sagte ich.

Ich hörte, wie hinter uns in der Kindergartengruppe wieder Normalität einkehrte. Kinder redeten und riefen, und die Frauen halfen ihnen und lachten und schalten. In unserer Ecke schaute Charlie zu Boden.

»Ich will meinen Papa«, sagte er.

»Dein Papa ist tot, Charlie. Weißt du, was das heißt?«

»Ja. Im Himmel.«

»Ja.«

»Wo ist Himmel?«

»Es ist ein Ort wie dieser. Wie ein Kindergarten oder ein Abschiebegefängnis oder ein fremdes Land, ganz weit weg. Er will zu dir nach Hause kommen, aber es geht nicht. Dein Papa ist wie mein Papa.«

»Oh. Ist dein Papa auch tot?«

»Ja, Charlie. Mein Papa ist tot, und meine Mama ist tot, und meine Schwester ist auch tot. Sie sind alle tot.«

»Warum?«

Ich zuckte mit den Schultern. »Die Bösen haben sie erwischt, Charlie.«

Er verschränkte die Hände und bückte sich, um ein kleines Stückchen rotes Papier vom Boden aufzuheben. Er riss daran und legte es auf seine Zunge, um den Geschmack zu prüfen, und dann blieb es an seinen Fingern kleben. Er klemmte die Zunge zwischen die Zähne, damit er sich darauf konzentrieren konnte, das Papier von seinen Fingern abzuziehen. Dann schaute er hoch.

»Bist du auch traurig, so wie ich?«

Ich ließ mein Gesicht lächeln. »Sehe ich traurig aus, Charlie?«

Er schaute mich an. Ich kitzelte ihn unter den Armen, und er fing an zu lachen.

»Sehen wir traurig aus, Charlie? Hey? Du und ich? Sind wir jetzt noch traurig?«

Endlich lachte und zappelte Charlie, so dass ich ihn an mich ziehen und ihm in die Augen schauen konnte. »Wir werden nicht traurig sein, Charlie. Du und ich doch nicht. Vor allem nicht du, Charlie, denn du bist der glücklichste Junge der Welt. Und weißt du auch warum?«

»Warum?«

»Weil du eine Mama hast, Charlie, und die hat dich sehr lieb, und das ist doch was, oder?«

Ich versetzte Charlie einen kleinen Schubs in Richtung seiner Mutter, und er rannte zu ihr hin. Er vergrub sein Gesicht in ihrem Kleid, und sie umarmten einander. Sarah weinte und lächelte gleichzeitig. Sie sagte ihm etwas ins Ohr, sagte *Charlie, Charlie, Charlie.* Dann hörte ich seine Stimme, gedämpft durch das Kleid seiner Mutter. Er sagte, *Ich bin doch nicht Charlie, Mama, ich bin Batman.*

Sarah schaute mich über Charlies Schulter hinweg an und sagte, *Danke*, nur mit den Lippen, ohne dass ein Laut hervorkam.

Wir gingen zu Fuß vom Kindergarten nach Hause und schwangen Charlie beim Gehen zwischen uns an den Armen. Es war ein schöner Tag. Die Sonne schien heiß, Bienen summten in der Luft, und alles war erfüllt von Blumenduft. Die Vorgärten der Häuser leuchteten in sanften Farben. Es war schwer, nicht voller Hoffnung zu sein.

»Ich glaube, ich bringe dir die Namen aller englischen Blumen bei«, sagte Sarah. »Das sind Fuchsien, und das ist eine Rose, und das hier ist Geißblatt. Was ist? Warum lächelst du?«

»Hier gibt es keine Ziegen. Darum habt ihr auch so viele schöne Blumen.«

»Gab es Ziegen in deinem Dorf?«

»Ja, und die haben alle Blumen gefressen.«

»Oh je, das tut mir leid.«

»Es braucht dir nicht leidzutun. Wir haben die Ziegen gegessen.«

Sarah runzelte die Stirn. »Trotzdem. Ich glaube, ich hätte lieber Geißblatt.«

»Eines Tages bringe ich dich dorthin, wo ich herkomme, dann wirst du eine Woche lang nur Cassava essen, und dann kannst du mir sagen, ob du lieber Geißblatt oder Ziege möchtest.«

Sarah lächelte und schnupperte an den Geißblattblüten. Ich sah, dass sie wieder weinte.

»Es tut mir leid. Ich kann einfach nicht aufhören. Sieh mich nur an, ich bin ein Häufchen Elend.«

Charlie schaute seine Mutter an, und ich streichelte ihm den Kopf, damit er wusste, dass alles in Ordnung war. Wir gingen weiter. Sarah putzte sich die Nase. Sie sagte: »Wie lange wird das wohl so sein mit mir?«

»Bei mir hat es ein Jahr gedauert, nachdem sie meine Schwester getötet hatten.«

»Bis du wieder klar denken konntest?«

»Bevor ich überhaupt denken konnte. Zuerst bin ich nur gelaufen, gelaufen, gelaufen – weg von da, wo es geschehen war. Dann kam das Abschiebegefängnis. Das war sehr schlimm. Dort kann man nicht klar denken. Man hat kein Verbrechen begangen, also denkt man nur, wann lassen sie mich raus? Aber sie sagen dir nichts. Nach einem Monat, nach sechs Monaten, fängst du an zu denken, vielleicht werde ich hier drinnen alt. Vielleicht werde ich hier sterben. Vielleicht bin ich schon tot. Im ersten Jahr konnte ich nur daran denken, mich umzubringen. Wenn alle anderen tot sind, denkst du manchmal, es wäre einfacher, zu ihnen zu gehen. Aber du musst nach vorn blicken. *Nach vorn, nach vorn*, sagen sie dir. Als wärst du störrisch, wie eine Ziege, die auf ihren Blumen herumkaut. *Nach vorn, nach vorn.* Um fünf Uhr nachmittags sagen sie dir, du sollst nach vorn blicken, und um sechs Uhr sperren sie dich wieder in deine Zelle.«

»Hast du dort überhaupt keine Hilfe bekommen?«

Ich seufzte. »Sie haben schon versucht, uns zu helfen. Es gab gute Menschen dort. Psychiater, Freiwillige. Aber sie konnten da drinnen nicht viel für uns tun. Eine Psychiaterin sagte zu mir, *Psychiatrie hier drin ist so, als würde man während eines Flugzeugabsturzes eine Mahlzeit servieren. Um dir wirklich zu helfen, müsste ich dir einen Fallschirm statt eines Käsesandwiches geben.* Damit dein Geist heilen kann, musst du erst mal frei sein.«

Sarah drückte das Taschentuch an ihre Augenwinkel. »Ich bin mir nicht sicher, ob es hier draußen einfacher ist, Bee.«

»Aber ich werde dir helfen.«

Sarah lächelte. »Du bist sechzehn. Du bist ein Flüchtling. Du bist eine Waise, Herrgott noch mal. Ich müsste *dir* helfen.«

Ich drückte ihre Schulter, damit sie aufhörte. Dann ergriff ich ihre linke Hand und hielt sie vor ihr Gesicht. Charlie stand da und schaute uns mit großen Augen an.

»Sieh doch, Sarah. Du hast mir schon geholfen. Du hast dir den Finger für mich abgeschnitten. Du hast mir das Leben gerettet.«

»Ich hätte mehr tun sollen. Ich hätte auch deine Schwester retten müssen.«

»Wie denn?«

»Ich hätte mir etwas einfallen lassen müssen.«

Ich schüttelte den Kopf. »Du hast alles getan, was du konntest, Sarah.«

»Aber wir hätten nie in diese Situation kommen dürfen, Bee. Verstehst du das nicht? Wir hatten kein Recht, an diesem Ort Urlaub zu machen.«

»Und wenn ihr nicht dort gewesen wärt, Sarah? Wenn du und Andrew nicht dort gewesen wärt, wären Nkiruka und ich beide tot.« Ich wandte mich an Charlie. »Deine Mama hat mir das Leben gerettet, weißt du. Sie hat mich vor den Bösen gerettet.«

Charlie schaute seine Mutter an. »Wie Batman?«

Sarah lächelte, wie ich es jetzt schon kannte, mit Tränen in den Augen. »Wie Bat-Mama.«

»Hast du darum den einen Finger nicht?«

»Ja, Liebling.«

»Haben die Bösen ihn weggenommen? Der Pinguin?«

»Nein, Liebling.«

»War es der Papageientaucher?«

Sarah lachte. »Ja, Liebling, es war dieser schreckliche Papageientaucher.«

Charlie grinste. »Fieser, fieser Papageientaucher«, sagte er und rannte vor uns über den Gehweg, wobei er die Bösen mit einer für mich unsichtbaren Waffe erschoss. Sarah drehte sich zu mir. »Gott segne dich«, sagte sie.

Ich hielt ihren Arm fest und legte ihre linke Handfläche auf meinen linken Handrücken. Ich ordnete meine Finger unter ihren an, so dass man von meinen nur noch den sah, der an ihrer Hand fehlte. Ich sah, wie es gehen könnte. Ich sah, wie wir weiterleben könnten. Ich wusste, es war verrückt, so zu denken, aber mein Herz hämmerte, hämmerte, hämmerte.

»Ich möchte dir helfen«, sagte ich. »Wenn du möchtest, dass ich bleibe, dann wird es so zwischen uns sein. Vielleicht kann ich nur einen Monat bleiben, vielleicht auch nur eine Woche. Eines Tages werden die Männer kommen. Doch solange ich hier bin, werde ich wie deine Tochter sein. Ich werde dich lieben, als wärst du meine Mutter, und ich werde Charlie lieben, als wäre er mein Bruder.«

Sarah starrte mich an. »Mein Gott«, sagte sie.

»Was ist los?«

»Na ja, auf dem Heimweg vom Kindergarten spreche ich sonst mit den anderen Müttern über Töpfchentraining und Kuchenbacken und so.«

Ich ließ Sarahs Hand los und schaute zu Boden.

»Oh, Bee, entschuldige. Das kommt ziemlich plötzlich und ist ziemlich ernst, das ist alles. Ich bin so durcheinander. Ich brauche noch ein bisschen Zeit zum Nachdenken.«

Ich schaute Sarah wieder an. In ihren Augen las ich, dass es für sie eine neue Erfahrung war, nicht sofort zu wissen, was zu tun war. Sie hatte die Augen eines neugeborenen Geschöpfes. Bevor es mit der Welt vertraut geworden ist, empfindet es nur Schrecken. Ich kannte diesen Ausdruck sehr gut. Wenn man so viele Menschen gesehen hat, die durch die Türen des Abschiebegefängnisses geschoben wurden, erkennt man den Blick ganz leicht. Ich wollte diesen Schmerz so schnell wie möglich aus Sarahs Leben vertreiben.

»Es tut mir leid, Sarah. Bitte vergiss es. Ich gehe weg. Die Psychiaterin im Abschiebegefängnis hatte recht, sie konnte nichts für mich tun. Ich bin noch immer verrückt.«

Sarah sagte nichts. Sie hielt nur meinen Arm, und wir gingen hinter Charlie die Straße entlang. Charlie rannte voraus und köpfte die Rosen in den Vorgärten. Er köpfte sie mit Karateschlägen. Sie fielen abrupt und in einer lautlosen Explosion von Blütenblättern zu Boden. Wie meine Geschichte mit Nkiruka, wie meine Geschichte mit Yevette. Meine Füße zertraten die Blütenblätter, und ich begriff, dass meine Geschichte nur aus Enden bestand.

Im Haus saßen wir in der Küche. Wir tranken wieder Tee, und ich fragte mich, ob es das letzte Mal war. Ich schloss die Augen. Mein Dorf, meine Familie, der entschwindende

Geschmack. Alles verschwindet und versickert in Sand oder Nebel. Ein guter Trick.

Als ich wieder die Augen öffnete, schaute Sarah mich an.

»Weißt du was, Bee, ich habe über das nachgedacht, was du gesagt hast, dass du hierbleiben könntest. Dass wir einander helfen. Ich glaube, du hast recht. Vielleicht ist jetzt die Zeit für ernste Dinge. Vielleicht sind es ernste Zeiten.«

6

Die ernsten Zeiten begannen an einem grauen, unheilvollen Tag in London. Ehrlich gesagt war mir gar nicht ernst zumute, ganz im Gegenteil. Charlie war fast zwei Jahre alt, und ich tauchte allmählich aus dem introvertierten Larvenstadium der frühen Mutterschaft auf. Ich passte wieder in meine Lieblingsröcke. Ich wollte meine Flügel entfalten.

Ich beschloss, einen Tag an der Front zu verbringen. Ich wollte die Mädels in der Redaktion daran erinnern, dass man auch ganz allein ein Feature schreiben kann. Ich hoffte, dass ich meine Mitarbeiterinnen inspirieren könnte, selber Reportagen zu schreiben und so Geld für Freie einzusparen. Ich hatte ihnen erklärt, im Grunde gehe es nur darum, dass sie ihre ätzenden Bemerkungen in sinnvoller Reihenfolge zu Papier brachten, statt sie mal hier, mal da auf Musterkartons zu kritzeln.

Ich wollte eigentlich nur, dass meine Mitarbeiterinnen glücklich waren. In ihrem Alter war ich gerade mit dem Journalismusstudium fertig und wie berauscht von meinem Job. Ich wollte Korruption brandmarken und für die Wahrheit kämpfen. Für mich war es ein Traum, mir einfach die Übeltäter vorknöpfen zu können und nach dem *Wer, Was, Wo, Wann* und *Warum* zu fragen. Als ich nun aber in der Eingangshalle des Innenministeriums in der Marsham Street stand und auf mein Zehn-Uhr-Interview wartete, freute ich mich gar nicht darauf. Mit zwanzig ist man vielleicht neugierig aufs Leben, doch mit dreißig betrachtet man die Leute, die noch eins haben, mit Argwohn. Ich umklammerte meinen nagelneuen Notizblock und das Diktiergerät in der Hoffnung, dass ihre Jugendfrische meine Desillusioniertheit vertreiben könnte.

Ich war wütend auf Andrew. Ich konnte mich nicht konzentrieren. Ich sah nicht einmal wie eine Reporterin aus – der Spiralblock war jungfräulich weiß. Während ich wartete, bekritzelte ich ihn mit Anmerkungen zu einem imaginären Interview. Der öffentliche Dienst trottete in abgewetzten Schuhen durch die Eingangshalle des Innenministeriums und balancierte den Morgenkaffee auf Papptabletts. Die Frauen quollen aus Hosenanzügen von Marks & Spencer, Truthahnhälse wabbelten, Armreifen klirrten. Die Männer wirkten schlaff und bläulich im Gesicht, als würden sie von ihren Krawatten halb erwürgt. Alle gingen gebeugt, schlurften oder hatten einen nervösen Tick. Ihre Haltung war die von Wetterfröschen, die sich anschicken, die Erwartungen für ein sonniges langes Wochenende zu dämpfen.

Ich versuchte, mich auf den Artikel zu konzentrieren, den ich schreiben wollte. Ich brauchte etwas Optimistisches; etwas Helles, Positives. Mit anderen Worten, etwas, das ganz und gar anders war als das, was Andrew in seiner *Times*-Kolumne schrieb. Andrew und ich hatten uns gestritten. Seine Artikel wurden immer düsterer. Er schien ernsthaft zu glauben, Großbritannien werde demnächst im Meer versinken. Die Kriminalität breitete sich aus, die Schulen versagten, die Einwanderung nahm zu und die öffentliche Moral ab. Alles schien zu versickern und zu wuchern und zu verkommen, und ich fand das *scheußlich*. Nun, da Charlie fast zwei Jahre alt war, blickte ich in die Zukunft, in der mein Kind würde leben müssen, und erkannte, dass ätzende Kritik vielleicht nicht die konstruktivste Strategie war. *Warum musst du immer so verdammt negativ sein?*, hatte ich

Andrew gefragt. *Wenn es mit dem Land wirklich bergab geht, warum schreibst du dann nicht über die Menschen, die etwas dagegen tun?*
– *Ach ja? Wen denn zum Beispiel?*
– *Na, zum Beispiel über das Innenministerium. Die stehen doch an vorderster Front.*
– *Das ist genial, Sarah, ehrlich. Denn dem Innenministerium vertraut ja auch jeder, nicht? Und wie würdest du deinen optimistischen Artikel betiteln?*
– *Na, vielleicht ›Die Schlacht um England‹?*
Ja, ich weiß, ich weiß. Andrew explodierte vor Lachen. Wir hatten einen wahnsinnigen Streit. Ich sagte, dass ich endlich etwas Konstruktives mit meinem Magazin anfangen wollte. Er erwiderte, dass ich anscheinend endlich der Demographie meiner Zeitschrift entwachsen sei. Mit anderen Worten, ich wurde nicht nur alt, sondern alles, wofür ich die vergangenen zehn Jahre gearbeitet hatte, war unreif und kindisch gewesen. Das war so gezielt verletzend wie ein Schnitt mit einem Skalpell.

Ich war immer noch außer mir, als ich im Innenministerium eintraf. *Du bist und bleibst ein Surrey-Mädel, was?*, war Andrews letzter Treffer gewesen. *Was genau soll das Innenministerium denn für dieses verdammte Land tun, Sarah? Die Proleten mit Spitfire-Bombern beharken?* Andrew besaß die Gabe, die einmal geschlagenen Wunden geschickt zu vertiefen. Es war nicht unser erster Streit seit Charlies Geburt, und am Ende kam er mir immer mit meiner Herkunft, was mich ungeheuer wütend machte, weil ich daran nichts ändern konnte.

Ich stand in der Eingangshalle, während mich die trübseligen Sachbearbeiter umflossen. Ich blinzelte, schaute auf meine Schuhe und hatte den ersten vernünftigen Gedanken seit Tagen. Mir wurde klar, dass ich nicht hier war, um meinen Mitarbeiterinnen etwas zu beweisen. Chefredakteurinnen wurden nicht wieder zur Reporterin, um ein paar Pfund einzusparen. Ich begriff, dass ich einzig und allein hier war, um Andrew etwas zu beweisen.

Und als Lawrence Osborn Punkt zehn Uhr herunterkam und sich vorstellte – groß, grinsend, nicht auffallend attraktiv –, wurde mir klar, dass das, was ich Andrew beweisen wollte, nicht unbedingt journalistischer Natur war.

Lawrence schaute auf sein Klemmbrett. »Merkwürdig«, sagte er, »man hat dieses Interview als ›nicht feindselig‹ deklariert.«

Ich merkte, wie unfreundlich ich ihn angesehen hatte, und wurde rot. »Entschuldigen Sie bitte. Bin mit dem falschen Fuß aufgestanden.«

»Kein Problem. Sagen Sie nur, dass Sie versuchen werden, nett zu mir zu sein. Ihr Journalisten habt es zurzeit ja auf uns abgesehen.«

Ich lächelte. »Ich werde nett zu Ihnen sein. Ich finde, Sie alle leisten großartige Arbeit.«

»Ach, da haben Sie die Statistiken noch nicht gesehen.«

Ich musste lachen, und Lawrence hob die Augenbrauen.

»Sie halten das für einen Scherz«, sagte er.

Seine Stimme war flach und unauffällig. Er klang nicht nach Elite-Internat. Seine Vokale waren ein bisschen rau, wie eine Wildheit, die er zu zügeln versuchte. Es war schwer, seine Stimme einzuordnen. Er führte mich durchs Gebäude. Wir besichtigten die Abteilung für die Beschlagnahmung krimineller Gelder und das Amt für Kriminalstatistik. Das Klima war sachlich und entspannt. Ein bisschen Kriminalität bekämpfen, ein bisschen Kaffee trinken, schien das Motto zu lauten. Wir gingen durch unnatürliche Galerien, die mit Naturstein ausgelegt und von natürlichem Licht erhellt waren.

»Sagen Sie mir, Lawrence, was läuft denn nun falsch in Großbritannien?«

Er blieb stehen und drehte sich um. Sein Gesicht schimmerte in einem sanften gelben Strahl, der durch buntes Glas fiel.

»Da fragen Sie den Falschen. Wenn ich die Antwort darauf wüsste, würde ich es in Ordnung bringen.«

»Ist das denn nicht die Aufgabe des Innenministeriums? Es in Ordnung zu bringen, meine ich?«

»Meine nicht. Man hat mich probeweise hier und da in einer der Abteilungen eingesetzt, aber ich war wohl nicht mit dem Herzen dabei. Daher bin ich jetzt im Pressebüro.«

»Aber Sie haben doch wohl eine Meinung, oder?«

Lawrence seufzte. »Jeder hat eine Meinung. Vielleicht ist das gerade das Problem in diesem Land. Wieso lächeln Sie?«

»Ich wünschte, Sie würden das meinem Mann erzählen.«

»Aha. Er hat also Meinungen?«

»Zu allen möglichen Themen.«

»Dann sollte *er* vielleicht hier arbeiten. Die stehen hier total auf politische Debatten. Ihr erstes Interview, beispielsweise …« Lawrence schaute auf sein Klemmbrett und suchte nach einem Namen.

»Wie bitte? Ich dachte, *Sie* wären mein Interview.«

Lawrence blickte auf. »Ach so, nein, ich bin nur der Aufwärmer. Tut mir leid, das hätte ich erklären sollen.«

»Oh.«

»Nun schauen Sie nicht so enttäuscht. Ich habe Ihnen ein tolles Programm zusammengestellt, wirklich. Sie kriegen drei Abteilungsleiter und einen echten, lebenden Unterstaatssekretär. Von denen werden Sie garantiert mehr bekommen, als Sie für Ihren Artikel brauchen.«

»Ich hatte aber gerade Spaß daran, mit Ihnen zu reden.«

»Sie werden es überleben.«

»Meinen Sie?«

Lawrence lächelte. Er hatte krauses schwarzes Haar, das glänzte, an den Seiten und im Nacken aber zu kurz geschnitten war. Er trug einen guten Anzug – ich tippte auf Kenzo –, der zwar ausgezeichnet passte, aber die Art, wie er ihn trug, hatte etwas Eigenartiges. Er hielt die Arme ein Stück vom Körper weg, als wäre der Anzug der Pelz eines frisch erlegten geschmeidigen Tieres, der nur unzureichend gegerbt war, so dass die blutige Rohheit auf seiner Haut kratzte.

»Die mögen es nicht so gern, wenn ich mit Besuchern spreche«, sagte Lawrence. »Ich habe wohl noch nicht so ganz die richtige Innenministeriumsstimme.«

Zu meiner Überraschung musste ich lachen. Wir gingen weiter den Flur entlang. Irgendwo zwischen dem Amt für Kriminalstatistik und der Forensik veränderte sich die Stimmung. Leute rannten an uns vorbei. Eine Gruppe drängte sich vor einem Fernsehschirm. Mir fiel auf, wie Lawrence mir schützend die Hand auf den Rücken legte, während er mich durch die Menschenmenge steuerte. Es war nicht unangenehm. Ich merkte, dass ich langsamer ging, um den Druck seiner Hand zu spüren.

Wichtige Meldung, war auf dem Fernsehschirm zu lesen. *Innenminister tritt zurück*. Man zeigte Aufnahmen eines hager wirkenden Mannes, der mit seinem Blindenhund auf den Rücksitz des Folterinstruments stieg, zu dem der Dienstwagen des Ministeriums geworden war.

Lawrence deutete mit dem Kopf auf die anderen, die gebannt auf den Bildschirm starrten, und flüsterte mir ins Ohr: »Sehen Sie sich diese Schweine an. Der Mann wird gekreuzigt, und die fragen sich schon ganz aufgeregt, was das für ihren Job bedeutet.«

»Was ist mit Ihnen? Macht es Ihnen nichts aus?«

Lawrence grinste. »Oh, für mich sind das schlechte Nachrichten«, flüsterte er. »Mit meiner brillanten Qualifikation wäre ich sein nächster Blindenhund geworden.«

Er nahm mich mit in sein Büro. Er sagte, er müsse seine

E-Mails abrufen. Ich war nervös, ohne den Grund zu wissen. An den Wänden gab es nichts, das etwas über ihn verraten hätte – nur ein unpersönliches gerahmtes Foto der Waterloo Bridge und eine laminierte Karte, auf der die Sammelstellen bei Feueralarm ausgewiesen waren. Ich erwischte mich dabei, wie ich mein Spiegelbild im Fenster betrachtete, und dachte, sei doch nicht albern. Ich ließ meinen Blick wandern, bis er auf der grauen Mauer des benachbarten Bürogebäudes zur Ruhe kam. Ich wartete, während Lawrence seine Mails durchging.

Er blickte hoch. »Tut mir leid«, sagte er. »Wir müssen Ihre Interviews verschieben. In den nächsten Tagen wird hier das pure Chaos herrschen.«

Das Telefon klingelte, und Lawrence lauschte einen Augenblick. »Was? Sollte das nicht lieber jemand, der etwas höher in der Hierarchie ... Wirklich? Na toll. Wie viel Zeit bleibt mir?«

Er legte den Hörer auf die Gabel und den Kopf auf die Tischplatte. Draußen im Flur hörte man Lachen, Rufen und Türenschlagen.

»Mistkerle«, sagte Lawrence.

»Was ist denn?«

»Ganz unter uns?«

»Natürlich.«

»Ich muss einen Brief an den scheidenden Innenminister schreiben und das tiefe Bedauern unserer Abteilung über seinen Weggang ausdrücken.«

»Das da draußen hört sich nicht gerade nach Bedauern an.«

»Du meine Güte, ohne Ihr journalistisches Gespür fürs Detail hätten wir das niemals gemerkt.«

Er rieb sich die Augen und wandte sich zum Bildschirm. Er legte die Finger auf die Tastatur und zögerte. »Mein Gott! Ich meine, was schreibt man denn da?«

»Fragen Sie nicht mich. Kannten Sie ihn gut?«

Lawrence schüttelte den Kopf. »Ich bin ab und zu mit ihm im selben Raum gewesen, das ist alles. Er war ein Trottel, nur durfte man das nicht sagen, weil er blind ist. Ich nehme an, er hat es nur deshalb so weit gebracht. Er beugte sich immer leicht nach vorn und hatte die Hand am Halsband seines Hundes. Seine Hand zitterte ein bisschen. Ich glaube, das war gespielt. Wenn er Blindenschrift las, zitterte er nicht.«

»Hört sich an, als würden Sie ihn auch nicht sonderlich vermissen.«

Lawrence zuckte die Achseln. »Ich habe ihn durchaus bewundert. Er war schwach und hat daraus eine Stärke gemacht. Ein ideales Vorbild für Loser wie mich.«

»Oh. Sie betreiben Selbstzerfleischung.«

»Ach ja?«

»Ja, aber das funktioniert nicht. Das haben Untersuchungen gezeigt. In den Umfragen tun Frauen nur so, als würde es ihnen gefallen.«

»Vielleicht tue ich auch nur so, als würde ich mich selbst zerfleischen. Vielleicht bin ich in Wirklichkeit ein Siegertyp. Vielleicht war es der Gipfel meiner persönlichen Ambitionen, die Pressehure des Innenministeriums zu werden.«

Er sagte das alles, ohne eine Miene zu verziehen. Er schaute mir in die Augen. Ich wusste nicht, wo ich hinsehen sollte.

»Kommen wir zurück zu meinem Artikel.«

»Ja«, sagte Lawrence. »Wer weiß, wohin das sonst noch führt.«

Ich spürte, wie das Adrenalin schmerzhaft durch meinen Körper schoss. Irgendwie hatten wir unmerklich eine Grenze überschritten. Wir hatten es beide zugegeben, wenn auch in relativ kontrollierter Form, so dass es immer noch ein Zurück gab. Doch da war es, wenn wir es wollten, hing zwischen uns wie an einer straff gespannten Nabelschnur: eine

Affäre zwischen Erwachsenen, winzig und doch schon vollständig geformt, mit all den verbotenen Stelldicheins und gedämpften Gefühlsausbrüchen und dem niederschmetternden Verrat, der schon im Keim angelegt war wie bei einem Fötus die Knospen für Finger und Zehen.

Ich weiß noch, wie ich auf die Teppichfliesen in seinem Büro hinunterschaute. Ich sehe sie noch mit hyperrealer Klarheit vor mir, jede noch so winzige graue Acrylfaser, die im Neonlicht glänzte, grob und schimmernd und eng gerollt, lasziv, obszön, das graue Schamhaar einer alternden Behörde. Ich starrte sie an, als hätte ich noch nie Teppichfliesen gesehen. Ich wollte Lawrence nicht in die Augen schauen.

»Bitte«, sagte ich. »Hören Sie auf.«

Lawrence blinzelte und neigte unschuldig den Kopf. »Womit?«

Dann war es plötzlich vorbei, fürs Erste.

Ich konnte wieder atmen. Die Neonröhre über uns summte laut.

»Warum musste der Innenminister zurücktreten?«

Lawrence zog die Augenbraue hoch. »Sagen Sie nicht, Sie wüssten das nicht. Ich dachte, Sie sind Journalistin.«

»Keine ernsthafte. *Nixie* hat etwa so viel Ahnung von Tagespolitik wie der *Economist* von Schuhen. Man weiß gerade das Nötigste.«

»Der Innenminister musste zurücktreten, weil er die Ausstellung eines Visums für das Kindermädchen seiner Geliebten beschleunigt hat.«

»Glauben Sie das wirklich?«

»Im Grunde ist es mir egal. Aber so dumm kam er mir eigentlich nicht vor. Hören Sie sich das an.«

Vor seiner Tür erklang noch immer Gelächter und Geschrei. Ich hörte, wie Papier zu einem Ball zerknüllt wurde. Füße schleiften über den Teppich. Die Kugel landete in einem metallenen Papierkorb.

»Sie spielen Flurfußball«, bemerkte Lawrence. »Die feiern tatsächlich.«

»Meinen Sie, es war eine Falle?«

Er seufzte. »Ich werde nie erfahren, was sie ihm angetan haben, Sarah. Dazu bin ich nicht auf der richtigen Schule gewesen. Meine Aufgabe besteht lediglich darin, dem Mann einen Abschiedsbrief zu schreiben. Wie würden Sie ihn formulieren?«

»Schwer zu sagen, wenn Sie ihn nicht richtig kannten. Ich denke, Sie sollten bei Allgemeinplätzen bleiben.«

Lawrence stöhnte. »Das liegt mir gar nicht. Ich bin ein Mensch, der wissen muss, wovon er spricht. Ich kann nicht irgendeinen Quatsch schreiben.«

Ich schaute mich in seinem Büro um.

»Mir geht's genauso«, sagte ich. »Ob es Ihnen nun gefällt oder nicht, Sie scheinen mein Interviewpartner geworden zu sein.«

»Und?«

»Sie machen es mir nicht gerade leicht.«

»In welcher Hinsicht?«

»Sie haben dieses Büro nicht besonders persönlich gestaltet, oder? Keine Golftrophäen, keine Familienfotos, nichts, was mir den geringsten Hinweis auf Sie als Mensch liefern könnte.«

Lawrence schaute zu mir hoch. »Dann müssen Sie wohl bei Allgemeinplätzen bleiben«, sagte er.

Ich lächelte. »Wie nett.«

»Danke vielmals.«

Wieder spürte ich das Adrenalin. »Sie passen eigentlich gar nicht hier rein, oder?«

»Hören Sie, ich bezweifle stark, dass ich morgen noch hier arbeiten werde, wenn mir nicht in den nächsten zwanzig Minuten etwas angemessen Unverbindliches einfällt, das ich meinem Ex-Chef schreiben kann.«

»Dann schreiben Sie etwas.«

»Mir fällt wirklich nichts ein.«

Ich seufzte. »Schade. Eigentlich sind Sie viel zu nett, um so ein Loser zu sein.«

Lawrence grinste. »Nun ja, und Sie sind schön genug, um sich so zu irren.«

Ich merkte, dass ich zurücklächelte. »Ein bisschen blond von mir, meinen Sie?«

»Hmm. Ich glaube aber, man kann die Ansätze sehen.«

»Ich halte Sie nicht für einen Loser, wenn Sie es unbedingt wissen wollen. Ich glaube, Sie sind nur unglücklich.«

»Ach ja? Sagt Ihnen das Ihr sechster Sinn für Emotionen?«

»Genau.«

Lawrence schloss flüchtig die Augen und schaute dann auf die Tastatur. Er wurde tatsächlich rot.

»Entschuldigung«, sagte ich. »Das hätte ich nicht sagen sollen. Ich habe mich hinreißen lassen, ich kenne Sie ja nicht mal, tut mir wirklich leid. Sie sehen verletzt aus.«

»Vielleicht tue ich auch nur so.«

Lawrence legte die Ellbogen an den Körper, zog sich vollkommen in sich zusammen und schien auf dem königsblau gepolsterten Drehstuhl in sich zu verschwinden. Er tippte eine Zeile. Er hatte eine billige Tastatur mit langem Anschlag, bei der die Tasten quietschten. Er blieb so lange reglos sitzen, dass ich hinter den Schreibtisch trat und ihm über die Schulter sah.

*Sie haben Ihr Bestes gegeben, und es wird sich erst in der Zukunft erweisen_*

Dieser unvollendete Satz stand ohne Auflösung oder Abschluss auf dem Bildschirm. Der Cursor blinkte am Ende der Zeile. Draußen auf der Straße kreischten Polizeisirenen. Er drehte sich zu mir. Sein Stuhl knarzte.

»Sagen Sie.«

»Ja?«

»Ist es Ihr Mann, der Sie unglücklich macht?«

»Wie bitte? Sie wissen doch gar nichts über meinen Mann.«

»Es war eines der ersten Dinge, die Sie zu mir gesagt haben. Über Ihren Mann und seine Meinungen. Warum hätten Sie ihn überhaupt erwähnen sollen?«

»Das Thema hat sich ergeben.«

»Nein, das haben Sie angeschnitten.«

Ich hielt mit offenem Mund inne und versuchte, mich zu erinnern, weshalb er im Unrecht war. Lawrence lächelte bitter, aber ohne Bosheit.

»Ich glaube, es liegt daran, dass Sie auch nicht sehr glücklich sind«, sagte er.

Ich trat rasch von seinem Schreibtisch weg – nun war es an mir, rot zu werden – und ging zum Fenster. Ich legte den Kopf an die kühle Scheibe und betrachtete das Alltagsleben unten auf der Straße. Lawrence stellte sich neben mich.

»Jetzt tut es mir leid. Ich nehme an, Sie werden mir sagen, ich solle die genaue Beobachtung den Journalisten überlassen.«

Ich lächelte unwillkürlich. »Wie ging der Satz, den Sie gerade schreiben wollten?«

»*Sie haben Ihr Bestes gegeben, und es wird sich erst in der Zukunft erweisen* … weiß nicht, ich wollte wohl sagen, *es wird sich erweisen, welche Früchte Ihre Arbeit tragen wird,* oder, *es wird sich erweisen, welchen Erfolg Ihre harte Arbeit zeitigen wird.* Etwas Offenes in dieser Richtung.«

»Oder Sie lassen ihn einfach, wie er ist.«

»Er ist aber nicht fertig.«

»Aber er ist ziemlich gut«, sagte ich. »Er hat uns so weit gebracht, oder?«

Der Cursor blinkte, und meine Lippen öffneten sich, und

wir küssten und küssten und küssten uns. Ich klammerte mich an ihn und flüsterte ihm ins Ohr.

Danach hob ich meinen Slip von den grauen Teppichfliesen auf und zog ihn unter dem Rock wieder an. Ich strich meine Bluse glatt, und Lawrence setzte sich an den Schreibtisch.

Ich schaute durchs Fenster auf eine Welt, die anders war als zuvor.

»Das habe ich noch nie gemacht«, sagte ich.

»Nein. Daran hätte ich mich erinnert.«

Er starrte eine geschlagene Minute auf den Bildschirm mit dem unvollendeten Satz und hämmerte dann, noch mit meinem Lippenstift am Mund, einen Punkt dahinter. *Sie haben Ihr Bestes gegeben, und es wird sich erst in der Zukunft erweisen.* Zwanzig Minuten später wurde der Brief in Blindenschrift übersetzt und in die Post gegeben. Seine Kollegen hatten sich nicht einmal die Mühe gemacht, ihn zu lesen.

Andrew rief an. Mein Handy klingelte in Lawrences Büro, und ich werde nie Andrews erste Worte vergessen: »Das ist fantastisch, Sarah. Die Geschichte wird wochenlang Schlagzeilen machen. Sie haben mich beauftragt, eine Artikelserie über den Sturz des Innenministers zu schreiben. Das ist eine Goldgrube. Sie haben mir ein eigenes Rechercheteam gegeben. Aber daran werde ich rund um die Uhr arbeiten müssen. Du kommst doch mit Charlie klar, oder?«

Ganz sanft drückte ich das Gespräch weg. Es war leichter, als Andrew die Veränderung in unserem Leben zu verkünden. Es war leichter, als zu erklären, dass unsere Ehe soeben, ganz versehentlich, durch einen Trupp Intriganten, die einen blinden Mann schikanierten, eine tödliche Wunde erlitten hatte.

Ich legte das Telefon weg und schaute Lawrence an. »Ich möchte dich wiedersehen.«

Unsere Affäre spielte sich während der Bürozeiten ab.

Lange Mittagspausen im kurzen Rock. Gestohlene Nachmittage in hübschen Hotels. Dann und wann sogar einmal ein Abend. Andrew legte Nachtschichten in der Redaktion ein, und wenn ich einen Babysitter bekam, konnten Lawrence und ich machen, was wir wollten. Gelegentlich dachte ich in einer Mittagspause, die sich bis zur Teezeit ausdehnte, mit einem Glas Weißwein in der Hand und Lawrence nackt neben mir, an all die Journalisten, die keine Führungen durchs Ministerium bekamen, an all die Medienfrühstücke, die nicht organisiert wurden, und an all die Presseerklärungen, die in Lawrences Computer warteten, wo der Cursor am Ende eines unvollendeten Satzes blinkte. *Dieses neue Ziel stellt einen weiteren bedeutenden Fortschritt im Regierungsprogramm der_*

Mahlzeiten, die während eines Flugzeugabsturzes serviert werden. Das war unsere Affäre. Lawrence und ich flohen vor unseren jeweiligen Tragödien zueinander, und sechs Monate lang gingen die britischen Uhren während der Bürostunden langsamer. Ich wünschte, ich könnte sagen, das sei alles gewesen. Nichts Ernsthaftes. Nichts Sentimentales. Nur eine gnädige Unterbrechung. Ein kurzes Blinken des Cursors, bevor wir die alten Geschichten wiederaufnahmen.

Aber es war herrlich. Ich schenkte mich Lawrence rückhaltlos, wie ich es bei Andrew nie getan hatte. Es geschah mühelos, ohne jede Anstrengung. Ich weinte, wenn wir uns liebten. Es passierte einfach; es war nicht gespielt. Ich hielt ihn fest, bis meine Arme wehtaten, und die Zärtlichkeit steigerte sich ins Unerträgliche. Ich ließ es ihn nie wissen. Ich ließ ihn auch nicht wissen, dass ich durch sein Blackberry scrollte, während er schlief, seine E-Mails las, seine Gedanken las. Als ich die Affäre begann, hätte es wohl jeder beliebige Mann sein können. Die Affäre war unvermeidlich, nicht der Mann. Doch allmählich begann ich ihn zu lieben. Mir wurde klar, dass eine Affäre zu haben ein relativ kleiner

Fehltritt war. Doch um Andrew tatsächlich zu entkommen, tatsächlich ich selbst zu werden, musste ich auch den letzten Schritt tun und mich verlieben. Und wieder kostete es mich keine Mühe, mich in Lawrence zu verlieben. Ich musste mich nur fallenlassen. *Ich bin dabei vollkommen sicher*, sagte ich mir. Die Psyche ist dafür geschaffen, den Schock eines solchen Sturzes aufzufangen.

Ich weinte noch immer, wenn wir uns liebten, doch nun weinte ich auch, wenn wir es nicht konnten.

Die Affäre zu verbergen bereitete mir allmählich Sorgen. Die eigentlichen Treffen hielt ich natürlich vor Andrew geheim und erwähnte Andrew oder dessen Arbeit niemals, wenn ich mit Lawrence zusammen war, damit er nicht neugierig wurde. Ich zog einen hohen Zaun um die Affäre. In Gedanken erklärte ich sie zum eigenen Hoheitsgebiet und wachte unbarmherzig über ihre Grenzen.

Die unbestreitbare Veränderung an mir konnte ich jedoch nicht so leicht verbergen. Ich fühlte mich *wunderbar*. Noch nie war ich weniger vernünftig, weniger ernsthaft, weniger »Surrey« gewesen. Meine Haut begann zu strahlen. Es war so offensichtlich, dass ich es mit Make-up zu verdecken suchte, vergeblich: Ich schimmerte förmlich vor *joie de vivre*. Ich ging wieder auf Partys, was ich zuletzt mit Anfang zwanzig gemacht hatte. Lawrence schmuggelte mich in alle Veranstaltungen des Innenministeriums. Der neue Innenminister liebte den Kontakt zu den Medien und verkündete gern bei Häppchen, wie hart er durchgreifen werde. Es gab unzählige Abendempfänge und Partys danach. Ich lernte ganz neue Leute kennen. Schauspieler, Maler, Unternehmer. Ich spürte ein Kribbeln, wie ich es seit meiner Begegnung mit Andrew nicht mehr erlebt hatte – ein Kribbeln, das dem Wissen entsprang, dass ich attraktiv war, dass ich unwiderstehlich war, dass ich halb trunken war vom Champagner und den strahlenden, lächelnden Gesichtern um mich herum, und ich begriff kichernd, dass plötzlich alles möglich war.

Daher hätte es mich nicht überraschen dürfen, als es passierte. Es war unvermeidlich, dass ich auf einer dieser Partys meinem Mann begegnete, zerknittert und rotäugig, direkt aus dem Büro. Andrew hasste Partys – ich nehme an, er war nur dort, um zu recherchieren. Lawrence machte uns sogar miteinander bekannt. Der Raum war voller Menschen. Musik, demonstrativ britische Musik, eine Band, die im Internet den großen Erfolg gelandet hatte. Lawrence, lachend, angeheitert vom Champagner, die Hand gewagt knapp über meinem Po.

»Oh, hi! Hi! Andrew O'Rourke, das ist Sarah Summers. Sie ist die Herausgeberin von *Nixie*. Andrew ist Kolumnist bei der *Times*, ein toller Schreiber, starke Meinungen. Ich bin sicher, ihr werdet euch gut verstehen.«

»Das hat der Priester auch gedacht«, sagte Andrew.

»Wie bitte?«

»Er war sicher, dass wir uns gut verstehen würden. Als er uns getraut hat.«

Andrew sprach leichthin, lächelte fast. Lawrence – der arme Lawrence – nahm rasch die Hand von meinem Rücken. Andrew bemerkte es. Er lächelte nicht mehr.

»Mit dir hatte ich nun wirklich nicht gerechnet, Sarah.«

»Nun. Ja. Ich. Oh. Es kam in letzter Minute. Das Magazin ... du weißt schon.«

Mein Körper verriet mich, ließ mich von den Fußknöcheln bis zum Scheitel erröten. Meine Kindheit, mein inneres Surrey, erwachte wieder zum Leben und dehnte rachsüchtig seine ländlichen Grenzen aus, um mein neues Leben zu annektieren. Ich schaute auf meine Schuhe. Schaute hoch. Andrew war noch da, stand ganz still da, ganz ruhig – ausnahmsweise waren ihm die Meinungen ausgegangen.

An diesem Abend standen wir auf dem leeren Fundament

am Ende des Gartens, wo Andrew sein Treibhaus bauen wollte, und sprachen davon, *unsere Ehe zu retten.* Schon dieser Satz ist unerträglich. Alles, was Andrew sagte, klang wie seine Kolumne in der *Times*, und alles, was ich sagte, hätte von der Ratgeberseite meines Magazins stammen können.

»Wann genau haben wir eigentlich vergessen, dass eine Ehe eine Entscheidung fürs Leben ist?«

»Ich habe mich so unausgefüllt gefühlt, so missachtet.«

»Glück kann man nicht einfach aus dem Regal nehmen, man muss daran arbeiten.«

»Du hast mich nicht ernst genommen. Ich habe mich einfach nicht geliebt und unterstützt gefühlt.«

»Vertrauen zwischen Erwachsenen muss mit viel Mühe aufgebaut werden, und es ist zerbrechlich, schwer zu reparieren.«

Es war eigentlich keine Auseinandersetzung, mehr etwas wie eine furchtbare Verwechslung in der Druckerei. Sie hörte erst auf, als ich einen Blumentopf nach ihm warf. Er prallte von seiner Schulter ab und zerbrach auf dem Beton. Andrew zuckte zusammen und ging weg. Er fuhr mit dem Auto davon und kam sechs Tage nicht nach Hause. Später fand ich heraus, dass er nach Irland geflogen war, um sich mit seinem Bruder nach Strich und Faden zu betrinken.

In jener Woche kam Charlie in den Kindergarten, und Andrew war nicht dabei. Ich hatte dafür einen Kuchen gebacken, allein abends in der Küche. Ich war es nicht gewöhnt, allein im Haus zu sein. Wenn Charlie schlief, war es ganz still. Ich hörte die Amseln in der Dämmerung singen. Es war schön ohne Andrews ständiges Gestänker und seine politischen Kommentare. Genau wie beim Unterton eines Dudelsacks, den man erst bemerkt, wenn er aufgehört hat, und dann entwickelt das Schweigen eine eigene greifbare Identität.

Ich weiß noch, dass ich gelbe Smarties auf die feuchte Glasur streute und dabei *Book of the Week* auf Radio 4 hörte, als ich vor lauter Verwirrung in Tränen ausbrach. Ich starrte auf meinen Kuchen: drei Schichten Bananen mit Bananenchips und Bananenglasur. Das war zwei Jahre vor Charlies Batman-Sommer. Mit zwei Jahren liebte er Bananen mehr als alles andere auf der Welt. Ich weiß noch, wie ich den Kuchen betrachtete und dachte: Ich bin so froh, Charlies Mutter zu sein. Was immer geschieht, darauf kann ich stolz sein.

Ich starrte den Kuchen an, der auf dem Gitter auf der Arbeitsplatte stand. Das Telefon klingelte.

Lawrence fragte: »Soll ich rüberkommen?«

»Was, jetzt? Zu mir *nach Hause*?«

»Du hast gesagt, Andrew sei weg.«

Ein Schauer überlief mich. »Du lieber Himmel. Ich meine, du weißt nicht mal, wo ich wohne.«

»Und, wo wohnst du?«

»In Kingston.«

»In vierzig Minuten bin ich da.«

»Nein, Lawrence ... nein.«

»Wieso denn nicht? Niemand wird es erfahren, Sarah.«

»Ich weiß nicht, aber ... lass mich bitte kurz nachdenken.«

Er wartete. Im Radio versprach die Ansagerin große Enthüllungen in der nächsten Sendung. Anscheinend hatten viele Leute falsche Vorstellungen davon, was man von der Steuer absetzen konnte, und darüber würde man sie nun aufklären. Ich bohrte die Fingernägel in die Handfläche und kämpfte verzweifelt gegen die Ahnung an, dass ein Abend im Bett mit Lawrence und einer Flasche Pouilly-Fumé aufregender sein könnte als Radio 4.

»Nein, es tut mir leid. Ich lasse dich nicht in mein Haus.«

»Warum denn nicht?«

»Weil *ich* das bin, Lawrence. Dein Haus ist deine Familie, und mein Haus ist meine Familie, und der Tag, an dem du in mein Haus kommst, ist der Tag, an dem unser Leben sich enger verknüpft, als mir lieb ist.«

Ich legte auf. Stand ein paar Minuten bewegungslos da und schaute aufs Telefon. Ich wollte Charlie beschützen, indem ich Lawrence auf Distanz hielt. Ich hatte richtig gehandelt. Es war alles kompliziert genug. Meiner Mutter hätte ich das wohl nie und nimmer erklären können – dass es Umstände gibt, unter denen wir Männern Einlass in unseren Körper gewähren, nicht aber in unser Haus. Mein Körper tat weh vom Klang seiner Stimme, und der Frust überwältigte mich, so dass ich schließlich zum Telefon griff und es wieder und wieder und wieder auf meinen perfekt verzierten Kuchen schmetterte. Als der Kuchen völlig zermatscht war, holte ich tief Luft, schaltete den Backofen ein und machte einen neuen.

Am nächsten Tag – Charlies erstem Tag im Kindergarten – fiel mein Zug aus, so dass ich zu spät von der Arbeit kam. Charlie weinte, als ich ihn abholte. Er war das letzte Kind im Kindergarten, saß heulend auf dem gebohnerten Boden und hämmerte mit seinen kleinen Fäusten gegen die Beine der Erzieherin. Als ich zu ihm ging, wollte er mich nicht ansehen. Ich schob ihn im Buggy nach Hause, setzte ihn auf den Tisch, dimmte das Licht und holte den Bananenkuchen mit den zwanzig brennenden Kerzen. Charlie vergaß, dass er schmollte, und lächelte. Ich küsste ihn und half ihm, die Kerzen auszupusten.

»Wünsch dir was!«, sagte ich.

Sein Gesicht verdüsterte sich wieder. »Will Papa.«

»Ehrlich, Charlie? Ganz ehrlich?«

Er nickte. Seine Unterlippe zitterte, und mein Herz zitterte mit. Nachdem er Kuchen gegessen hatte, kletterte er aus dem Hochstuhl und tapste davon, um mit Autos zu spielen. Ein komischer Gang, dieses Tapsen. Es war eher ein Taumeln bei meinem zweijährigen Sohn, jeder Schritt eine hastige Improvisation, ein Beinahe-Sturz, den er mehr durch Glück als durch richtige Einschätzung vermied. Ein Leben auf kurzen Beinen.

Als Charlie später im Bett lag, rief ich meinen Mann an.

»Charlie möchte dich zurückhaben, Andrew.«

Schweigen.

»Andrew?«

»Charlie will das?«

»Ja.«

»Und was willst du? Willst du mich auch zurück?«

»Ich will, was Charlie will.«

Andrews Lachen im Telefon – bitter, verächtlich. »Du weißt wirklich, wie man einem Mann was Nettes sagt.«

»Bitte. Ich weiß, wie sehr ich dich verletzt habe. Aber jetzt wird alles anders.«

»Das kannst du laut sagen.«

»Ich kann unseren Sohn nicht allein aufziehen, Andrew.«

»Nun, und ich kann meinen Sohn nicht mit einer Schlampe als Mutter aufziehen.«

Ich umklammerte das Telefon. Entsetzen stieg in mir auf. Andrew hatte nicht einmal die Stimme erhoben. *Mit einer Schlampe als Mutter.* Kalt, technisch, als hätte er auch *Ehebrecherin, Fremdgeherin* und *Narzisstin* erwogen, bevor er sich für den treffendsten Begriff entschied. Ich versuchte, meine Stimme zu beherrschen, hörte aber das Zittern darin.

»Bitte, Andrew. Es geht hier um dich und mich und Charlie. Ihr beide bedeutet mir so viel, das kannst du dir gar nicht vorstellen. Das mit Lawrence … tut mir so leid.«

»Warum hast du es getan?«

»Eigentlich hatte es gar nichts zu bedeuten. Es war nur Sex.« Die Lüge ging mir so mühelos über die Lippen, dass ich begriff, weshalb sie so beliebt war.

»*Nur* Sex? Das ist heutzutage üblich, oder? Sex ist eines der Wörter geworden, die man mit einem *nur* versehen kann. Möchtest du sonst noch etwas minimieren, Sarah? Nur Untreue? Nur Betrug? Dass du mir nur mein verdammtes Herz gebrochen hast?«

»Hör auf, bitte, hör auf! Was soll ich denn machen? Was soll ich tun, um es wieder in Ordnung zu bringen?«

Andrew antwortete, das wisse er nicht. Er weinte am Telefon. Dies waren zwei Dinge, die ich nicht von ihm kannte. Etwas nicht wissen und weinen. Als ich Andrew in der knisternden Leitung weinen hörte, musste ich auch weinen. Als wir beide fertig waren, herrschte Schweigen. In diesem Schweigen lag eine neue Nuance: das Wissen, dass es immerhin noch etwas gab, um das man weinen konnte. Diese Erkenntnis schwebte zwischen uns in der Leitung. Zaghaft, wie ein Leben, das noch geschrieben werden will.

»Bitte, Andrew. Vielleicht brauchen wir einen Tapetenwechsel. Einen Neuanfang.«

Pause. Er räusperte sich. »Ja. In Ordnung.«

»Wir müssen Abstand gewinnen. Wir müssen weg aus London und von unserer Arbeit und sogar von Charlie – wir können ihn ein paar Tage bei meinen Eltern lassen. Wir brauchen Urlaub.«

Andrew stöhnte. »Oh Gott. Urlaub?«

»Ja. Andrew. Bitte.«

»Himmel. Na schön. Wo?«

Ich rief ihn am nächsten Tag wieder an.

»Ich habe hier ein Werbegeschenk – Ibeno Beach in Nigeria, der Rückflug ist offen. Wir können am Freitag fliegen.«

»Diesen Freitag?«

»Du kannst deine Kolumne vorher abgeben und bist rechtzeitig für die nächste zurück.«

»Aber *Afrika*?«

»Es gibt einen Strand, Andrew. Hier regnet es, und dort

herrscht Trockenzeit. Na los, lass uns ein bisschen Sonne tanken.«

»Willst du wirklich nach Nigeria? Wieso nicht Ibiza oder die Kanaren?«

»Sei nicht so langweilig, Andrew. Es ist doch nur ein Strandurlaub. Wie schlimm kann das denn sein?«

Ernste Zeiten. Wenn sie erst herangerollt sind, hängen sie wie Kumuluswolken über einem. So war es auch bei mir und Andrew, nachdem wir aus Afrika zurückgekehrt waren. Erst Schock, dann Schuldzuweisungen. Dann die beiden furchtbaren Jahre mit seinen zunehmenden Depressionen und meiner Affäre mit Lawrence, die ich einfach nicht beenden konnte.

Ich muss wohl auch depressiv gewesen sein, die ganze Zeit über. Man reist hierhin und dorthin, will unter der Wolke weg, und nichts funktioniert, und dann begreift man irgendwann, dass man das Wetter mit sich herumgetragen hat. Das erklärte ich Little Bee an dem Nachmittag, an dem wir beide Batman aus dem Kindergarten abgeholt hatten. Ich saß mit ihr am Küchentisch und trank Tee.

»Weißt du was, Bee, ich habe über das nachgedacht, was du gesagt hast, dass du hierbleiben könntest. Dass wir einander helfen. Ich glaube, du hast recht. Wir beide müssen jetzt nach vorn blicken.«

Little Bee nickte. Batman spielte unter dem Tisch mit einer Batman-Actionfigur. Der kleinere Batman schien einen verzweifelten Kampf gegen eine halb volle Schüssel Cornflakes auszutragen. Ich fing an zu erklären, wie ich Little Bee helfen wollte.

»Zuerst werde ich versuchen, bei der Behörde den zuständigen Sachbearbeiter ausfindig zu machen – *Charlie, du sollst nicht mit dem Essen spielen* – den Sachbearbeiter ausfindig zu machen und festzustellen, wo deine Unterlagen aufbewahrt werden. Dann können wir – *bitte, Charlie, verstreu die Dinger nicht überall, wie oft muss ich dir das sagen* – dann können wir versuchen, gegen deinen rechtlichen Status Berufung einzulegen und so weiter. Ich habe mir das im Internet angesehen, und anscheinend – *Charlie! Bitte! Wenn ich den Löffel noch einmal aufheben muss, nehme ich dir die Batman-Figur weg* – und sofern wir eine befristete Aufenthaltserlaubnis für dich bekommen, kann man einen Einbürgerungstest arrangieren, der gar nicht so schwer ist – *Charlie! Herrgott noch mal! So, das reicht. Raus mit dir. Sofort! Raus aus der Küche, und komm zurück, wenn du wieder brav bist* – es geht nur um die englischen Könige und Königinnen und den Bürgerkrieg und so weiter, ich kann dir bei der Vorbereitung helfen, und dann – *oh, Charlie, oh du meine Güte, es tut mir leid, ich wollte dich nicht zum Weinen bringen. Tut mir leid, Batman. Es tut mir so leid. Komm her.*«

Batman wand sich aus meinen Armen. Seine Unterlippe bebte, und sein Gesicht wurde rot, und er heulte los, ergab sich ganz und gar seinem Kummer, wie es nur kleine Kinder und Superhelden können, ganz aufrichtig, in dem Wissen, dass das Elend unendlich und unersättlich ist. Little Bee streichelte Batmans Kopf, und er vergrub sein maskiertes Gesicht an ihrem Bein. Ich sah seinen kleinen Umhang beben, während er schluchzte.

»Oh Bee«, sagte ich. »Es tut mir leid, ich bin im Augenblick zu nichts zu gebrauchen.«

Sie lächelte. »Schon gut, Sarah, schon gut.«

Der Wasserhahn in der Küche tropfte. Um etwas zu tun, stand ich auf und drehte ihn fest zu, aber er tropfte weiter. Ich verstand nicht, weshalb mich das so fertigmachte.

»Bee«, sagte ich. »Wir müssen beide einen klaren Kopf bekommen. Wir können nicht zulassen, dass uns die Dinge einfach nur zustoßen.«

Später klopfte jemand an die Tür. Ich riss mich zusammen

und machte auf. Da stand Lawrence im Anzug, eine Reisetasche über der Schulter. Ich bemerkte seine Erleichterung und wie er unwillkürlich lächelte, als er mich sah.

»Ich wusste nicht, ob ich die richtige Adresse habe.«

»Da bin ich mir auch jetzt nicht sicher.«

Sein Lächeln verschwand. »Ich dachte, du freust dich.«

»Es geht nicht. Ich habe gerade meinen Mann beerdigt. Und was ist mit deiner Frau?«

Er zuckte mit den Schultern. »Ich habe Linda gesagt, ich müsste zu einem Managementseminar über Führungsqualitäten. In Birmingham. Drei Tage.«

»Meinst du, sie hat dir geglaubt?«

»Ich dachte, du könntest etwas Unterstützung gebrauchen.«

»Danke, die habe ich.«

Er schaute über meine Schulter zu Little Bee, die im Flur stand. »Das ist sie also.«

»Sie bleibt, so lange sie möchte.«

Lawrence senkte die Stimme. »Ist sie legal hier?«

»Das ist mir scheißegal. Dir nicht?«

»Ich arbeite fürs Innenministerium, Sarah. Es könnte mich meinen Job kosten, wenn ich weiß, dass du eine Illegale versteckst, und nichts unternehme. Theoretisch könnte ich sofort gefeuert werden, wenn ich auch nur den geringsten Zweifel hätte und dennoch durch diese Tür träte.«

»Hm ... dann lass es.«

Lawrence wurde rot, machte einen Schritt nach hinten und fuhr sich durchs Haar.

»Für mich ist das auch nicht angenehm, Sarah. Mir gefällt nicht, was ich für dich empfinde. Es wäre schön, wenn ich meine Frau liebte, und es wäre super, wenn ich nicht für die dunklen Mächte arbeitete. Ich wünschte, ich könnte so idealistisch sein wie du. Aber das bin ich nicht, Sarah. Ich kann es mir nicht leisten, so zu tun, als wäre ich jemand.

Ich bin nichts. Selbst meine Tarnung ist nichts. Drei Tage in Birmingham – Scheiße, ausgerechnet *Birmingham*! Um in einem Seminar etwas zu lernen, für das ich, wie jeder weiß, schlichtweg ungeeignet bin. Es ist so plausibel, dass es schon tragisch ist, oder? Das war mir klar, noch während ich es mir ausgedacht habe. Ich schäme mich nicht für meinen Ehebruch, Sarah. Ich schäme mich für die blöde Tarnung.«

Ich lächelte. »Jetzt fällt mir allmählich wieder ein, warum ich dich gernhabe. Niemand könnte dir vorwerfen, du wärst eingebildet.«

Lawrence blähte die Wangen auf und pustete traurig die Luft aus. »Die Beweise sprechen dagegen.«

Ich zögerte. Er griff nach meiner Hand. Ich schloss die Augen und spürte, wie mich meine Entschlossenheit verließ und in seiner glatten, kühlen Haut versickerte. Ich machte einen Schritt ins Haus. Taumelte fast.

»Du lässt mich also herein?«

»Gewöhn dich bloß nicht dran.«

Lawrence grinste, hielt aber auf der Schwelle inne. Er schaute zu Little Bee. Sie kam und trat dicht hinter mich.

»Keine Sorge«, sagte sie. »Sie können mich gar nicht sehen. Sie sind in Birmingham, und ich bin in Nigeria.«

Er lächelte flüchtig. »Ich frage mich, wer von uns beiden zuerst auffliegt.«

Wir gingen ins Wohnzimmer. Batman rammte sein rotes Feuerwehrauto in die Seite einer schutzlosen Familienlimousine. (In Charlies Welt scheint die Notfallversorgung fest in der Hand der Schurken zu sein.) Er blickte auf, als wir hereinkamen.

»Batman, das ist Lawrence. Lawrence ist ein Freund von Mama.«

Batman stand auf und ging zu Lawrence. Schaute ihn an. Seine Bat-Sinne mussten ihm etwas verraten haben. »Bist du mein neuer Papa?«

»Nein, nein, *nein*«, sagte ich.

Charlie sah verwirrt aus. Lawrence kniete sich hin, so dass er mit ihm auf einer Höhe war. »Nein, Batman, ich bin nur ein Freund deiner Mama.«

Batman legte den Kopf schief. Die Ohren seiner Kappe klappten zur Seite. »Bist du ein Guter oder ein Böser?«, fragte er langsam.

Lawrence stand grinsend auf. »Willst du das wirklich wissen, Batman? Ich glaube, ich bin einer von den unschuldigen Zuschauern, die in den Comics immer im Hintergrund zu sehen sind. Nur ein Mann aus der Menge.«

»Aber bist du ein Guter oder ein Böser?«

»Natürlich ein Guter«, erklärte ich. »Komm schon, Charlie. Du glaubst doch nicht, dass ich einen Bösen ins Haus lassen würde?«

Batman verschränkte die Arme und presste die Lippen in einer grimmigen Linie aufeinander. Keiner sagte etwas. Draußen hörte man die abendlichen Stimmen der Mütter, die normale Kinder zum Essen hereinriefen.

Nachdem ich Charlie ins Bett gebracht hatte, machte ich Abendessen. Lawrence und Little Bee saßen am Küchentisch. Als ich hinten im Schrank nach Pfeffer wühlte, entdeckte ich eine halbvolle Tüte Amaretti, die Andrew so geliebt hatte. Ich roch heimlich daran, hielt das Päckchen an die Nase, wobei ich Lawrence und Little Bee den Rücken zuwandte. Der süßliche, scharfe Geruch von Aprikosen und Mandeln erinnerte mich daran, wie Andrew in seinen schlaflosen Nächten durchs Haus gewandert war. In den frühen Morgenstunden kam er zurück ins Bett und roch nach diesen Keksen. Zum Ende hin lebte mein Mann nur noch von sechs Amaretti und einer Cipralex am Tag.

Ich hielt Andrews Kekse in der Hand. Ich spielte mit dem Gedanken, sie wegzuwerfen, doch ich konnte es nicht. Wie doppelzüngig die Trauer doch ist, dachte ich. Hier stehe ich, zu sentimental, etwas wegzuwerfen, das Andrew ein bisschen Trost verschafft hat, und koche gleichzeitig Abendessen für Lawrence. Plötzlich kam ich mir wie eine furchtbare Verräterin vor. Genau darum sollte man seinen Geliebten nicht ins Haus lassen, dachte ich.

Als das Essen fertig war – ein Champignonomelett, leicht angebrannt, weil ich an Andrew gedacht hatte –, setzte ich mich zu Lawrence und Little Bee an den Tisch. Es war furchtbar – sie sagten kein Wort, und mir wurde auf einmal klar, dass sie die ganze Zeit nicht miteinander gesprochen hatten, während ich kochte. Wir aßen schweigend, nur das Besteck klapperte. Schließlich seufzte Little Bee, rieb sich die Augen und ging nach oben ins Bett, das ich ihr im Gästezimmer zurechtgemacht hatte.

Ich warf die Teller in die Spülmaschine und die Bratpfanne ins Spülbecken.

»Was ist denn?«, fragte Lawrence. »Was habe ich getan?«

»Du hättest dich wenigstens bemühen können.«

»Nun, ja. Ich dachte, ich wäre heute Abend mit dir allein. Die Situation war nicht leicht für mich.«

»Sie ist mein Gast, Lawrence. Du könntest immerhin höflich sein.«

»Ich glaube, du weißt überhaupt nicht, in was du dich da verstrickst, Sarah. Ich glaube, dass es dir nicht guttut, das Mädchen hier zu haben. Wann immer du sie siehst, wirst du an das erinnert, was passiert ist.«

»Ich habe zwei Jahre lang verdrängt, was an jenem Strand geschehen ist. Ich habe es ignoriert, und es hat mich vergiftet. Andrew hat es genauso gemacht, und es hat ihn am Ende umgebracht. Ich lasse nicht zu, dass es auch mich und Charlie tötet. Ich werde Little Bee helfen und alles in Ordnung bringen, und dann kann ich mein Leben weiterleben.«

»Sicher, aber was willst du tun, um es in Ordnung zu bringen? Du weißt doch, wie die Zukunft dieses Mädchens höchstwahrscheinlich aussieht, oder? Man wird sie abschieben.«

»Ich bin sicher, dass es nicht so weit kommt.«

»Sarah, wir haben eine ganze Abteilung, die dafür sorgt, dass es sehr wohl dazu kommen wird. Nigeria gilt offiziell als ziemlich sicher, und sie gibt selber zu, dass sie hier keine Verwandten hat. Es gibt verdammt noch mal keinen Grund, sie hierzubehalten.«

»Aber ich muss es versuchen.«

»Die Bürokratie wird dich zermürben, und dann schicken sie sie trotzdem nach Hause. Du wirst verletzt. Du nimmst Schaden. Und das ist das Letzte, was du im Augenblick gebrauchen kannst. Du brauchst positive Einflüsse in deinem Leben. Du hast einen Sohn, den du jetzt allein großziehen musst. Du brauchst Menschen, die dir Energie geben, statt sie dir zu nehmen.«

»Und das wärst du?«

Lawrence sah mich an und beugte sich vor. »Ich möchte wichtig für dich sein, Sarah. Das wollte ich von dem Augenblick an, in dem du mit deinem Notizblock, auf dem du kein einziges Wort notiert hast, und deinem Diktiergerät, das nicht mal eingeschaltet war, in mein Leben getreten bist. Und ich habe dich nicht im Stich gelassen, oder? Trotz allem. Trotz meiner Frau und trotz deines Ehemanns und trotz aller anderen. Wir haben Spaß zusammen, Sarah. Ist es nicht das, was du willst?«

Ich seufzte. »Ich glaube wirklich nicht, dass es noch um Spaß geht.«

»Und, laufe ich jetzt weg? Es geht darum, dass wir tun, was für dich am besten ist. Ich werde nicht verschwinden, nur weil es auf einmal ernst wird. Aber du musst dich entscheiden. Ich kann dir nicht helfen, wenn du dich nur noch auf dieses Mädchen konzentrierst.«

Ich spürte, wie ich blass wurde. Ich sprach so ruhig und

gelassen wie möglich. »Verlange nicht, dass ich mich zwischen euch entscheide.«

»Ich verlange absolut nichts Derartiges. Ich will nur sagen, dass du dich zwischen deinem Leben und ihrem Leben entscheiden musst. Irgendwann musst du beginnen, an deine und Charlies Zukunft zu denken. Nächstenliebe ist wunderbar, Sarah, aber die Logik muss dir auch sagen, wo sie aufhört.«

Ich schlug mit meiner verstümmelten Hand auf den Tisch, die Finger gespreizt. »Ich habe mir für dieses Mädchen den Finger abgeschnitten. Willst du entscheiden, wo meine Logik etwas beenden muss, das so angefangen hat? Willst du wirklich, dass ich diese Entscheidung treffe? Ich habe mich von meinem verdammten Finger getrennt. Meinst du, ich würde mich nicht auch von dir trennen?«

Schweigen. Lawrence stand auf. Sein Stuhl scharrte über den Boden. »Es tut mir leid. Ich hätte nicht kommen sollen.«

»Nein, vielleicht nicht.«

Ich saß am Küchentisch und hörte, wie Lawrence seinen Mantel von der Garderobe nahm und nach der Reisetasche griff. Als ich die Tür gehen hörte, stand ich auf. Er war auf halber Höhe des Vorgartens, als ich sie öffnete.

»Lawrence?«

Er drehte sich um.

»Wohin gehst du? Du kannst nicht nach Hause.«

»Oh. Daran habe ich gar nicht gedacht.«

»Du bist angeblich in Birmingham.«

Er zuckte mit den Schultern. »Ich gehe ins Hotel. Das ist gut für mich. Ich werde ein Buch über Führungsqualitäten lesen. Womöglich lerne ich was dabei.«

»Oh, Lawrence, komm her.«

Ich streckte die Arme aus. Drückte mein Gesicht an seinen Hals und umarmte ihn, während er reglos dastand.

Ich atmete seinen Geruch ein und erinnerte mich an all die Nachmittage im Hotel, an denen wir uns aneinander berauscht hatten.

»Du bist wirklich ein Loser«, sagte ich.

»Ich komme mir furchtbar blöd vor. Ich hatte das alles so schön geplant. Ich hatte mir frei genommen, die Geschichte für Linda zusammengebastelt und sogar Spielsachen für die Kinder gekauft, falls ich sie auf dem Rückweg vergessen sollte. Alles war vorbereitet. Ich dachte, es wäre eine nette Überraschung für dich und ... na ja. Eine Überraschung war es jedenfalls, oder?«

Ich streichelte sein Gesicht. »Es tut mir leid. Es tut mir leid, dass ich so unfreundlich zu dir war. Danke, dass du gekommen bist. Bitte geh nicht ins Hotel, ich will nicht, dass du allein da sitzt, das könnte ich nicht ertragen. Bleib bitte hier.«

»Was? Jetzt?«

»Ja. Bitte.«

»Ich weiß nicht, ob das so eine gute Idee ist, Sarah. Vielleicht sollte ich einfach ein bisschen Abstand gewinnen und in Ruhe darüber nachdenken, was wir einander bedeuten. Was du vorhin gesagt hast, von wegen trennen ...«

»Hör auf, du hinterhältiger Mistkerl. Hör auf, bevor ich es mir anders überlege.«

Lawrence lächelte fast.

Ich verschränkte die Finger hinter seinem Nacken. »Eins habe ich vorhin nicht gesagt: Mich von dir zu trennen würde mehr wehtun, als mir den Finger abzuschneiden.«

Er starrte mich lange an und sagte dann: »Oh, Sarah.« Wir gingen nach oben, und erst als wir schon dabei waren, wurde mir klar, dass wir in dem Bett Sex hatten, das ich mit Andrew geteilt hatte. Ich konzentrierte mich auf Lawrence, vergrub mein Gesicht in dem weichen Haar auf seiner Brust, schälte ihn aus den Kleidern, und dann passierte irgendetwas – mein BH-Träger verfing sich irgendwo, Lawrences Gürtelschnalle hakte – ich weiß nicht mehr, was es war, aber es hemmte den Fluss, und da wurde mir bewusst, dass Lawrence auf Andrews Seite des Bettes lag, dass seine Haut es dort berührte, wo Andrews Haut es berührt hatte, dass sich Lawrences Rücken, glatt und heiß und schweißfeucht, über der Kuhle wölbte, die Andrew in der Matratze hinterlassen hatte. Ich zögerte – erstarrte. Lawrence spürte es wohl und machte weiter, schob sich auf mich. Ich war so dankbar, dass er uns ohne weiteres über diesen Moment hinweghalf. Ich zerfloss in der Glätte seiner Haut, dem Feingefühl seiner Bewegungen, seiner Leichtigkeit. Lawrence war groß, aber schmal gebaut. Er presste mein Becken nicht heftig zusammen, drückte mir nicht den Atem aus den Lungen, es war nicht wie mit Andrews überwältigender Schwerkraft, die mich beim Sex vor Resignation ebenso wie vor Vergnügen stöhnen ließ. Das liebte ich am Sex mit Lawrence – die herrliche, schwindelerregende Leichtigkeit. Doch an diesem Abend stimmte etwas nicht. Vielleicht lag es an Andrews Gegenwart, die diesen Raum so sehr durchdrang. Seine Bücher und Papiere waren noch überall, in Regale gestopft, in den Ecken verstreut, und als ich an Andrew dachte, fiel mir Little Bee ein. Lawrence lag mit mir im Bett, und ein Teil von mir dachte, *Oh!*, während ein anderer Teil daran dachte, dass ich am nächsten Morgen die Einwanderungsbehörde anrufen musste und Little Bees Papiere aufspüren und ihr einen Anwalt besorgen und ein Berufungsverfahren beantragen und …

Ich merkte, dass ich mich Lawrence nicht gänzlich hingeben konnte – jedenfalls nicht so rückhaltlos wie früher. Plötzlich erschien er mir zu leicht. Seine Finger berührten kaum meine Haut, als ob sie sich nicht mit meinem Körper befassten, sondern nur Linien in den feinen, unsichtbaren Staub zögen, in den Afrika mich gehüllt hatte. Und als er sein Gewicht auf mir verlagerte, war es, als würde ich von einer Sommerwolke oder einem Winterschmetterling geliebt – von einem Wesen jedenfalls, das nicht die Macht besaß, die Schwerkraft zu bezwingen und in diesem Augenblick zur absoluten Mitte zu werden.

»Was ist los, Sarah?«

Ich merkte, dass ich ganz starr dalag. »Oh, Himmel, es tut mir leid.«

Lawrence hörte auf und rollte sich auf den Rücken. Ich nahm seinen Penis in die Hand, doch ich spürte bereits, wie die Schlaffheit in ihn zurückkehrte.

»Bitte nicht«, sagte er.

Ich ergriff stattdessen seine Hand, doch er zog sie weg.

»Ich verstehe dich nicht, Sarah, ich verstehe dich wirklich nicht.«

»Tut mir leid. Es ist wegen Andrew. Es ist einfach noch zu früh.«

»Er hat uns nicht gehindert, als er noch lebte.«

Ich dachte darüber nach. Draußen in der Dunkelheit stieg ein Jet von Heathrow auf, und zwei Eulen riefen einander verzweifelt über das Dröhnen hinweg. Ihr Geschrei erhob sich schrill vor dem Heulen der Turbinen.

»Du hast recht. Es liegt nicht an Andrew.«

»Woran denn dann?«

»Ich weiß es nicht. Ich liebe dich, Lawrence, ganz ehrlich. Ich habe nur so viel im Kopf.«

»Wegen Little Bee?«

»Ja. Ich kann mich nicht entspannen. Es läuft alles immer und immer wieder in meinem Kopf ab.«

Lawrence seufzte. »Und was ist mit *uns*?«, fragte er. »Glaubst du, du wirst in absehbarer Zeit wieder Energie für uns übrig haben?«

»Natürlich werde ich das. Wir haben doch jede Menge Zeit, oder? Wir werden auch in sechs Wochen, sechs Monaten, sechs Jahren noch hier sein. Wir haben Zeit, um das alles zu verarbeiten. Wir haben Zeit, um herauszufinden, wie wir zusammen sein können, nun da Andrew nicht mehr da ist. Aber Little Bee hat diese Zeit nicht. Das hast du selbst gesagt. Wenn ich ihr nicht helfen kann, wird man sie finden und abschieben. Und dann ist sie weg, fertig, aus. Welche Zukunft hätten wir dann? Ich könnte dich nicht ansehen, ohne zu denken, dass ich mehr für sie hätte tun müssen. Soll das wirklich unsere Zukunft sein?«

»Mein Gott. Warum kannst du nicht wie andere Leute sein und dich einen Scheiß darum kümmern?«

»Langbeinige Blondine, mag Musik und Filme, sucht solventen Ihn für Freundschaft und mehr?«

»Na gut. Ich bin froh, dass du keine von denen bist. Aber ich möchte dich auch nicht an ein Flüchtlingsmädchen verlieren, das ohnehin keine Chance hat, hier zu bleiben.«

»Oh, Lawrence. Du wirst mich nicht verlieren. Aber du musst mich womöglich eine Weile mit ihr teilen.«

Er lachte.

»Was ist?«

»Na ja, ist doch klassisch, oder? Diese Einwanderer kommen her, nehmen uns unsere Frauen weg ...«

Lawrence lächelte, aber ich bemerkte, wie wachsam seine Augen blickten, wie undurchdringlich, und ich fragte mich, wie lustig er seinen Scherz wirklich fand. Es war seltsam, ihm gegenüber diese Ungewissheit zu spüren. Er hatte nie zuvor in irgendeiner Weise kompliziert gewirkt. Dann wurde mir klar, dass ich bisher auch keine komplizierten Gefühle in ihn investiert hatte. Vielleicht lag es an mir. Ich entspannte mich und lächelte zurück. Dann küsste ich ihn auf die Stirn.

»Danke. Danke, dass du es mir nicht schwerer gemacht hast, als es schon ist.«

Lawrence schaute mich an, und sein Gesicht war schmal

und traurig im orangefarbenen Licht der Straßenlaternen, das durch die gelben Seidenrollos drang. Das Flattern in meinem Magen überraschte mich, und ich merkte, dass sich die Härchen an meinen Armen sträubten.

»Sarah«, sagte er, »ich glaube ehrlich nicht, dass du weißt, wie schwer es ist.«

7

Sarah erzählte mir, weshalb sie die Affäre mit Lawrence begonnen hatte. Es war nicht schwer zu verstehen. Wir alle versuchen, in dieser Welt frei zu sein. Für mich bedeutet Freiheit einen Tag, an dem ich mich nicht davor fürchten muss, dass die Männer kommen, um mich zu töten. Für Sarah ist Freiheit eine lange Zukunft, in der sie das Leben ihrer Wahl leben kann. Ich halte sie nicht für schwach oder dumm, weil sie das Leben lebt, in das sie geboren wurde. Ein Hund muss ein Hund sein und ein Wolf ein Wolf – so lautet ein Sprichwort bei mir zu Hause.

Eigentlich sagen wir das gar nicht bei mir zu Hause. Warum sollten wir ein Sprichwort über Wölfe haben? Bei uns gibt es zweihundert Sprichwörter über Affen und dreihundert über Cassava. Wir sagen Kluges über die Dinge, die wir kennen. Aber mir ist aufgefallen, dass ich in eurem Land alles sagen kann, solange ich hinzufüge: *So lautet ein Sprichwort bei mir zu Hause.* Dann nicken die Leute und schauen ernst drein. Es ist ein guter Trick. Für Sarah ist Freiheit eine lange Zukunft, in der sie das Leben ihrer Wahl leben kann. Ein Hund muss ein Hund sein und ein Wolf ein Wolf und eine Biene eine Biene. Für ein Mädchen wie mich bedeutet Freiheit, einen Tag nach dem anderen lebend zu überstehen.

Die Zukunft ist noch eine andere Sache, die ich den Mädchen bei mir zu Hause erklären müsste. Die Zukunft ist der wichtigste Exportartikel meines Landes. Sie verschwindet so schnell über unsere Seehäfen, dass die meisten meiner Leute sie nicht kennen und gar nicht wissen, wie sie aussieht. In meinem Land besteht die Zukunft aus Goldnuggets, die in den Felsen versteckt sind, oder sie liegt in dunklen Reservoirs tief unter der Erde. Unsere Zukunft verbirgt sich vor dem Licht, aber eure Leute kommen zu uns mit dem Talent, sie ausfindig zu machen. Auf diese Weise wird unsere Zukunft Stück für Stück zu eurer Zukunft. Ich bewundere eure Zauberkunst, weil sie so subtil und vielfältig ist. In jeder Generation ist der Förderprozess anders. Es stimmt, dass wir naiv sind. In meinem Dorf waren wir beispielsweise überrascht, dass man die Zukunft in 42-Gallonen-Fässer pumpen und in eine Raffinerie abtransportieren kann. Es geschah, während wir das Abendessen zubereiteten, während sich in der goldenen Abendsonne blauer Holzrauch mit dem dichten Dampf aus den Cassava-Töpfen mischte. Es geschah so schnell, dass die Frauen uns Kinder packen und mit uns in den Dschungel laufen mussten. Dort versteckten wir uns und hörten die Schreie der Männer, die zurückgeblieben waren, um zu kämpfen – unterdessen wurde in der Raffinerie durch einen Destillationsprozess die Zukunft meines Dorfes in ihre einzelnen Bestandteile zerlegt. Der schwerste Bestandteil, die Weisheit unserer Großeltern, wurde benutzt, um eure Straßen zu teeren. Die mittleren Bestandteile, die wohlgehüteten Ersparnisse unserer Mütter, die kleinen Münzen, die sie nach der Ernte beiseitegelegt hatten, wurden benutzt, um eure Autos anzutreiben. Und der leichteste Bestandteil von allen – die fantastischen Träume, die uns Kinder in den stillsten Stunden der Vollmondnächte besuchten – wurde zu einem Gas, das ihr in Tanks gefüllt und für den Winter eingelagert habt. Auf diese Weise halten unsere Träume euch warm. Da sie ein Teil eurer Zukunft geworden sind, werfe ich euch nicht vor, dass ihr sie benutzt. Vermutlich wisst ihr nicht einmal, woher sie kommen.

Ihr seid keine schlechten Menschen. Ihr seid blind für die Gegenwart, und wir sind blind für die Zukunft. Im Abschiebegefängnis musste ich lächeln, wenn mir die Vollzugsbeamten erklärten: *Ihr Afrikaner kommt doch nur her, weil ihr nicht fähig seid, eine vernünftige Regierung zu bilden.* Ich erwiderte, dass es in der Nähe meines Dorfes einen breiten, tiefen Fluss mit dunklen Höhlen in den Ufern gab, wo Fische lebten, die blass und blind waren. Da es kein Licht in ihren Höhlen gab, hatte sich die Fähigkeit zu sehen nach tausend Generationen aus ihrer Spezies herausgefiltert. *Versteht ihr, was ich meine?*, fragte ich die Vollzugsbeamten. *Wie kann man ohne Licht seine Sehfähigkeit bewahren? Wie kann man ohne Zukunft die Vision einer Regierung bewahren? In meiner Welt können wir uns noch so sehr bemühen. Wir könnten ein überaus fleißiges Ministerium für die Mittagspause haben. Wir könnten einen exzellenten Premierminister für den ruhigsten Teil des Spätnachmittags haben. Doch wenn die Dämmerung kommt – versteht ihr? – verschwindet unsere Welt. Sie kann nicht über den Tag hinaus blicken, weil ihr das Morgen mitgenommen habt. Und weil ihr das Morgen vor euren Augen habt, könnt ihr nicht sehen, was heute geschieht.*

Die Vollzugsbeamten lachten mich aus und schüttelten den Kopf und lasen weiter Zeitung. Manchmal gaben sie mir danach die Zeitung. Ich las gern eure Zeitungen, weil es mir wichtig war, eure Sprache so zu lernen, wie ihr sie sprecht. Wenn eure Zeitungen von dem Land erzählen, aus dem ich komme, nennen sie es *Entwicklungsland.* Ihr sprecht von Entwicklung, weil ihr glaubt, dass ihr uns eine Zukunft gelassen habt, in der wir uns entwickeln können. Daher weiß ich, dass ihr keine schlechten Menschen seid.

In Wirklichkeit habt ihr uns eure alten Gegenstände zurückgelassen. Wenn ihr an meinen Kontinent denkt, denkt ihr vielleicht an das Leben in der Wildnis – an Löwen und Hyänen und Affen. Wenn ich daran denke, denke ich an all die kaputten Maschinen, an die verschlissenen, zerstörten, zerschmetterten und geborstenen Dinge. Ja, bei uns gibt es Löwen. Sie schlafen auf den Dächern rostiger Container. Es gibt auch Hyänen. Sie zerbrechen die Schädel von Männern, die zu langsam waren, um vor ihren eigenen Truppen davonzulaufen. Und die Affen? Die Affen spielen draußen am Rand des Dorfes auf einem Berg alter Computer, die ihr geschickt habt, um unsere Schule zu unterstützen – die Schule, die keine Elektrizität hat.

Aus meinem Land habt ihr die Zukunft mitgenommen, und in mein Land habt ihr Gegenstände aus eurer Vergangenheit geschickt. Wir haben nicht den Samen, nur die Kapsel. Wir haben nicht den Geist, nur den Schädel. Ja, den Schädel. Daran würde ich denken, wenn ich meiner Welt einen besseren Namen geben sollte. Wenn der Premierminister für den ruhigsten Teil des Spätnachmittags mich eines Tages anriefe und sagte: *Little Bee, dir wird die große Ehre zuteil, unserem alten und geliebten Kontinent einen Namen zu geben*, würde ich sagen: *Sir, unsere Welt sollte Golgatha heißen, die Schädelstätte.*

Das wäre ein guter Name für mein Dorf gewesen, auch schon bevor die Männer kamen, um unsere Hütten niederzubrennen und nach Öl zu bohren. Es wäre ein guter Name für die Lichtung um den Limba-Baum gewesen, wo wir Kinder auf dem alten Autoreifen schaukelten und auf den Sitzen des kaputten Peugeot und des kaputten Mercedes herumhüpften, die meinem Vater und meinem Onkel gehörten, den Sitzen, aus denen die Sprungfedern hervorschauten, und wo wir Kirchenlieder aus einem Gesangbuch mit fehlendem Einband sangen. Golgatha war die Stätte, an der ich aufwuchs, wo sogar die Missionare ihre Mission zugenagelt und uns mit den heiligen Büchern zurückgelassen hatten, die es nicht wert waren, mit zurück in euer Land genommen zu werden. In der einzigen Bibel unseres Dorfes fehlten alle Seiten nach dem 46. Vers des 27. Kapitels des Matthäus-Evangeliums, so dass die Religion für uns mit den Worten endete: *Mein Gott, mein Gott, warum hast du mich verlassen?*

So lebten wir, glücklich und ohne Hoffnung. Ich war damals noch sehr klein und vermisste die Zukunft nicht, weil ich nicht wusste, dass mir eine zustand. Den Rest der Welt kannten wir nur aus eurem uralten Film. Mit Männern, die es sehr eilig hatten, manchmal in Flugzeugen und manchmal auf Motorrädern und manchmal kopfüber.

Nachrichten bezogen wir nur vom Golgatha TV, dessen Programm man selbst mühsam zusammenstellen musste. Von unserem Fernseher gab es nur noch den Holzrahmen, in dem sich einmal der Bildschirm befunden hatte, und dieser Rahmen stand im roten Staub unter dem Limba-Baum, und meine Schwester Nkiruka steckte den Kopf in den Rahmen, um die Filme zu machen. Das ist ein guter Trick. Ich weiß jetzt, dass wir es *Reality-TV* hätten nennen sollen.

Meine Schwester rückte die Schleife an ihrem Kleid zurecht, steckte sich eine Blume ins Haar, lächelte durch den Bildschirm und sagte: *Hallo, hier sind die Nachrichten der britischen BBC. Heute wird es Eiscreme vom Himmel regnen, und niemand muss zum Fluss gehen und Wasser holen, weil die Ingenieure aus der Stadt kommen und eine Leitung mitten durchs Dorf legen.* Wir anderen Kinder saßen im Halbkreis um den Fernseher und schauten zu, wie Nkiruka die Nachrichten verkündete. Wir liebten diese leichtesten Bestandteile ihrer Träume. Im angenehmen Schatten des Nachmittags keuchten wir auf vor Entzücken und sagten *Wah!*

Ein Vorteil der verlassenen Welt ist, dass man dort mit

dem Fernseher sprechen kann. Wir anderen Kinder riefen Nkiruka zu:

– Wann genau kommt der Eiscremeregen?

– Am frühen Abend natürlich, wenn es kühler ist.

– Woher wissen Sie das, Madam Fernsehansagerin?

– Weil es kühl genug sein muss, sonst würde die Eiscreme ja schmelzen. Wisst ihr Kinder denn gar nichts?

Und wir Kinder lehnten uns zurück und nickten einander zu – ganz klar musste es erst kühl genug werden. Wir waren sehr zufrieden mit den Fernsehnachrichten.

Den gleichen Trick kann man auch in eurem Land mit dem Fernseher machen, aber es ist schwieriger, weil der Fernseher nicht zuhört. An dem Morgen, nachdem Lawrence die erste Nacht in Sarahs Haus verbracht hatte, wollte Charlie den Fernseher einschalten. Ich hörte, wie er wach wurde, als Sarah und Lawrence noch schliefen, und ging in sein Zimmer. Ich sagte: *Guten Morgen, kleiner Bruder, möchtest du frühstücken?* Er sagte: *Nein, will nicht frühstücken, will fernsehen.* Also fragte ich: *Findet deine Mama es in Ordnung, wenn du vor dem Frühstück fernsiehst?* Charlie schaute mich an, und seine Augen waren sehr geduldig, wie die eines Lehrers, der dir schon dreimal eine Antwort gesagt hat, die du immer wieder vergisst. *Mama schläft doch noch*, sagte er.

Also schalteten wir den Fernseher ein. Wir schauten uns die Bilder ohne Ton an. Gerade liefen die Morgennachrichten der BBC, und es wurde der Premierminister gezeigt, der eine Rede hielt. Charlie legte den Kopf auf die Seite. Seine Batman-Ohren klappten um.

Er fragte: »Das ist der Joker, oder?«

»Nein, Charlie. Das ist der Premierminister.«

»Ist der ein Guter oder ein Böser?«

Ich musste überlegen. »Die Hälfte der Leute meint, dass er ein Guter ist, und die andere Hälfte, dass er ein Böser ist.«

Charlie kicherte. »Das ist blöd.«

»Das ist Demokratie. Wenn du sie nicht hättest, würdest du sie dir wünschen.«

Wir saßen da und schauten den Lippenbewegungen des Premierministers zu.

»Was sagt er denn?«

»Er sagt, dass er es Eiscreme regnen lässt.«

Charlie schoss zu mir herum: »*Wann denn?*«

»Gegen drei Uhr nachmittags, wenn das Wetter kühl genug ist. Er sagt auch, dass junge Leute, die vor den Schwierigkeiten in anderen Ländern weglaufen, in diesem Land bleiben dürfen, solange sie hart arbeiten und keine Probleme bereiten.«

Charlie nickte. »Ich glaube, der Premiermister ist ein Guter.«

»Weil er nett zu Flüchtlingen ist?«

Charlie schüttelte den Kopf. »Wegen dem Eiscremeregen.«

Von der Tür ertönte ein Lachen. Ich drehte mich um und sah Lawrence dort stehen. Er trug einen Bademantel und war barfuß. Ich wusste nicht, wie lange er uns schon zugehört hatte.

»Nun, jedenfalls wissen wir, wie wir an die Stimme dieses Jungen kommen.«

Ich schaute zu Boden. Es war mir peinlich, dass er dort gestanden hatte.

»Oh, sei doch nicht so schüchtern«, sagte er. »Du gehst toll mit Charlie um. Komm frühstücken.«

»Okay. Batman, möchtest du auch frühstücken?«

Charlie starrte Lawrence an und schüttelte den Kopf. Ich schaltete durch die Fernsehsender, bis wir einen gefunden hatten, den Charlie mochte, und ging in die Küche.

»Sarah schläft noch«, sagte Lawrence. »Ich denke, sie braucht Ruhe. Tee oder Kaffee?«

»Danke, Tee.«

Lawrence kochte Wasser und machte Tee für uns beide. Er stellte meinen Tee vor mich hin, ganz vorsichtig, und drehte den Henkel zu meiner Hand. Dann setzte er sich mir gegenüber und lächelte. Die Sonne erhellte die Küche. Es war ein dickes Gelb, ein warmes Licht, aber nicht angeberisch. Es wollte nicht den Ruhm für die Beleuchtung des Raums einheimsen. Es ließ jeden Gegenstand aussehen, als erglühte er aus sich selbst heraus. Lawrence, der Tisch mit dem sauberen blauen Tischtuch, sein orangefarbener Teebecher und mein gelber – all das erglühte von innen. Das Licht stimmte mich sehr fröhlich. Ein guter Trick, dachte ich bei mir.

Doch Lawrence war ernst. »Hör zu. Ich glaube, wir müssen uns über deine Lage unterhalten. Ich sage es klar und deutlich. Ich finde, du solltest zur nächsten Polizeiwache gehen und dich dort melden. Ich finde es nicht richtig, dass du Sarah dem Stress aussetzt, dir Unterschlupf zu gewähren.«

Ich lächelte. »Unterschlupf? Das ist ein lustiges Wort.«

»Das ist überhaupt nicht komisch.«

»Keiner sucht nach mir. Warum sollte ich zur Polizei gehen?«

»Ich finde es nicht richtig, dass du hier bist. Ich glaube, Sarah tut das im Augenblick nicht gut.«

Ich blies auf meinen Tee. Der Dampf stieg in die stille Luft der Küche und erglühte. »Glauben Sie, dass Sie Sarah im Augenblick guttun?«

»Ja. Ja, das glaube ich.«

»Sie ist ein guter Mensch. Sie hat mir das Leben gerettet.«

Lawrence lächelte. »Ich kenne Sarah sehr gut. Sie hat mir die ganze Geschichte erzählt.«

»Dann wissen Sie also, dass ich nur hier bin, um ihr zu helfen.«

»Ich bin nicht davon überzeugt, dass sie deine Art von Hilfe braucht.«

»Ich bin die Art von Hilfe, die sich um ihr Kind kümmert, als wäre es mein eigener Bruder. Ich bin die Art von Hilfe, die ihr Haus sauber macht und ihre Kleider wäscht und ihr vorsingt, wenn sie traurig ist. Welche Art von Hilfe sind Sie, Lawrence? Vielleicht die Art von Hilfe, die nur kommt, wenn sie Geschlechtsverkehr möchte.«

Lawrence lächelte wieder. »Ich weigere mich, beleidigt zu sein. Du gehörst zu den Frauen, die komische Vorstellungen von Männern haben.«

»Ich gehöre zu den Frauen, die gesehen haben, wie Männer Dinge tun, die nicht komisch sind.«

»Oh, bitte. Wir sind in Europa. Hier sind wir ein bisschen besser erzogen.«

»Anders als wir, meinen Sie?«

»Wenn du so willst.«

Ich nickte. »Ein Wolf muss ein Wolf sein und ein Hund ein Hund.«

»Sagt man so bei dir zu Hause?«

Ich lächelte.

Lawrence runzelte die Stirn. »Ich verstehe dich nicht. Ich glaube, du bist dir über den Ernst deiner Lage nicht im klaren. Sonst würdest du nicht lächeln.«

Ich zuckte mit den Schultern. »Wenn ich nicht lächeln könnte, wäre meine Lage wohl noch ernster.«

Wir tranken Tee, und er beobachtete mich, und ich beobachtete ihn. Er hatte grüne Augen, grün wie die Augen des Mädchens im gelben Sari an dem Tag, als sie uns aus dem Abschiebegefängnis entließen. Er beobachtete mich, ohne zu blinzeln.

»Was werden Sie tun?«, fragte ich. »Was werden Sie tun, wenn ich nicht zur Polizei gehe?«

»Ob ich dich selbst anzeigen werde, meinst du?«

Ich nickte. Lawrence klopfte mit den Fingern gegen seinen Teebecher.

»Ich werde das tun, was für Sarah am besten ist.«
Die Angst raste durch meinen Körper bis in den Bauch.
Ich sah seine Finger klopfen. Seine Haut war weiß wie die Eierschale eines Seevogels und auch so zerbrechlich. Er hatte die Finger um den Teebecher gelegt. Er hatte lange, glatte Finger, und sie schlossen sich um das orangefarbene Porzellan, als wäre es ein kleines Tier, das etwas Törichtes tun würde, wenn man es entkommen ließe.

»Sie sind ein vorsichtiger Mann, Lawrence.«

»Ich versuche es jedenfalls.«

»Warum das?«

Lawrence lachte kurz auf. »Sieh mich doch an. Ich bin nicht gerade brillant. Ich sehe nicht atemberaubend gut aus. Eigentlich kann man von mir nur sagen, dass ich eins fünfundachtzig und nicht vollkommen dämlich bin. Einem Mann wie mir wirft das Leben nicht gerade viele Rettungsleinen zu, also halte ich die, die ich habe, fest.«

»Wie Sarah?«

»Ich liebe Sarah. Du kannst dir nicht vorstellen, wie viel sie mir bedeutet. Abgesehen von ihr ist mein Leben beschissen. Ich arbeite für die entsetzlichste, herzloseste Bürokratie überhaupt; mein Job ist absolut sinnlos, und mein Chef treibt mich irgendwann in den Selbstmord, ganz ehrlich. Wenn ich nach Hause komme, quengeln die Kinder, und Linda schwätzt endlos über nichts und wieder nichts. Nur wenn ich mit Sarah zusammen bin, habe ich das Gefühl, etwas zu tun, das ich mir selbst ausgesucht habe. Nur dann kann ich ich selbst sein. Auch jetzt, wo wir hier miteinander reden. Ich meine, es ist doch irre, dass wir beide in einer ganz normalen englischen Küche miteinander reden. Es ist unglaublich. Es ist eine Million Meilen von allem entfernt, was in meinem Leben passieren könnte, und der Grund dafür ist nur Sarah.«

»Sie machen sich Sorgen, ich könnte Ihnen Sarah wegnehmen. Darum wollen Sie mich nicht hier haben. Es geht gar nicht darum, was das Beste für sie ist.«

»Ich mache mir Sorgen, dass Sarah etwas Dummes tun könnte, um dir zu helfen. Ihre Prioritäten verändern, ihr Leben stärker verändern, als es im Augenblick gut für sie ist.«

»Und Sie machen sich Sorgen, sie könnte Sie in ihrem neuen Leben vergessen.«

»Schon gut, ja. Aber du kannst dir nicht vorstellen, was aus mir würde, wenn ich Sarah verlöre. Ich würde zusammenbrechen. Anfangen zu trinken. Zack. Es wäre mein Ende. Das macht mir Angst, selbst wenn du es vermutlich jämmerlich findest.«

Ich trank von meinem Tee. Kostete ihn sehr vorsichtig. Ich schüttelte den Kopf. »Es ist nicht jämmerlich. In meiner Welt wird man vom Tod gejagt. In Ihrer Welt flüstert er einem ins Ohr, man soll sich selbst zerstören. Ich weiß das, weil er mir ins Ohr geflüstert hat, als ich im Abschiebegefängnis war. Tod bleibt Tod, vor ihm haben wir alle Angst.«

Lawrence drehte den Teebecher unablässig in den Händen. »Läufst du wirklich vor dem Tod davon? Ganz ehrlich? Viele Leute kommen her, weil sie sich ein angenehmes Leben wünschen.«

»Wenn ich nach Nigeria abgeschoben werde, verhaftet man mich. Wenn sie erfahren, wer ich bin und was ich gesehen habe, werden die Politiker einen Weg finden, um mich zu töten. Wenn ich Glück habe, stecken sie mich ins Gefängnis. Viele Leute, die gesehen haben, was die Ölfirmen machen, müssen lange ins Gefängnis. In nigerianischen Gefängnissen passieren schlimme Sachen. Wenn die Leute überhaupt jemals rauskommen, wollen sie nicht darüber reden.«

Lawrence schüttelte langsam den Kopf und schaute in seinen Tee. »Du erzählst mir das alles, aber es kommt mir unwahrscheinlich vor. Wenn ich dich so anschaue – du würdest schon irgendwie durchkommen. Für mich wäre es eine Kleinigkeit, dich bei der Polizei zu melden. Ich könnte einfach die Straße runtergehen und es tun. Dann hätte ich mein Leben zurück, einfach so.«

»Und was ist mit meinem Leben?«

»Das ist nicht mein Problem. Ich kann nicht die Verantwortung für alle Probleme dieser Welt übernehmen.«

»Auch nicht, wenn Ihr Leben mich tötet?«

»Hör mal, was immer mit dir geschieht, wird geschehen, egal ob ich etwas unternehme oder nicht. Dies ist nicht dein Land. Sie werden dich holen, das kann ich dir versichern. Am Ende holen sie euch alle.«

»Sie könnten mich verstecken.«

»Klar, so wie sie Anne Frank versteckt haben. Das hat ihr viel genützt.«

»Wer ist Anne Frank?«

Lawrence schloss die Augen, verschränkte die Hände hinter dem Kopf und seufzte. »Auch ein Mädchen, das nicht mein Problem war.«

Ich spürte, wie der Zorn in mir explodierte, so heftig, dass meine Augäpfel schmerzten. Ich schlug mit der Hand auf den Tisch, dass Lawrence die Augen aufriss.

»Sarah würde Sie hassen, wenn Sie der Polizei von mir erzählen!«

»Sarah würde nichts davon erfahren. Ich habe gesehen, wie die Einwanderungsbehörde arbeitet. Sie kommen dich nachts holen. Du hättest gar keine Zeit, es Sarah zu erzählen. Kein Wort könntest du ihr sagen.«

Ich stand auf. »Ich würde einen Weg finden. Ich würde einen Weg finden, um ihr zu sagen, was Sie getan haben. Und ich würde auch einen Weg finden, es Linda zu sagen. Ich würde Ihre beiden Leben kaputtmachen, Lawrence. Ihr Familienleben und Ihr geheimes Leben.«

Lawrence wirkte überrascht. Er stand auf und ging in der

Küche hin und her. Er fuhr sich mit den Händen durchs Haar. »Ja, ich glaube, das würdest du wirklich.«

»Und ob. Bilden Sie sich nicht ein, ich würde Ihnen verzeihen, Lawrence. Ich würde dafür sorgen, dass es wehtut.« Er sah in den Garten hinaus. »Oh.«

Ich wartete ab. Nach einer ganzen Weile sagte er: »Es ist komisch. Ich habe die ganze Nacht wach gelegen und über dich nachgedacht. Darüber, was am besten für Sarah und am besten für mich wäre. Ich habe ehrlich nicht darüber nachgedacht, was *du* tun würdest. Das hätte ich wohl tun sollen. Ich bin einfach nicht davon ausgegangen, dass du so auf Zack bist. Als Sarah von dir erzählte, habe ich mir vorgestellt … ich weiß nicht … jedenfalls nicht jemanden wie dich.«

»Ich bin seit zwei Jahren in Ihrem Land. Ich habe Ihre Sprache und Ihre Regeln gelernt. Ich bin jetzt mehr wie Sie als wie ich.«

Lawrence lachte wieder kurz auf. »Ich glaube nicht, dass du in irgendeiner Weise wie ich bist.«

Er setzte sich wieder an den Küchentisch und stützte den Kopf in die Hände. »Ich bin ein Stück Scheiße. Ich bin ein Loser, und du hast mich hier mit dem Rücken zur Wand.« Er sah zu mir hoch. »Du wirst es doch nicht wirklich Linda erzählen, oder?«

Seine Augen wirkten erschöpft. Ich seufzte und setzte mich ihm gegenüber.

»Wir sollten Freunde sein, Lawrence.«

»Wie könnten wir das?«

»Wir beide sind nicht so verschieden, wie Sie glauben.«

Er lachte. »Ich habe gerade zugegeben, dass ich dich einfach so verkaufen würde. Du bist das tapfere kleine Flüchtlingsmädchen und ich das egoistische Schwein. Ich glaube, unsere Rollen sind ziemlich klar definiert, oder?«

Ich schüttelte den Kopf. »Ich bin auch egoistisch.«

»Nein, das bist du nun wirklich nicht.«

»Sie halten mich für ein nettes kleines Mädchen, was? Für Sie existiere ich noch immer nicht richtig. Sie kommen gar nicht auf den Gedanken, dass ich so clever wie ein weißer Mensch sein könnte. Dass ich so egoistisch wie ein weißer Mensch sein könnte!«

Ich merkte, dass ich vor Wut schrie. Lawrence lachte nur.

»Egoistisch! Du? Hast du etwa den letzten Keks aus der Dose genommen? Hast Sarah mit leerem Kühlschrank hängen lassen?«

»Ich habe Sarahs Ehemann hängen lassen«, sagte ich.

Lawrence starrte mich an. »Was?«

Ich nahm einen Schluck Tee, aber er war jetzt kalt, also stellte ich den Becher auf den Tisch. Das Licht in der Küche wurde auch kühler. Ich sah, wie das Leuchten der Gegenstände im Raum verschwand, und spürte die Kälte, die in meine Knochen drang. Mein ganzer Zorn war verebbt.

»Lawrence?«

»Ja?«

»Vielleicht ist es wirklich besser, wenn ich woanders hingehe.«

»Moment. Warte. Was hast du da eben gesagt?«

»Vielleicht haben Sie recht. Vielleicht ist es besser für Sarah und für Charlie und für Sie, wenn ich nicht hier bin. Ich könnte einfach weglaufen. Ich kann gut laufen, Lawrence.«

»Halt den Mund«, sagte er leise. Er umklammerte mein Handgelenk.

»Hören Sie auf! Das tut weh!«

»Sag mir, was du getan hast.«

»Ich will es Ihnen nicht sagen. Jetzt habe ich Angst.«

»Ich auch. Rede.«

Ich klammerte mich an die Tischkante und atmete gegen meine Angst an. »Sarah sagte, es wäre seltsam, dass ich am Tag von Andrews Beerdigung gekommen bin.«

»Und?«

»Es war kein Zufall.«

Lawrence ließ meinen Arm los und stand schnell auf und legte die Hände in den Nacken. Er trat ans Küchenfenster und schaute lange hinaus. Dann drehte er sich zu mir um. *Was ist passiert?*«, flüsterte er.

»Das sollte ich Ihnen lieber nicht erzählen. Ich hätte nichts sagen sollen. Ich war wütend.«

»Sag's mir.«

Ich schaute auf meine Handrücken. Mir wurde bewusst, dass ich es jemandem erzählen wollte, und Sarah konnte ich es nicht sagen. Ich sah zu ihm hoch.

»Ich habe Andrew an dem Morgen angerufen, als sie mich aus dem Abschiebegefängnis entließen. Ich habe ihm gesagt, dass ich käme.«

»Ist das alles?«

»Dann bin ich vom Abschiebegefängnis zu Fuß hierher gegangen. Zwei Tage habe ich gebraucht. Ich habe mich im Garten versteckt.« Ich zeigte durchs Fenster. »Da, hinter dem Busch, wo die Katze sitzt. Dann habe ich gewartet. Ich wusste nicht, was ich eigentlich tun wollte. Ich glaube, ich wollte mich bei Sarah bedanken, weil sie mich gerettet hatte, aber auch Andrew bestrafen, weil er zugelassen hat, dass meine Schwester getötet wurde. Und da ich nicht wusste, wie ich beides anstellen sollte, habe ich gewartet. Ich wartete zwei Tage und zwei Nächte und hatte nichts zu essen. Also kam ich raus, wenn es dunkel war, und aß Vogelfutter und trank Wasser aus dem Hahn draußen am Haus. Tagsüber schaute ich durch die Fenster hinein und hörte ihnen zu, wenn sie in den Garten kamen. Ich hörte, wie Andrew mit Sarah und Charlie sprach. Er war schrecklich. Er war ständig wütend. Er wollte nicht mit Charlie spielen. Wenn Sarah etwas sagte, zuckte er nur mit den Schultern oder brüllte sie an. Auch wenn er allein war, hörte er nicht auf mit Schulterzucken und Brüllen. Er stand ganz allein am Ende des Gartens und redete, und manchmal schrie er sich selbst an oder schlug sich mit der Faust auf den Kopf, so. Er weinte viel. Manchmal fiel er im Garten auf die Knie und weinte eine Stunde lang. Da wurde mir klar, dass er voll böser Geister steckte.«

»Er litt unter Depressionen. Das war sehr schwer für Sarah.«

»Ich glaube, für ihn war es auch schwer. Ich habe ihn lange beobachtet. Einmal schaute ich ihn zu eindringlich an, als er weinte, und vergaß, mich zu verstecken, und er schaute hoch und sah mich. Ich dachte, oh nein, das war's nun für dich, Little Bee. Doch Andrew kam nicht zu mir her. Er starrte mich an und sagte: *Oh Gott, du bist nicht real, du bist nicht hier, verschwinde aus meinem Kopf, verdammt noch mal.* Er kniff die Augen zu und rieb sie, und währenddessen versteckte ich mich wieder hinter dem Busch. Als er die Augen öffnete, schaute er zu der Stelle, wo ich gewesen war, sah mich aber nicht. Da redete er wieder mit sich selbst.«

»Er hat dich für eine Halluzination gehalten? Armes Schwein.«

»Ja, aber zuerst tat er mir nicht leid. Erst später. Am dritten Tag kam er wieder in den Garten, als Sarah bei der Arbeit und Charlie im Kindergarten war. Er war betrunken, glaube ich. Er sprach langsam und verdreht.«

»Das lag an den Medikamenten«, sagte Lawrence. Sein Gesicht war jetzt ganz weiß, und er starrte mich mit schimmernden Augen an. »Weiter.«

»Es war noch früh am Morgen. Andrew fing an zu brüllen. Er sagte: *Komm raus, komm raus, was willst du?* Ich sagte nichts. *Bitte*, sagte er. *Ich weiß, dass du ein Geist bist. Was kann ich tun, damit du verschwindest?* Ich trat hinter dem Lorbeerstrauch hervor, und er wich zurück. *Ich bin kein Geist,* sagte ich. Er fing an, sich gegen den Kopf zu schlagen. Er sagte: *Du bist nicht real, du bist nur in meinem Kopf, du bist nicht da.* Er schloss die Augen und schüttelte den Kopf. Während er die Augen zuhatte, ging ich zu ihm hin, so nah, dass ich ihn berühren konnte. Als er die Augen aufmachte und sah, wie nah ich ihm war, schrie er und rannte ins Haus. Da tat er mir leid. Ich ging ihm nach. *Hören Sie bitte zu,* sagte ich. *Ich bin kein Geist. Ich bin gekommen, weil ich sonst niemanden kenne.* Da sagte er: *Berühr mich. Beweise, dass du kein Geist bist.* Also trat ich näher und legte meine Hand auf seine. Als er meine Hand spürte, schloss er lange die Augen und öffnete sie schließlich wieder. Ich ging die Treppe hinauf, er vor mir her. Er ging rückwärts die Treppe hinauf. Er schrie: *Verschwinde! Verschwinde!* Er rannte in sein Arbeitszimmer und schloss die Tür. Ich stand draußen und rief: *Sie brauchen keine Angst vor mir zu haben! Ich bin nur ein Mensch!* Es war ganz still, also ging ich weg.«

Lawrences Hände zitterten. Der Tee in seiner Tasse kräuselte sich zu kleinen Wellen.

»Später kam ich zurück. Andrew stand auf einem Stuhl mitten im Zimmer. Er hatte ein Elektrokabel um einen Deckenbalken geschlungen. Das andere Ende hatte er um seinen Hals gelegt. Er sah mich an, und ich sah ihn an. Er flüsterte: *Es ist lange her, okay? Es war weit weg. Warum bist du nicht einfach dortgeblieben?* Also sagte ich: *Es tut mir leid, dort drüben ist es nicht sicher.* Und er sagte: *Ich weiß, dass du dort gestorben bist. Ich weiß, du existierst nur in meinem Kopf.* Seine Augen waren rot und zuckten wild umher. Ich ging näher heran, doch er fing an zu brüllen. *Wenn du näher kommst, springe ich vom Stuhl.* Also blieb ich stehen. Ich fragte: *Warum tun Sie das?* Er antwortete mit sehr leiser Stimme: *Weil ich gesehen habe, was für ein Mensch ich bin.* Ich sagte: *Aber Sie sind ein guter Mensch,*

Andrew. Ihnen ist nicht egal, wie es in der Welt aussieht. Ich habe Ihre Artikel in der Times *gelesen, als ich Englisch lernte.* Andrew schüttelte den Kopf. Er sagte: *Worte sind gar nichts. Ich bin der Mensch, den du am Strand gesehen hast. Er weiß zwar, wie man Kommata setzt, aber er wollte sich keinen Finger abschneiden, um dich zu retten.* Also lächelte ich und sagte: *Das ist egal. Ich bin ja hier, ich lebe.* Darüber dachte er lange nach. Er fragte: *Was ist aus dem Mädchen geworden, das bei dir war?* Also sagte ich: *Es geht ihr gut. Sie konnte nur nicht mit hierherkommen.* Da schaute er mir in die Augen. Er schaute und schaute, bis ich ihm nicht mehr in die Augen sehen konnte und zu Boden schauen musste. Und dann sagte er: *Du lügst.* Er schloss die Augen und trat vom Stuhl. Die Geräusche aus seiner Kehle waren wie die, die meine Schwester machte, als sie sie töteten.«

Lawrence klammerte sich an die Arbeitsplatte.

»*Scheiße*«, sagte er.

»Ich habe versucht, ihm zu helfen, aber er war zu schwer. Ich konnte ihn nicht hochheben. Ich habe es versucht, bis ich erschöpft war und weinte, aber ich konnte sein Gewicht nicht von dem Kabel lösen. Ich schob den Stuhl unter seine Beine, aber er trat ihn weg. Nach langer Zeit hörte er auf zu kämpfen, lebte aber noch. Ich sah, wie er mich beobachtete. Er drehte sich an dem Kabel um sich selbst. Er drehte sich zuerst sehr langsam, und wann immer sein Körper sich mir zukehrte, folgten mir seine Augen, bis er zu schnell wurde. Sie quollen hervor, und sein Gesicht war violett, aber er beobachtete mich. Ich dachte, ich muss ihm helfen. Ich dachte, ich muss die Nachbarn rufen oder einen Krankenwagen. Ich lief die Treppe hinunter, um Hilfe zu holen. Aber dann dachte ich, wenn ich Hilfe hole, wissen die Behörden, dass ich hier bin. Und wenn die Behörden wissen, dass ich hier bin, werden sie mich abschieben oder etwas noch Schlimmeres tun. Denn ich sage Ihnen etwas, Lawrence: Nachdem sie uns aus dem Abschiebegefängnis entlassen hatten, hat sich eines der Mädchen, mit denen ich zusammen war, auch erhängt. Zwei Erhängte, verstehen Sie? Die Polizei würde misstrauisch werden. Sie würden denken, ich hätte etwas damit zu tun. Sie durften mich nicht finden. Ich rannte aus Andrews Arbeitszimmer und hielt den Kopf in den Händen und versuchte zu überlegen, was ich tun sollte, ob ich mein Leben geben sollte, um Andrews zu retten. Zuerst dachte ich, natürlich muss ich ihn retten, um jeden Preis, denn er ist ein menschliches Wesen. Und dann dachte ich, natürlich muss ich mich selbst retten, denn ich bin auch ein menschliches Wesen. Und nachdem ich fünf Minuten dagestanden und diese Dinge gedacht hatte, begriff ich, dass es zu spät war und ich mich selbst gerettet hatte. Dann ging ich zum Kühlschrank und aß etwas, weil ich sehr hungrig war. Danach ging ich wieder ganz nach hinten in den Garten und versteckte mich und kam erst vor der Beerdigung wieder heraus.«

Meine Hände zitterten. Lawrence atmete tief durch. Auch seine Hände zitterten.

»Mein Gott, das ist wirklich ernst«, sagte er. »Das ist sehr, sehr ernst.«

»Verstehen Sie mich jetzt? Verstehen Sie, warum ich Sarah unbedingt helfen will? Verstehen Sie, warum ich Charlie helfen will? Ich habe mich falsch entschieden, Lawrence. Ich habe Andrew sterben lassen. Jetzt muss ich alles tun, um es wiedergutzumachen.«

Lawrence lief in der Küche auf und ab. Er hielt den Bademantel zu und krallte die Finger in den Stoff. Er blieb stehen und schaute mich an.

»Weiß Sarah davon?«

Ich schüttelte den Kopf. »Ich traue mich nicht, es ihr zu sagen. Ich habe Angst, dass sie mich wegschickt, wenn ich es ihr sage, und dass ich ihr dann nicht helfen kann und dass es für mich keine Chance gibt, die schlimme Sache wiedergutzumachen. Und wenn ich sie nicht wiedergutmachen kann, weiß ich nicht, was ich machen soll. Ich kann nicht noch mal weglaufen. Ich kann nirgendwo hin. Ich habe entdeckt, was für ein Mensch ich bin, und ich mag ihn nicht. Ich bin genau wie Andrew. Ich bin genau wie Sie. Ich habe versucht, mich selbst zu retten. Sagen Sie mir, wohin man davor flüchten kann.«

Lawrence starrte mich an. »Du hast ein Verbrechen begangen. Jetzt bleibt mir keine Wahl. Ich muss zur Polizei gehen.«

Ich fing an zu weinen. »Bitte, gehen Sie nicht zur Polizei. Die werden mich holen. Ich will doch nur Sarah helfen. Wollen Sie Sarah denn nicht helfen?«

»Ich liebe Sarah, also komm mir verdammt noch mal nicht mit dem Gerede von wegen helfen. Glaubst du wirklich, es war hilfreich, dass du gekommen bist?«

Ich schluchzte jetzt. »Bitte, bitte«, sagte ich.

Mir liefen die Tränen übers Gesicht. Lawrence hieb mit der Faust auf den Tisch.

»Scheiße!«

»Es tut mir leid, Lawrence, es tut mir leid.«

Er schlug sich mit der flachen Hand vor die Stirn.

»Du kleines Luder«, sagte er. »Ich kann ja gar nicht zur Polizei gehen, stimmt's? Sarah darf es nicht herausfinden. Sie ist schon durcheinander genug. Wenn sie erfährt, dass du dabei warst, als Andrew starb, dreht sie durch. Und das wäre auch das Ende für sie und mich, ganz bestimmt. Ich könnte nicht zur Polizei gehen, ohne dass Linda davon erfährt. Das stünde in allen Zeitungen. Aber ich will mir gar nicht vorstellen, dass ich Bescheid weiß und Sarah nicht. Und die Polizei! Scheiße! Wenn ich es der Polizei nicht sage, mache ich mich ebenso strafbar wie du. Wenn es nun herauskommt und die merken, dass ich die ganze Zeit Bescheid wusste?

Ich habe mit der Frau des Toten geschlafen, verdammte Scheiße. Ich habe ein Motiv. Ich könnte im Gefängnis landen. Wenn ich jetzt nicht die Polizei rufe, jetzt gleich, könnte ich deinetwegen im Gefängnis landen, Little Bee. Ist dir das klar? Ich könnte deinetwegen im Gefängnis landen, obwohl ich nicht mal deinen wirklichen Namen kenne.«

Ich legte meine Hände über seine Hand und schaute ihm ins Gesicht. Ich konnte ihn nicht erkennen, er war nur eine tränenverschwommene, blasse Gestalt vor dem Licht.

»Bitte. Ich muss hierbleiben. Ich muss wiedergutmachen, was ich getan habe. Bitte, Lawrence. Ich werde niemandem von Ihnen und Sarah erzählen, und Sie erzählen niemandem von mir. Ich bitte Sie, mich zu retten. Ich bitte Sie, mein Leben zu retten.«

Lawrence wollte seine Hand wegziehen, aber ich hielt sie fest. Ich lehnte meine Stirn an seinen Arm.

»Bitte«, sagte ich. »Wir können Freunde sein. Wir können einander retten.«

»Oh Gott«, sagte er leise. »Ich wünschte, du hättest mir nichts davon erzählt.«

»Sie haben mich dazu aufgefordert, Lawrence. Es tut mir leid. Ich weiß, wie viel ich von Ihnen verlange. Ich weiß, dass es Ihnen wehtut, es Sarah zu verheimlichen. Es ist, als würde ich Sie bitten, sich für mich einen Finger abzuschneiden.«

Lawrence zog die Hand unter meiner hervor. Dann nahm er sie ganz weg. Ich saß mit geschlossenen Augen am Tisch und spürte, wie meine Stirn juckte, wo sie auf seinem Arm gelegen hatte. In der Küche war es still, und ich wartete. Ich weiß nicht, wie lange. Ich wartete, bis meine Tränen getrocknet waren und das Entsetzen in mir verschwunden und nur noch ein stilles, dumpfes Elend übrig war, das meinen Kopf und meine Augäpfel schmerzen ließ. Ich hatte keinen Gedanken im Kopf. Ich wartete nur.

Und dann spürte ich Lawrences Hände auf meinen Wangen. Er umfasste mein Gesicht mit den Händen. Ich wusste nicht, ob ich sie wegstoßen oder meine Hände auf seine legen sollte. So verharrten wir eine Weile, und seine Hände zitterten an meinen Wangen. Er drehte mein Gesicht nach oben zu sich, so dass ich ihm in die Augen sehen musste.

»Ich wünschte, ich könnte dich einfach verschwinden lassen«, sagte er. »Aber ich bin niemand. Ich bin nur ein Beamter. Ich werde der Polizei nichts von dir erzählen. Nicht, wenn du den Mund hältst. Aber wenn du *jemals* irgendwem von mir und Sarah erzählst oder *jemals* irgendwem von Andrews Tod erzählst, dann landest du in einem Flugzeug nach Nigeria, das schwöre ich dir.«

Ich holte tief Luft.

»Danke«, flüsterte ich.

Von oben erklang Sarahs Stimme. »Wer hat dir erlaubt fernzusehen, Batman?«

Lawrence nahm die Hände von meinem Gesicht und machte neuen Tee. Sarah kam in die Küche, gähnte und kniff die Augen im Sonnenlicht zu. Sie hatte Charlie an der Hand.

»Da ihr beide neu hier seid, erkläre ich euch am besten mal die Regeln«, sagte Sarah. »Superhelden, vor allem dunkle Ritter, dürfen vor dem Frühstück nicht fernsehen. Stimmt's, Batman?«

Charlie grinste sie an und nickte.

»Also dann. Bat-Flakes oder Bat-Toast?«

»Bat-Toast«, sagte Charlie.

Sarah steckte zwei Scheiben Brot in den Toaster. Lawrence und ich schauten nur zu. Sie drehte sich um.

»Alles in Ordnung?« Sie schaute mich an. »Hast du geweint?«

»Es ist nichts. Ich weine morgens immer.«

Sarah sah Lawrence stirnrunzelnd an. »Ich hoffe, du hast dich um sie gekümmert.«

»Natürlich«, sagte er. »Little Bee und ich haben uns ein bisschen kennengelernt.«

Sarah nickte. »Gut. Denn das hier muss wirklich funktionieren. Das wisst ihr doch, oder?«

Sie sah uns an und gähnte wieder. Dann streckte sie die Arme über den Kopf. »Ein neuer Anfang«, sagte sie.

Ich schaute Lawrence an und er mich.

»So, ich werde jetzt Charlie in den Kindergarten bringen, und dann können wir uns auf die Suche nach Little Bees Papieren machen. Zuerst besorge ich dir aber einen Anwalt. Ich kenne einen guten Anwalt, der manchmal für *Nixie* arbeitet.«

Sarah lächelte und ging zu Lawrence.

»Was dich betrifft, werde ich mir ein bisschen Zeit nehmen, um dir zu danken, dass du die weite Reise nach Birmingham gemacht hast.«

Sie hob ihre Hand an sein Gesicht, doch dann fiel ihr wohl ein, dass Charlie in der Küche war, und sie strich ihm nur über die Schulter. Ich ging nach nebenan, um mir die Nachrichten ohne Ton anzuschauen.

Die Nachrichtensprecherin sah meiner Schwester sehr ähnlich. Mir floss das Herz über von all den Dingen, die ich ihr sagen wollte. Doch in eurem Land kann man nicht mit den Nachrichten reden.

8

Ich weiß noch genau, an welchem Tag England ich wurde, seine Umrisse sich an die Kurven meines eigenen Körpers schmiegten, seine Neigungen zu meinen wurden. Ich war ein Mädchen und radelte über die schmalen Straßen von Surrey, strampelte in meinem Baumwollkleid durch die heißen Felder, auf denen der Mohn errötete, ließ mich durch eine plötzliche Senke in ein kühles, bewaldetes Heiligtum rollen, durch das unter einer Brücke aus Kieseln und Backstein ein Bach floss. Die Bremsen quietschten von der Anstrengung, einen stillen Augenblick aus der Zeit herauszurufen. Ich warf mein Fahrrad auf ein duftendes Kissen aus Wiesenkerbel und wilder Minze und rutschte die steile Uferböschung hinunter ins klare, kalte Wasser. Meine Sandalen wirbelten eine braune Schlammblume aus dem Bachbett auf, und die Elritzen schossen in den dunklen Schattenteich unter der Brücke davon. Ich drückte mein Gesicht ins Wasser, trank den kühlen Schock in mich hinein, und die Zeit blieb stehen. Dann blickte ich auf und entdeckte einen Fuchs. Er sonnte sich am anderen Ufer und betrachtete mich durch einen fedrigen Schirm aus Gerste. Ich erwiderte seinen Blick, und seine bernsteinfarbenen Augen hielten meine gefangen. Der Moment, das Land: Ich begriff, dass es zu mir geworden war. Ich suchte mir ein weiches Fleckchen neben dem Gerstenfeld, wo wildes Gras und Kornblumen wuchsen, legte mich mit dem Gesicht nach unten in den feuchten, erdigen

Geruch der Graswurzeln und lauschte dem Summen der Sommerfliegen. Ich weinte und wusste nicht, warum.

An dem Morgen, nachdem Lawrence bei mir übernachtet hatte, brachte ich Charlie zum Kindergarten und fuhr dann wieder nach Hause, um zu überlegen, wie ich Little Bee helfen konnte. Ich fand sie oben vor dem Fernseher, der Ton war abgestellt. Sie sah traurig aus.

»Was ist los?«, fragte ich.

Sie zuckte mit den Schultern.

»Alles in Ordnung mit Lawrence?«

Sie wandte sich ab.

»Was ist denn?«

Nichts.

»Vielleicht hast du Heimweh. Ich an deiner Stelle hätte welches. Vermisst du deine Heimat?«

Sie drehte sich zu mir und sah mich ganz feierlich an.

»Sarah«, sagte sie, »ich glaube, ich habe mein Land gar nicht verlassen. Ich glaube, es ist mit mir gereist.«

Sie drehte sich wieder zum Fernseher. Schon gut, dachte ich. Ich habe noch viel Zeit, um zu ihr durchzudringen.

Ich räumte die Küche auf, während Lawrence unter der Dusche war. Ich machte mir Kaffee und bemerkte, dass ich zum ersten Mal seit Andrews Tod nur eine Tasse aus dem Schrank genommen hatte, nicht automatisch zwei. Ich rührte die Milch hinein, der Löffel klirrte gegen das Porzellan, und ich spürte, dass mir allmählich die Gewohnheit abhanden kam, Andrews Frau zu sein. Wie sonderbar, dachte ich. Ich lächelte und erkannte, dass ich mich stark genug fühlte, um im Büro vorbeizuschauen.

Im Pendlerzug drängten sich gewöhnlich Nadelstreifen und Laptoptaschen, doch jetzt war es halb elf und der Zug beinahe leer. Der Junge mir gegenüber starrte an die Decke. Er trug ein England-T-Shirt und Jeans, die weiß von Gipsstaub waren. Auf der Innenseite seines Unterarms stand in

Schnörkelschrift zu lesen: *Zeit für Heldentuhm*. Ich starrte auf die Tätowierung – ihren unverrückbaren Stolz und ihre falsche Orthographie. Als ich aufsah, begegnete ich dem Blick des Jungen. Seine bernsteinfarbenen Augen waren ruhig, er blinzelte nicht. Ich wurde rot und schaute hinaus auf die vorbeihuschenden Gärten der Doppelhaushälften. Der Zug bremste, als wir uns Waterloo näherten. Es war, als steckte man zwischen zwei Welten. Die Bremsbacken quietschten an den metallenen Rädern, und ich war auf einmal wieder acht Jahre alt. Ich näherte mich meinem Magazin auf unnachgiebigen Schienen. Bald würde ich die Endstation erreichen und beweisen müssen, dass ich aussteigen und in meinen Erwachsenenjob zurückkehren konnte. Als der Zug anhielt, drehte ich mich um und wollte etwas zu dem Jungen mit den Bernsteinaugen sagen, doch er war schon aufgestanden und durch das Gerstenfeld im Schatten der schützenden Wälder verschwunden.

Um halb zwölf kam ich in die Redaktion. Alle verstummten. Die Mädchen starrten mich an. Ich lächelte und klatschte in die Hände.

»Na los, an die Arbeit!«, sagte ich. »Wenn hunderttausend berufstätige Großstadtfrauen zwischen 18 und 35 keine Ziele mehr haben, geben wir's auch auf, vorher nicht.«

Am Ende des Großraumbüros saß Clarissa an meinem Schreibtisch. Sie stand auf, als ich zu ihr ging, und trat vor den Tisch. Ihr Lipgloss schimmerte in einem Pflaumenton. Sie ergriff meine Hände.

»Oh, Sarah«, sagte sie. »Du Arme. Wie kommst du klar?«

Sie trug ein auberginefarbenes Shirtkleid mit einem glatten schwarzen Fischledergürtel und glänzenden, kniehohen schwarzen Stiefeln. Mir wurde klar, dass ich noch die Jeans anhatte, in der ich Batman zum Kindergarten gebracht hatte.

»Mir geht's gut.«

Clarissa musterte mich von oben bis unten und runzelte die Stirn. »Wirklich?«

»Wirklich.«

»Oh. Gut.«

Ich warf einen Blick auf meinen Schreibtisch. In der Mitte stand Clarissas Laptop, daneben lag ihre Kelly-Bag. Meine Papiere waren ans äußerste Ende geschoben.

»Wir dachten, du kommst heute nicht. Du hast doch nichts dagegen, dass ich deinen Thron bestiegen habe, oder, Darling?«

Ich stellte fest, dass sie ihren Blackberry an mein Ladegerät angeschlossen hatte. »Nein, natürlich nicht.«

»Wir dachten, es wäre dir lieb, wenn wir schon mit der Juli-Ausgabe beginnen.«

Alle Augen waren auf uns gerichtet. Ich lächelte.

»Klar, das ist toll. Ehrlich. Wie weit sind wir?«

»Mit dieser Ausgabe? Möchtest du dich nicht setzen? Ich hole dir einen Kaffee, du musst dich schrecklich fühlen.«

»Mein Mann ist gestorben, Clarissa. Ich selbst lebe noch. Ich habe einen Sohn, um den ich mich kümmern, und eine Hypothek, die ich abzahlen muss. Ich will einfach wieder arbeiten.«

Clarissa wich leicht zurück.

»Na schön«, sagte sie. »Wir haben ein paar tolle Sachen. Natürlich ist in diesem Monat Henley dran. Wir bringen einen ironischen Kleidungsratgeber für die Regatta – *Was Sie auf keinen Fall anziehen sollten* –, der natürlich nur ein Vorwand für Fotos mit göttlichen Ruderern ist. Im Modebereich haben wir etwas mit dem Titel ›Fuck Your Lover‹ – sieh mal hier. Mädchen mit Peitschen, die zähnefletschend Jungs in Duckie-Brown-Klamotten anknurren. In der ›Real Life‹-Sparte haben wir zwei Möglichkeiten. Entweder nehmen wir eine Story namens ›Die Schöne und das Budget‹, in der es um eine Frau mit zwei hässlichen Töchtern geht, deren Geld aber nur für eine Schönheitsoperation reicht. Hm, ja, ich weiß. *Oder* – was mir lieber wäre – wir nehmen einen Artikel mit dem Titel ›Good Vibrations‹, der ist ein Knaller. Mein *Gott*, Sarah, man kann heutzutage im Internet Sexspielzeuge kaufen ... die erfüllen einem Wünsche, von denen ich im Leben nicht geahnt hätte, dass es sie gibt.«

Ich machte die Augen zu, horchte auf das Summen der Neonleuchten und Faxgeräte und auf das fließende Geplapper der Mädchen, die mit den Modehäusern telefonierten. Auf einmal erschien mir das alles ebenso irrsinnig wie mit einem winzigen grünen Bikini im Koffer in einen afrikanischen Krieg zu reisen.

»Also, welche Story sollen wir nehmen? Kosmetische Konfusion oder Füllhorn des Fickens?«

Ich ging zum Fenster und legte meine Stirn ans Glas.

»Lass das doch bitte, Sarah. Das macht mich immer ganz nervös.«

»Ich denke nach.«

»Ich weiß, Darling. Genau das macht mich ja nervös, denn ich weiß, *was* du denkst. Diese Diskussion haben wir jeden Monat. Aber wir müssen Geschichten bringen, die die Leute lesen wollen. Das weißt du genau.«

Ich zuckte mit den Schultern. »Mein Sohn ist davon überzeugt, dass er seine ganze Macht verliert, sobald er sein Batmankostüm auszieht.«

»Was willst du damit sagen?«

»Dass man sich täuschen kann. Dass man mit seinen Überzeugungen irren kann.«

»Du denkst, ich täusche mich?«

»Ich weiß nicht mehr, was ich denken soll, Clarissa. Was das Magazin betrifft, meine ich. Es kommt mir plötzlich alles ein bisschen unwirklich vor.«

»Natürlich, du Ärmste. Ich weiß gar nicht, weshalb du heute überhaupt gekommen bist. Es ist noch viel zu früh.«

Ich nickte. »Das hat Lawrence auch gesagt.«

»Du solltest auf ihn hören.«

»Das tue ich ja. Ich habe wirklich Glück, dass ich ihn habe. Ich weiß gar nicht, was ich ohne ihn anfangen würde.«

Clarissa stellte sich neben mich. »Hast du viel mit ihm gesprochen, seit Andrew tot ist?«

»Er ist bei mir zu Hause. Er tauchte gestern Abend plötzlich auf.«

»Er ist *über Nacht* geblieben? Er ist doch verheiratet, oder?«

»Ach komm, er war schon verheiratet, bevor Andrew starb.«

Clarissa schüttelte sich leicht. »Ich weiß. Es ist nur ein bisschen unheimlich.«

»Ach ja?«

Clarissa blies sich eine Haarsträhne aus den Augen. »Ich meinte, es kommt ein bisschen plötzlich.«

»Es war nicht meine Idee, wenn du's genau wissen willst.«

»In diesem Fall kehre ich zu meiner ursprünglichen Wortwahl zurück. *Unheimlich.*«

Jetzt standen wir beide da, die Stirn an die Scheibe gelegt, und schauten auf den Verkehr hinunter.

»Eigentlich bin ich zum Arbeiten hergekommen«, sagte ich nach einer Weile.

»Schön.«

»Ich möchte zu der Art Journalismus zurückkehren, die wir anfangs gemacht haben. Lass uns doch dieses eine Mal in der ›Real Life‹-Sparte tatsächlich über das wirkliche Leben berichten. Mehr will ich gar nicht. Diesmal lasse ich es mir nicht ausreden.«

»Und? Woran hattest du gedacht?«

»Ich möchte einen Bericht über Flüchtlinge in Großbritannien bringen. Keine Sorge, wir können es im Stil des

Magazins machen. Es kann auch gern um weibliche Flüchtlinge gehen.«

Clarissa verdrehte die Augen. »Und doch sagt mir etwas in deinem Tonfall, dass du nicht über die Erfahrungen weiblicher Flüchtlinge mit Sexspielzeugen schreiben willst.« Ich lächelte.

»Und wenn ich nein sage?«, fragte Clarissa.

»Keine Ahnung. Theoretisch könnte ich dich feuern.«

Sie überlegte einen Moment. »Warum Flüchtlinge? Bist du immer noch sauer, dass wir für die Juni-Ausgabe nicht die Frau aus Bagdad genommen haben?«

»Ich glaube nur, dass dieses Thema aktuell bleiben wird, ob nun im Mai, Juni oder wann auch immer.«

»Na gut«, sagte Clarissa und fügte hinzu: »Würdest du mich wirklich feuern, Darling?«

»Keine Ahnung. Würdest du wirklich nein sagen?«

»Keine Ahnung.«

Wir standen lange so nebeneinander. Unter uns auf der Straße radelte ein italienisch aussehender Mann an der Autoschlange vorbei. Er war Mitte zwanzig, nackter gebräunter Oberkörper, weiße Nylonshorts.

»Fünf Punkte«, sagte Clarissa.

»Von zehn?«

»Von fünf, Darling.«

Ich lachte. »An manchen Tagen würde ich so gern mit dir tauschen, Clarissa.«

Sie drehte sich zu mir. Ich bemerkte den hellen Fleck, den ihr Make-up auf der Fensterscheibe hinterlassen hatte. Er schwebte wie eine kleine fleischfarbene Wolke über dem knochenweißen Turm von Christ Church Spitalfields.

»Oh, Sarah. Wir kennen uns zu lange, um einander im Stich zu lassen. Du bist der Boss. Natürlich bekommst du einen Bericht über Flüchtlinge, wenn du ihn wirklich willst. Aber ich glaube, dir ist nicht klar, wie schnell die Leserinnen weiterblättern werden. Es ist kein Thema, das irgendeinen Bezug zu unserem Leben hat, das ist das Problem.«

Plötzlich wurde mir schwindlig, und ich trat einen Schritt zurück. »Man muss nur den richtigen Ansatz finden«, erwiderte ich unsicher.

Clarissa starrte mich an. »Du hast einen schweren Verlust erlitten, Sarah. Du kannst im Moment nicht klar denken. Du bist noch nicht so weit, wieder zu arbeiten.«

»Du willst meinen Job. Das ist es doch, oder?«

Sie wurde rot. »Das ist nicht dein Ernst«, sagte sie.

Ich setzte mich auf die Schreibtischkante und massierte meine Schläfen mit den Daumen. »Nein, ist es nicht. Mein Gott. Entschuldige bitte. Egal, vielleicht *solltest* du ja meinen Job bekommen. Ich habe wirklich keinen Überblick mehr. Ich sehe auch keinen Sinn mehr darin.«

Clarissa seufzte. »Ich will deinen Job nicht, Sarah.« Sie deutete mit ihren langen Fingernägeln in Richtung Redaktion. »Die da sind noch hungrig, Sarah. Vielleicht solltest du einfach etwas Neues versuchen und den Job einer von ihnen überlassen.«

»Meinst du, sie haben ihn wirklich verdient?«

»Hatten wir das denn in diesem Alter?«

»Ich weiß es nicht. Ich kann mich nur daran erinnern, wie unbedingt ich den Job gewollt habe. Damals war alles so spannend. Ich habe wirklich geglaubt, ich könnte die ganze Welt erobern. Das wirkliche Leben sexy verpacken. Provozieren, weißt du noch? Allein schon der verdammte Name des Magazins. Weißt du noch, weshalb wir uns dafür entschieden haben? *Nixie*, um Himmels willen. Wir wollten sie mit Sex ködern und dann mit den großen Themen konfrontieren. Wir wollten uns von niemandem sagen lassen, wie man ein Magazin gestaltet. Wir wollten es allen zeigen, weißt du noch? Was ist nur aus diesem ganzen *Wollen* geworden?«

»Sarah, vielleicht haben wir einige der Dinge bekommen, die wir wollten.«

Ich lächelte und setzte mich an meinen Schreibtisch. Dann scrollte ich durch die Seitenentwürfe auf dem Bildschirm.

»Die sind ziemlich gut«, sagte ich.

»Natürlich sind sie gut, Darling. Exakt diese Geschichte mache ich seit zehn Jahren jeden Monat. Plastische Chirurgie und Sexspielzeug kann ich im Schlaf.«

Ich lehnte mich zurück und schloss die Augen. Clarissa legte mir die Hand auf die Schulter.

»Mal im Ernst, Sarah.«

»Hm?«

»Denk noch einen Tag in Ruhe darüber nach, einverstanden? Über die Flüchtlingsgeschichte, meine ich. Du bist im Augenblick ziemlich durcheinander. Warum nimmst du dir morgen nicht frei, nur um sicherzugehen, dass du's wirklich willst, und wenn ja, dann machen wir's so. Aber wenn du dir nicht sicher bist, sollten wir deswegen nicht unsere Karriere aufs Spiel setzen, Darling.«

Ich öffnete die Augen. »Okay, ich warte einen Tag.«

Clarissa sackte erleichtert in sich zusammen. »Danke, Süße. Was wir machen, ist nämlich gar nicht so übel. Wirklich nicht. Niemand stirbt davon, dass wir über Mode schreiben.«

Ich schaute hinaus ins Redaktionsbüro und sah die Blicke der Mädchen: spekulativ, aufgeregt, raubgierig.

Ich nahm einen weiteren halbleeren Zug zurück nach Kingston und war um zwei Uhr zu Hause. Es war heiß und diesig, ein stiller und drückender Tag. Wir brauchten Regen, um die Schwere zu durchbrechen.

Lawrence war in der Küche. Ich setzte den Wasserkessel auf.

»Wo ist Bee?«, fragte ich.

»Im Garten.«

Durchs Fenster sah ich sie im Gras liegen, ganz hinten am Ende des Gartens neben dem Lorbeerstrauch.

»Meinst du, mit ihr ist alles in Ordnung?«

Er zuckte nur die Achseln.

»Was ist los? Ihr beide versteht euch nicht gerade gut, oder?«

»Das ist es nicht.«

»Ich spüre aber eine gewisse Spannung.« Ich merkte, dass ich einen der Teebeutel vor lauter Rühren zum Platzen gebracht hatte. Ich kippte den Inhalt des Bechers ins Spülbecken und begann von vorn.

Lawrence trat hinter mich und legte mir die Arme um die Taille. »*Du* wirkst angespannt. Hat es mit der Arbeit zu tun?«

Ich lehnte den Kopf an seine Schulter und seufzte. »Bei der Arbeit war es furchtbar. Ich habe ganze vierzig Minuten durchgehalten. Ich frage mich, ob ich aufhören soll.«

Er seufzte ebenfalls, den Mund an meinem Nacken.

»Ich hab's gewusst«, sagte er. »Ich hab gewusst, dass so etwas kommt.«

Ich schaute hinaus zu Little Bee, die auf dem Rücken lag und zusah, wie sich der dunstige Himmel mit Grau füllte.

»Weißt du noch, wie du dich in ihrem Alter gefühlt hast? Oder in Charlies Alter? Weißt du noch, wie es ist, wenn man glaubt, man könnte die Welt besser machen?«

»Da fragst du den Falschen. Ich arbeite für die Regierung, schon vergessen? Wir sind dafür ausgebildet, eben *nichts* zu verändern.«

»Hör auf, Lawrence. Ich meine es ernst.«

»Ob ich jemals geglaubt habe, ich könnte die Welt verändern? Ist das deine Frage?«

»Ja.«

»Vielleicht ein bisschen. Als ich Beamter wurde, war ich schon noch idealistisch.«

»Wann hat sich das geändert?«

»Als mir klar wurde, dass wir die Welt nicht verändern würden. Ganz gewiss nicht, wenn man dazu Computersysteme installieren muss. Eigentlich habe ich es am ersten Tag um die Mittagszeit begriffen.«

Ich lächelte und legte meinen Mund ganz nah an sein Ohr. »Meine Welt hast du jedenfalls verändert.«

Er schluckte. »Ja. Ja, das habe ich wohl.«

Die Eismaschine hinter uns ließ einen Würfel fallen. Wir standen eine Weile so da und schauten hinaus zu Little Bee.

»Sieh sie dir an«, sagte ich. »Ich habe solche Angst. Meinst du, ich kann sie retten?«

Lawrence zuckte mit den Schultern. »Vielleicht kannst du das – und weiter? Versteh mich nicht falsch. Aber wenn du sie rettest, rettest du nur eine von unendlich vielen. Ein ganzer Schwarm von kleinen Bienen, die herkommen, um hier Nahrung zu suchen.«

»Oder um uns zu befruchten.«

»Das halte ich für naiv.«

»Meine Stellvertreterin wäre sicher ganz deiner Meinung.«

Lawrence massierte mir die Schultern, und ich machte die Augen zu.

»Was quält dich denn?«, fragte er.

»Dass ich das Magazin nicht benutzen kann, um etwas zu verändern. Dabei war es so gedacht. Es sollte provokant sein. Es sollte niemals nur ein weiteres Modeblatt werden.«

»Und, was hindert dich daran?«

»Wann immer wir etwas Ernstes und Bedeutungsvolles bringen, sinken die Verkaufszahlen.«

»Weißt du, die Leute haben es schwer genug. Sie wollen eben nicht immer daran erinnert werden, dass es anderen auch beschissen geht.«

»Mag sein. Vielleicht hatte Andrew letztlich doch recht. Vielleicht muss ich erwachsen werden und mir einen Erwachsenenjob suchen.«

Lawrence drückte mich an sich. »Vielleicht solltest du dich auch einfach mal ein bisschen entspannen und das genießen, was du hast.«

Ich sah in den Garten hinaus. Der Himmel war dunkler geworden. Es würde bald regnen.

»Little Bee hat mich verändert, Lawrence. Wann immer ich sie ansehe, merke ich, wie oberflächlich mein Leben ist.«

»Sarah, du redest absoluten Blödsinn. Wir sehen die Probleme der Welt jeden Tag im Fernsehen. Du kannst mir nicht weismachen, dass dir jetzt zum ersten Mal klar wird, dass sie echt sind. Die Leute würden nur zu gern mit dir tauschen. Ihr Leben ist beschissen. Aber muss deins deswegen auch beschissen sein? Das wird ihnen nicht helfen.«

»Aber ich helfe ihnen jetzt auch nicht, oder?«

»Was solltest du denn noch tun? Du hast dir einen *Finger* abgeschnitten, um das Mädchen zu retten. Und jetzt nimmst du sie bei dir auf. Essen, Unterkunft, Anwaltskosten ... das alles ist nicht billig. Du bekommst ein gutes Gehalt und gibst es dafür aus, ihr zu helfen.«

»Zehn Prozent. Das ist alles. Einen Finger von zehn. Zehn Pfund von hundert. Zehn Prozent sind wohl kaum ein tiefgehendes Engagement.«

»Denk noch mal nach. Zehn Prozent Profit benötigt man, um ein Geschäft zu führen. Mit zehn Prozent erkauft man sich eine solide Welt, in der man leben kann. Hier, im sicheren Westen. So musst du denken. Wenn jeder zehn Prozent gäbe, würden wir keine Asylgesetze mehr brauchen.«

»Du willst immer noch, dass ich sie rauswerfe, oder?«

Er drehte mich zu sich herum. Ich las etwas in seinen Augen, das an Panik grenzte, und das verunsicherte mich aus Gründen, die ich nicht begreifen konnte.

»Nein«, sagte er, »absolut nicht. Behalte sie hier und kümmere dich um sie. Aber, bitte, bitte, wirf nicht dein eigenes Leben weg. Dafür bedeutest du mir zu viel. Unsere Beziehung bedeutet mir zu viel.«

»Oh, ich weiß nicht, ich weiß es wirklich nicht.« Ich seufzte. »Ich vermisse Andrew.«

Lawrence nahm die Hände von meiner Taille und wich zurück.

»Oh, bitte, so war es nicht gemeint. Er konnte nur so gut mit alltäglichen Dingen umgehen. Er war so sachlich. Er würde jetzt einfach sagen: *Stell dich nicht so an, Sarah. Natürlich machst du weiter mit deinem Job.* Ich würde es schrecklich finden, dass er so mit mir redet, aber ich *würde* weitermachen, und er würde natürlich recht behalten, was irgendwie das Allerschlimmste wäre. Dennoch vermisse ich ihn, Lawrence. Seltsam, dass man jemanden wie ihn so vermissen kann.«

Lawrence stand mir gegenüber an die Arbeitsplatte gelehnt und sah mich an. »Und, was willst du von mir? Soll ich mich auch aufs hohe Ross setzen wie Andrew?«

Ich lächelte. »Ach, komm her.«

Ich umarmte ihn und atmete den weichen, sauberen Geruch seiner Haut ein. »Ich bin mal wieder unmöglich, was?«

»Du hast einen schweren Verlust erlitten. Es wird eine Weile dauern, bis du dich wieder gesammelt hast. Es ist gut, dass du dein Leben auf den Prüfstand stellst, aber du solltest lieber nichts überstürzen. Wenn dir in sechs Monaten immer noch danach ist, deinen Job aufzugeben, dann mach es auf jeden Fall. Im Augenblick aber bringt er dir Geld, um etwas Sinnvolles zu tun. Es ist durchaus möglich, aus einer nicht idealen Lage heraus Gutes zu tun. Mein Gott, wer wüsste das besser als ich?«

Ich kämpfte mit den Tränen. »Ein Kompromiss, was? Erwachsenwerden ist schon traurig. Man fängt an wie mein

Charlie. Am Anfang glaubt man, man könnte alle Bösen töten und die Welt retten. Dann wird man ein bisschen älter, vielleicht wie Little Bee, und begreift, dass etwas vom Bösen in der Welt in einem selbst steckt, dass man ein Teil davon ist. Und wenn man noch ein bisschen älter ist und noch ein bisschen bequemer, beginnt man sich zu fragen, ob das Böse, das man in sich entdeckt hat, wirklich so schlimm ist. Und dann fängt man an, über zehn Prozent zu reden.«

»Vielleicht gehört das einfach zur Entwicklung eines Menschen, Sarah.«

Ich seufzte und schaute wieder hinaus zu Little Bee. »Vielleicht ist die ganze Welt ein Entwicklungsland.«

9

Sarah musste eine ganz wichtige Entscheidung für ihre Arbeit treffen und hatte sich deshalb freigenommen. Sie sagte am Morgen zu mir und Lawrence und Charlie: *Kommt, wir wollen ein Abenteuer erleben.* Ich war glücklich, weil Sarah lächelte. Ich war auch froh, denn es war viele Jahre her, dass ich ein Abenteuer erlebt hatte.

Was ist ein Abenteuer? Das kommt darauf an, wo man beginnt. In eurem Land verstecken sich kleine Mädchen in der Höhle zwischen Waschmaschine und Gefriertruhe und stellen sich vor, sie wären im Dschungel, mit grünen Schlangen und Affen um sich herum. Ich und meine Schwester versteckten uns in einer Höhle im Dschungel, mit grünen Schlangen und Affen um uns herum, und stellten uns vor, wir hätten eine Waschmaschine und eine Gefriertruhe. Ihr lebt in einer Welt voller Maschinen und träumt von Lebewesen mit schlagenden Herzen. Wir träumen von Maschinen, weil wir sehen, wohin die schlagenden Herzen uns gebracht haben.

Als wir Kinder waren, ich und Nkiruka, gab es eine Stelle im Dschungel in der Nähe unseres Dorfes, eine geheime Stelle, und dort spielten wir Häuser. Als wir dieses Abenteuer zum letzten Mal erlebten, war meine große Schwester zehn Jahre alt und ich acht. Wir waren eigentlich schon zu groß für das Spiel und wussten es beide, beschlossen aber, unseren Traum ein letztes Mal zu träumen, damit wir ihn in unserer Erinnerung verankern konnten, bevor wir für immer daraus erwachten.

Wir schlichen uns in der stillsten Stunde der Nacht aus unserem Dorf. Es war in dem Jahr, bevor die Unruhen um das Öl begannen, und vier Jahre, bevor meine Schwester anfing, den älteren Jungen zuzulächeln, es war also eine friedliche Zeit für unser Dorf. An der Straße, wo die Häuser endeten, standen keine Wachposten, und wir gingen hinaus, ohne dass jemand fragte, wohin wir wollten. Wir gingen aber nicht einfach los. Wir mussten abwarten, bis alle im Dorf schliefen. Es dauerte länger als gewöhnlich, weil Vollmond war, und er schien so hell, dass er auf den Blechdächern schimmerte und in der Wasserschale funkelte, die ich und meine Schwester in unserem Zimmer hatten, um uns das Gesicht zu waschen. Der Mond machte die Hunde und die alten Leute ruhelos, und es wurde noch stundenlang gebellt und gemurmelt, bevor sich endlich Stille über die Häuser senkte.

Ich und Nkiruka schauten durchs Fenster, bis der Mond außergewöhnlich groß wurde, so groß, dass er den ganzen Fensterrahmen füllte. Wir konnten das Gesicht des Mannes im Mond sehen und den Wahnsinn in seinen Augen, so nah war er. Der Mond ließ alles so hell leuchten, als wäre es Tag, und zwar kein gewöhnlicher, sondern ein verblüffender Tag, ein Zusatztag, wie der sechste Zeh einer Katze oder eine geheime Botschaft, die man zwischen den Seiten eines Buches entdeckt, das man schon oft gelesen und in dem man nie etwas gefunden hat. Der Mond schien auf den Limba-Baum und schimmerte auf dem alten, kaputten Peugeot und funkelte auf dem Geist des Mercedes. Alles erglühte in dieser blassen, dunklen Helligkeit. Da gingen Nkiruka und ich hinaus in die Nacht.

Die Tiere und Vögel betrugen sich seltsam. Die Affen heulten nicht, und die Vögel waren still. Wir gingen durch eine solche Stille, dass es mir vorkam, als neigten sich die kleinen silbernen Wolken, die über das Angesicht des Mondes glitten, zur Erde herunter und machten *Pssst*. Ich sah die Angst und Aufregung in Nkirukas Augen. Wir hielten uns an den Händen und gingen eine Meile durch die Cassavafelder bis dort, wo der Dschungel begann. Die Wege aus roter Erde schimmerten zwischen den Cassavareihen im Mondlicht wie die Rippen von Riesen. Als wir den Dschungel erreichten, war er still und dunkel.

Wir sprachen nicht miteinander, sondern gingen hinein, bevor unsere Angst zu groß wurde. Wir gingen lange, und der Weg wurde schmaler, und das Laub und die Äste schlossen sich enger und enger um uns, bis wir hintereinander gehen mussten. Die Äste versperrten uns den Weg, so dass wir uns ducken mussten. Bald kamen wir gar nicht mehr weiter. Da sagte Nkiruka: *Das ist nicht der richtige Weg, wir müssen umkehren*, und wir kehrten um. Doch da wurde uns klar, dass dies gar kein Weg war, denn die Äste und Pflanzen waren immer noch dicht um uns herum. Wir gingen ein kleines Stück weiter, wanden uns zwischen ihnen hindurch, doch schon bald begriffen wir, dass wir den Weg verfehlt und uns verirrt hatten.

Im Dschungel war es so dunkel, dass wir nicht mal unsere eigenen Hände sehen konnten, und wir hielten uns aneinander fest, damit wir einander nicht verloren. Um uns herum hörten wir die Geräusche der Dschungeltiere im Unterholz, und es waren natürlich kleine Tiere, nur Ratten und Spitzmäuse und Dschungelschweine, aber in der Dunkelheit erschienen sie uns riesig, so groß wie unsere Angst, und sie wuchsen noch mit ihr. Uns war nicht danach, so zu tun, als hätten wir einen Kühlschrank oder eine Waschmaschine. Dies schien nicht die Nacht zu sein, in der uns solche Geräte helfen konnten.

Ich begann zu weinen, weil die Dunkelheit undurchdringlich war und ich nicht glaubte, dass sie jemals enden würde.

Doch Nkiruka hielt mich ganz fest und wiegte mich und flüsterte, *Sei nicht traurig, kleine Schwester. Wie ist mein Name?* Und ich sagte durch mein Schluchzen hindurch, *Dein Name ist Nkiruka.* Und meine Schwester rieb mir den Kopf und sagte, *Das stimmt. Mein Name bedeutet »Die Zukunft ist hell«. Verstehst du? Hätten unsere Mutter und unser Vater mir diesen Namen gegeben, wenn es nicht stimmte? Solange du bei mir bist, kleine Schwester, wird die Dunkelheit nicht ewig dauern.* Da hörte ich auf zu weinen und schlief mit dem Kopf an ihrer Schulter ein.

Ich erwachte vor Nkiruka. Mir war kalt, und es dämmerte. Die Dschungelvögel erwachten, und um uns schien ein blasses Licht, ein dünnes, graugrünes Licht. Überall wuchsen niedrige Farne und Schlingpflanzen, und von den Blättern tropfte der Tau. Ich stand auf und machte ein paar Schritte, weil das Licht in dieser Richtung heller schien. Ich schob einen niedrigen Ast beiseite, und da sah ich ihn. Im Unterholz stand ein ganz alter Jeep. Die Reifen hatten sich völlig zersetzt, und Schlingpflanzen und Farne wucherten in den Radkästen. Die schwarzen Plastiksitze waren zerfetzt und von kurzen, rostigen Sprungfedern durchbohrt. An den Türen wuchsen Pilze. Der Jeep stand mit der Rückseite zu mir, und ich ging näher heran.

Ich sah, dass Dschungel und Jeep zusammengewachsen waren, so dass man nicht mehr erkennen konnte, wo der eine aufhörte und der andere begann – ob der Dschungel nun aus dem Jeep oder der Jeep aus dem Dschungel herauswuchs. Der Fußraum war mit dem verrotteten Laub vieler Jahreszeiten gefüllt, und das Metall hatte die gleiche dunkle Farbe angenommen wie das welke Laub und die Erde. Quer über den Vordersitzen lag das Skelett eines Mannes. Zuerst bemerkte ich es nicht, weil seine Kleider die gleiche Farbe hatten wie das Laub, doch die Kleidung war so zerrissen und zerlumpt, dass die weißen Knochen im frühen Morgenlicht hindurchschimmerten. Es sah aus, als wäre das Skelett das Fahren leid gewesen und hätte sich zum Schlafen quer über die Sitze gelegt. Der Schädel ruhte auf dem Armaturenbrett, ein kleines Stück vom übrigen Skelett entfernt. Er blickte zu einem hellen Fleckchen Himmel hinauf, das hoch über uns durch einen Spalt im Baldachin des Waldes sichtbar war. Das weiß ich, weil der Schädel eine Sonnenbrille trug und der Himmel sich in einem der Gläser spiegelte. Eine Schnecke war über das Glas gekrochen und hatte den grünen Schimmel und Schmutz weggefressen. In der schimmernden Spur dieses Geschöpfes spiegelte sich der Himmel. Nun war die Schnecke schon auf halbem Weg über einen Brillenbügel gekrochen. Ich ging näher heran. Die Sonnenbrille hatte ein schmales goldenes Gestell. In der Ecke des Glases, in dem sich der Himmel spiegelte, stand *Ray-Ban*. Das hielt ich für den Namen des Mannes, denn ich war noch klein und war noch nicht meinem Unglück begegnet und wusste nicht, dass es einen Grund geben konnte, einen anderen Namen als den eigenen zu tragen.

Ich stand da und schaute lange Zeit auf Ray Bans Schädel, sah mein eigenes Spiegelbild in seinen Brillengläsern. Ich sah mich in der Landschaft meines Landes: ein kleines Mädchen mit hohen, dunklen Bäumen und einem Fleckchen Sonnenlicht. Ich starrte lange hin, und der Schädel wandte sich nicht ab und ich auch nicht, und ich begriff, dass es immer so für mich sein würde.

Nach ein paar Minuten kehrte ich zu meiner Schwester zurück. Die Äste schlossen sich hinter mir. Ich verstand nicht, weshalb der Jeep dort war. Ich wusste nicht, dass es vor fast dreißig Jahren in meinem Land Krieg gegeben hatte. Der Krieg, die Straßen, die Befehle – all das, was den Jeep an diesen Ort geführt hatte, war vom Dschungel überwuchert. Ich war acht Jahre alt und dachte, der Jeep sei aus dem Boden gewachsen, so wie die Farne und hohen Bäume um uns herum. Ich dachte, er wäre ganz natürlich aus der roten Erde meines Landes gewachsen und gehörte hierher wie die Cassava. Und ich wusste, dass meine Schwester ihn nicht sehen sollte.

Ich kehrte zurück an die Stelle, wo Nkiruka noch immer schlief. Ich streichelte ihr über die Wange. *Wach auf*, sagte ich. *Das Licht ist wieder da. Jetzt finden wir den Weg nach Hause.* Nkiruka lächelte und setzte sich auf. Sie rieb sich den Schlaf aus den Augen. *Na bitte*, sagte sie. *Habe ich dir nicht gesagt, die Dunkelheit würde nicht ewig dauern?*

»Alles in Ordnung?«, fragte Sarah.

Ich blinzelte und schaute mich in der Küche um. Die Schlingpflanzen zogen sich von den sauberen weißen Wänden und dem Küchentisch in die dunkelsten Winkel des Raumes zurück.

»Es sah aus, als wärst du ganz weit weg.«

»Entschuldigung. Ich bin noch nicht ganz wach.«

Sarah lächelte. »Ich habe gesagt, lasst uns ein Abenteuer erleben.«

Charlie schaute hoch. »Gehn wir zu Gotham City?«

Sarah lachte. »*Nach* Gotham City. Nein, Batman, wir gehen in den Park.«

Charlie sackte auf dem Boden zusammen. »Will nicht in den Park.«

Ich kniete mich neben ihn. »Batman, im Park gibt es Bäume und viele alte Äste auf dem Boden.«

»Und?«

»Wir können aus den Ästen Gotham City bauen.«

Charlie kratzte sich hinter einem Fledermausohr. »Mit meinem Bat-Kran?«

»Und deinen Superkräften.«

Charlie grinste. »Ich will zum Park!«

»Na komm, mein kleiner Kreuzritter«, sagte Sarah. »Auf zum Batmobil.«

Lawrence saß vorn mit Sarah, und ich stieg hinten mit Charlie ein. Wir fuhren durch das Tor des Richmond Parks und einen steilen Hang hinauf. Zu beiden Seiten der schmalen Straße wiegte sich hohes Gras im Wind, und Hirsche hoben die Köpfe, um uns anzuschauen. Sarah hielt auf einem Parkplatz neben einem Eisverkäufer.

»Nein, Batman. Bevor du fragst, die Antwort lautet nein.« Charlie ließ sich widerwillig mitziehen, immer noch zu dem Eisverkäufer zurückschauend. Im Park waren nicht viele Menschen, und wir gingen zu einem eingezäunten Gelände, das Isabella Plantation hieß. Drinnen gab es einen Dschungel aus gewundenen, rankenden Büschen.

»Was für hübsche Rhododendren«, sagte Sarah.

Unter ihren glatten, gekrümmten Zweigen war es dunkel und schattig. Draußen war es heiß. Wir kamen auf einen gepflegten Rasen neben einem kleinen See, auf dem Enten schwammen. Sarah breitete eine Decke im Schatten eines Baumes mit rötlicher, abblätternder Rinde aus. Auf einem Messingschild war der Name zu lesen. In der Isabella Plantation wehte kein Wind. Die Oberfläche des Sees war ölig und glatt. Der Himmel spiegelte sich darin. Wasser und Himmel reckten sich einander entgegen, und die Linie, an der sie aufeinandertrafen, war verschwommen und ungewiss. Im See schwammen große Fische, durchbrachen aber nicht die Oberfläche. Man sah nur die Wirbel im Wasser, wo sie gewesen waren. Ich schaute Sarah an, und sie schaute mich an, und wir merkten, dass wir nicht lächeln konnten.

»Tut mir leid«, sagte sie. »Es erinnert dich an den Strand, nicht wahr?«

»Schon gut. Es ist ja nur Wasser.«

Wir setzten uns auf die Decke. Im Schatten war es kühl und friedlich. Überall auf dem Rasen ließen sich Familien nieder, um den Tag zu genießen. Bei einer Familie musste ich zweimal hinschauen. Es gab einen Vater und eine Mutter

und ein kleines Mädchen, und der Vater machte Tricks mit
einer Münze, um seine Tochter zum Lachen zu bringen. Er
warf die Münze in die Luft, und ich sah sie durch den leuchtend blauen Himmel schwirren, und das Sonnenlicht blitzte
auf dem Gesicht der Königin von England – die die Lippen
bewegte und sagte, *Gütiger Himmel, mir scheint, wir fallen –*, und dann landete sie wieder in der Hand des Mannes,
und diese schloss sich um die Münze, und seine Hand war
sehr dunkel, noch dunkler als meine Haut. Und seine Tochter lachte und versuchte, seine Finger auseinanderzubiegen,
und ihre Haut war viel heller als die des Vaters – sie war
hell wie die Stöcke, die Charlie überall einsammelte. Und
die Mutter lachte auch und half ihrer Tochter, die Hand des
Vaters zu öffnen, und die Haut der Mutter war so weiß wie
die von Sarah.

Ich würde gar nicht erst versuchen, den Mädchen aus
meinem Dorf das zu erklären, denn sie würden es nicht
glauben. Wenn ich ihnen sagte, dass es hier Kinder gab, die
schwarze und weiße Eltern hatten, die einander im Park bei
der Hand hielten und miteinander lachten, würden sie nur
den Kopf schütteln und sagen, *Die kleine Miss Weitgereist
denkt sich mal wieder Geschichten aus.*

Aber ich schaute mich um und merkte, dass es noch andere solche Familien gab. Die meisten waren weiß, aber es gab
auch schwarze und ebenso viele gemischte wie schwarze.
Ich lächelte, als ich das sah. Ich dachte bei mir, Little Bee,
an diesem Ort gibt es kein *die*. Diese glücklichen Menschen,
diese gemischten Menschen, die eins und auch das andere
sind, diese Menschen sind *du*. Niemand wird dich vermissen, und niemand sucht nach dir. Was also hindert dich
daran, in dieses gemischte Land hineinzugehen und ein Teil
davon zu werden? Ich dachte bei mir, Little Bee, genau das
solltest du tun.

Charlie zog an meiner Hand. Er wollte sofort Gotham

City bauen, und wir gingen zusammen an den Rand des Rhododendrondschungels. Dort gab es viele helle, glatte Stöcke. Wir arbeiteten lange. Wir bauten Türme und Brücken. Wir bauten Straßen, Eisenbahnlinien und Schulen. Dann bauten wir ein Krankenhaus für verletzte Superhelden und ein Krankenhaus für verletzte Tiere, weil Charlie meinte, seine Stadt brauche beides. Charlie konzentrierte sich sehr. Ich sagte zu ihm: »Willst du nicht dein Batmankostüm ausziehen?« Doch er schüttelte den Kopf.

»Ich mache mir Sorgen um dich. Es ist zu warm. Komm schon, schwitzt du nicht in deinem Kostüm?«

»Schon, aber wenn ich nicht das Kostüm anhab, bin ich nicht Batman.«

»Musst du denn immer Batman sein?«

Charlie nickte. »Ja, weil wenn ich nicht *immer* Batman bin, dann stirbt mein Papa.«

Er schaute zu Boden. Er hielt einen Stock in der Hand und umklammerte ihn so fest, dass seine kleinen, weißen Knöchel durch die Haut schimmerten.

»Charlie, meinst du, dein Papa ist gestorben, weil du nicht Batman warst?«

Er schaute hoch. Durch die dunklen Löcher der Maske konnte ich die Tränen in seinen Augen sehen.

»Ich war im Kindergarten«, sagte er. »Da haben die Bösen meinen Papa erwischt.«

Seine Lippen zitterten. Ich zog ihn an mich und hielt ihn fest, während er weinte. Ich schaute über seine Schulter in die kalten schwarzen Tunnel, die zwischen den verschlungenen Rhododendronwurzeln gähnten. Ich starrte in die Schwärze und sah, wie Andrew sich langsam an dem Elektrokabel drehte und seine Augen mich bei jeder Umdrehung anschauten. Ihr Blick war wie diese schwarzen Tunnel: Er nahm kein Ende.

»Hör zu, Charlie. Dein Papa ist nicht gestorben, weil du

nicht da warst. Es ist nicht deine Schuld. Verstehst du das? Du bist ein guter Junge, Charlie. Es ist überhaupt nicht deine Schuld.«

Charlie entwand sich meinen Armen und sah mich an. »Warum ist mein Papa gestorben?«

Ich dachte nach.

»Die Bösen haben ihn erwischt, Charlie. Aber es sind keine, gegen die Batman kämpfen kann. Es sind Böse, gegen die dein Papa in seinem Herzen kämpfen musste und gegen die ich in meinem Herzen kämpfen muss. Es sind Böse, die innen sitzen.«

Charlie nickte. »Gibt es viele?«

»Viele was?«

»Viele Böse innen?«

Ich blickte in die dunklen Tunnel und erschauerte. »Ich glaube, die hat jeder.«

»Können wir die besiegen?«

Ich nickte. »Natürlich.«

»Und die kriegen mich nicht, oder?«

Ich lächelte. »Nein, Charlie, ich glaube, diese Bösen kriegen dich nie.«

»Und dich auch nicht, oder?«

Ich seufzte. »Charlie, hier im Park gibt es keine Bösen. Wir machen Urlaub. Vielleicht könntest du dir einen Tag von Batman freinehmen.«

Charlie richtete den Stock auf mich und runzelte die Stirn, als wäre das nur ein Trick seiner Feinde. »Batman ist *immer* Batman.«

Ich lachte, und wir bauten weiter Häuser aus Stöcken. Ich legte einen langen, knochenweißen Stock auf einen Haufen, bei dem es sich laut Charlie um ein Batmobil-Parkhaus handelte.

»Ich würde mir manchmal gern einen Tag von Little Bee freinehmen«, sagte ich.

Charlie schaute mich an. Ein Schweißtropfen rann unter seiner Maske hervor. »Wieso?«

»Na ja, es war schwer, Little Bee zu werden. Ich musste viel durchmachen. Sie haben mich in ein Abschiebegefängnis gesperrt, und ich musste mir beibringen, auf bestimmte Weise zu denken und stark zu sein und deine Sprache so zu sprechen, wie ihr sie sprecht. Sogar jetzt macht es mir noch Mühe. Denn tief drinnen, da bin ich nur ein Mädchen aus dem Dorf. Ich wäre gern wieder ein Mädchen aus dem Dorf und würde gern die Dinge tun, die Mädchen aus dem Dorf eben tun. Ich würde gern lachen und den älteren Jungs zulächeln. Ich würde gern dumme Sachen machen, wenn Vollmond ist. Und vor allem würde ich gern meinen richtigen Namen benutzen.«

Charlie hielt inne, die Schaufel in der Luft. »Aber Little Bee ist doch dein richtiger Name.«

Ich schüttelte den Kopf. »Nein, das ist nur mein Superheldenname. Ich habe auch einen richtigen Namen, so wie du *Charlie* heißt.«

Er nickte. »Wie ist dein richtiger Name?«

»Ich sage dir meinen richtigen Namen, wenn du dein Kostüm ausziehst.«

Charlie runzelte die Stirn. »Leider muss ich mein Batmankostüm für immer anbehalten.«

Ich lächelte. »Okay, Batman. Vielleicht ein anderes Mal.«

Charlie fing an, eine Mauer zwischen dem Dschungel und den Vororten von Gotham City zu errichten.

»Hm«, sagte er.

Nach einer Weile kam Lawrence zu uns herüber.

»Ich übernehme jetzt hier«, sagte er. »Sieh bitte zu, ob du Sarah zur Vernunft bringen kannst.«

»Was ist denn los?«

Lawrence kehrte die Handflächen nach außen und seufzte. »Geh einfach zu ihr, ja?«

Ich kehrte zur Decke im Schatten zurück. Sarah saß da und hatte die Arme um die Knie geschlungen.

»Also ehrlich«, sagte sie, als sie mich sah, »dieser *verdammte* Kerl.«

»Lawrence?«

»Manchmal frage ich mich, ob ich ohne ihn nicht besser dran wäre. Nein, das meine ich natürlich nicht so. Aber ehrlich. Habe ich denn nicht das Recht, über Andrew zu reden?«

»Habt ihr euch gestritten?«

Sarah seufzte. »Ich glaube, Lawrence hat immer noch ein Problem damit, dass du bei mir bist. Das macht ihn gereizt.«

»Was hast du denn über Andrew gesagt?«

»Ich habe ihm erzählt, dass ich letzte Nacht Andrews Büro aufgeräumt habe. Ich bin seine Unterlagen durchgegangen. Ich wollte nur sehen, ob ich Rechnungen bezahlen muss, ob wir keine Schulden auf irgendeiner Kreditkarte haben und so weiter.«

Sie sah mich an. »Ich habe festgestellt, dass Andrew nie aufgehört hat, über die Ereignisse am Strand nachzudenken. Ich dachte, er hätte es verdrängt, aber das stimmt nicht. Er hat Recherchen gemacht. Er hatte sicher zwei Dutzend Ordner in seinem Büro. Lauter Sachen über Nigeria. Über die Ölkriege und die Gräueltaten. Und ... na ja, ich hatte keine Ahnung, wie viele Menschen wie du nach Großbritannien gekommen sind, nachdem in ihren Dörfern solche Sachen geschehen waren. Andrew hatte eine ganze Mappe voller Dokumente über Asyl und Abschiebung.«

»Hast du sie gelesen?«

Sarah kaute auf ihrer Lippe. »Nicht viel. Es hätte für einen ganzen Monat gereicht. Außerdem hatte er jedem Dokument eigene Notizen angefügt. Er war sehr gründlich. Typisch Andrew. Es war zu spät in der Nacht, um alles

durchzulesen. Wie lange haben sie dich in diesem Abschiebegefängnis festgehalten, Bee?«

»Zwei Jahre.«

»Kannst du mir erzählen, wie es war?«

»Das solltest du besser nicht wissen. Es ist nicht deine
Schuld, dass ich dort war.«

»Erzähl es mir. Bitte.«

Ich seufzte, weil mir beim Gedanken an diesen Ort das
Herz schwer wurde.

»Als Erstes musste man seine Geschichte aufschreiben.
Sie gaben einem ein rosa Formular, auf das man schreiben
sollte, was einem passiert war. Das war die Grundlage
für den Asylantrag. Man musste sein ganzes Leben auf
ein Blatt Papier bringen. Um das Blatt war eine schwarze
Linie, ein Rand, und wenn du über den Rand hinaus geschrieben hast, war dein Antrag ungültig. Der Platz reichte
nur dafür, die allertraurigsten Dinge aufzuschreiben, die
dir passiert waren. Das war am schlimmsten. Denn wenn
man nicht die schönen Dinge lesen kann, die jemandem in
seinem Leben passiert sind, warum sollten einen dann die
traurigen kümmern? Verstehst du? Darum mögen die Leute
uns Flüchtlinge nicht. Sie denken nur an die tragischen Zeiten in unserem Leben und halten uns für tragische Leute.
Ich war eine der wenigen, die Englisch schreiben konnten,
also habe ich die Anträge für alle anderen geschrieben. Ich
musste mir ihre Geschichte anhören und ihr ganzes Leben
in den Rahmen quetschen, selbst bei den Frauen, deren Geschichten größer sind als ein Blatt Papier. Danach warteten
alle auf den Bescheid. Wir bekamen keine Informationen.
Das war am schlimmsten. Niemand hatte ein Verbrechen
begangen, aber man wusste nicht, ob man morgen oder
nächste Woche oder nie entlassen wird. Dort drinnen gab
es sogar Kinder, die konnten sich gar nicht mehr an das
Leben vor der Abschiebehaft erinnern. Vor den Fenstern

waren Gitterstäbe. Sie ließen uns am Tag dreißig Minuten nach draußen, außer es regnete. Wenn man Kopfschmerzen hatte, konnte man um ein Paracetamol bitten, aber man musste es vierundzwanzig Stunden im Voraus beantragen. Dafür gab es ein spezielles Formular. Und ein weiteres, wenn man eine Binde benötigte. Einmal wurde das Abschiebegefängnis inspiziert. Vier Monate später sahen wir den Bericht der Inspektoren. Er hing an einer Tafel, auf der *Offizielle Mitteilungen* stand. Sie hing am Ende eines Flurs, den keiner benutzte, weil er zum Ausgang führte, und der war verschlossen. Eines der anderen Mädchen fand die Tafel, als sie auf der Suche nach einem Fenster war, aus dem sie hinausschauen konnte. Im Bericht stand: *Wir müssen eine Reihe von demütigenden Prozeduren konstatieren. Es ist nicht nachvollziehbar, wie jemand mit Monatsbinden Missbrauch treiben sollte.*«

Sarah schaute zu Lawrence und Charlie hinüber, die lachten und mit Stöcken kickten. Als sie weitersprach, war ihre Stimme ruhig. »Ich nehme an, Andrew hat ein Buch geplant. Vermutlich hat er deshalb so viel Material gesammelt. Es war zu viel Recherche für einen einzigen Artikel.«

»Hast du das auch Lawrence gesagt?«

Sarah nickte. »Ich sagte, vielleicht sollte ich Andrews Arbeit weiterführen. Seine Notizen lesen. Ein bisschen mehr über die Abschiebegefängnisse herausfinden. Vielleicht, na ja, vielleicht sogar selbst das Buch schreiben.«

»Und deswegen ist er wütend geworden?«

»Er ist richtig ausgerastet.« Sarah seufzte. »Ich glaube, er ist eifersüchtig auf Andrew.«

Ich nickte langsam und sagte: »Bist du sicher, dass du mit Lawrence zusammen sein willst?«

Sie schaute mich scharf an. »Ich weiß, was du sagen willst. Dass er mehr an sich denkt als an mich. Dass ich auf der Hut sein soll. Und ich sage dir, dass Männer eben so sind, aber du bist zu jung, um das zu wissen, und daher werden wir uns auch streiten, und dann bin ich wirklich unglücklich. Also sag es lieber nicht, okay?«

Ich schüttelte den Kopf. »Es geht um mehr, Sarah.«

»Ich will es nicht hören. Ich habe mich für Lawrence entschieden. Ich bin zweiunddreißig, Bee. Wenn ich ein geordnetes Leben für Charlie möchte, muss ich zu meinen Entscheidungen stehen. Ich habe nicht zu Andrew gestanden, und jetzt weiß ich es besser. Er war ein guter Mensch – das wissen wir beide –, und ich hätte mir mehr Mühe geben sollen, auch wenn unsere Beziehung nicht perfekt war. Jetzt gibt es Lawrence. Er ist auch nicht perfekt. Aber ich kann nicht immer weglaufen.« Sarah atmete tief und zitternd ein. »Irgendwann muss man sich umdrehen und dem Leben ins Gesicht sehen.«

Ich zog die Knie an die Brust und beobachtete, wie Lawrence mit Charlie spielte. Sie stapften wie Riesen durch die Straßen von Gotham City, stampften zwischen den hohen Türmen umher, und Charlie lachte und brüllte. Ich seufzte. »Er kann gut mit Charlie umgehen.«

»Na bitte. Danke, dass du dich bemühst. Du bist ein braves Mädchen, Bee.«

»Wenn du alles wüsstest, was ich getan habe, würdest du mich nicht brav nennen.«

Sarah lächelte. »Ich werde dich wohl besser kennenlernen, wenn ich Andrews Buch schreibe.«

Ich legte die Hände an den Kopf. Ich schaute in die dunklen Tunnel unter dem Rhododendronwald. Ich dachte an Flucht und Verstecken. In den Büschen des Parks. Bei Vollmond im Dschungel. Unter den Planken eines umgekippten Bootes. *Ewig.* Ich kniff die Augen zu und wollte schreien, aber es kam kein Laut heraus.

»Alles in Ordnung?«

»Ja. Ich bin nur müde.«

»Verstehe. Ich gehe mal eben zum Auto und rufe im Büro an. Hier habe ich keinen Empfang.«

Ich ging zurück zu Charlie und Lawrence. Sie warfen Stöcke ins Gebüsch. Als ich näher kam, machte Charlie weiter, doch Lawrence drehte sich zu mir um.

»Und?«, fragte er. »Hast du es ihr ausgeredet?«

»Was ausgeredet?«

»Das Buch. Sie hat davon gesprochen, ein Buch fertigzuschreiben, an dem Andrew gearbeitet hat. Hat sie dir das nicht gesagt?«

»Doch. Hat sie. Ich habe ihr das Buch nicht ausgeredet, aber ich habe ihr auch Sie nicht ausgeredet.«

Lawrence grinste. »Braves Mädchen. Siehst du? Wir kommen doch miteinander klar. Ist sie noch sauer? Warum ist sie nicht mit dir hergekommen?«

»Sie musste telefonieren.«

»Ach so.«

Wir standen lange da und schauten einander an.

»Du hältst mich immer noch für einen Scheißkerl, oder?«

Ich zuckte mit den Schultern. »Es ist nicht wichtig, was ich denke. Sarah mag Sie. Aber ich wünschte, Sie würden nicht immer sagen, ich sei ein *braves Mädchen*. Sie beide. Das sagt man zu einem Hund, wenn er den Stock bringt.«

Lawrence schaute mich an, und ich fühlte eine große Traurigkeit, weil seine Augen so leer waren. Ich schaute über das Wasser des Sees, auf dem die Enten schwammen. Ich sah, wie sich der blaue Himmel darin spiegelte. Ich schaute lange hin, denn ich begriff, dass ich wieder dem Tod in die Augen schaute, und der Tod wandte sich noch nicht ab, und ich konnte es auch nicht.

Dann ertönte Hundegebell. Ich zuckte zusammen und schaute mich um und war eine Sekunde lang erleichtert, weil ich die Hunde am anderen Ende des Rasens sah, und es waren nur dicke, gelbe Familienhunde, die mit ihrem

Herrchen spazieren gingen. Dann entdeckte ich Sarah, die über den Weg auf uns zugelaufen kam. In einer Hand hielt sie ihr Handy. Sie blieb neben uns stehen, holte tief Luft und lächelte. Sie streckte uns die Arme entgegen, hielt dann aber inne und sah sich um.

»Wo ist Charlie?«

Sie sagte es sehr leise und dann noch einmal lauter und schaute uns dabei an.

Ich blickte über den weiten Rasen. In einer Richtung waren die beiden gelben Hunde, die gebellt hatten. Ihr Herrchen warf ihnen Stöckchen in den See. In der anderen Richtung befand sich der dichte Rhododendrondschungel. Die dunklen Tunnel zwischen den Ästen wirkten verlassen.

»Charlie?«, rief Sarah. »Charlie? Oh mein Gott. Charlie!«

Ich drehte mich unter der heißen Sonne im Kreis. Wir rannten hin und her. Riefen ihn. Wieder und wieder. Charlie war weg.

»Oh mein Gott!«, sagte Sarah. »Jemand hat ihn mitgenommen! Oh mein Gott! *Charlie!*«

Ich stürzte zum Rhododendrondschungel und kroch in seinen kühlen Schatten und erinnerte mich an die Dunkelheit unter dem Baldachin des Waldes, als ich in jener Nacht mit Nkiruka in den Dschungel gegangen war. Während Sarah nach ihrem Sohn schrie, weitete ich die Augen in der Schwärze der Tunnel und starrte hinein. Ich schaute lange hin. Ich begriff, dass sich die Albträume unserer Welten irgendwie vermischt hatten und man nicht mehr sagen konnte, wo der eine endete und der andere begann – ob der Dschungel nun aus dem Jeep oder der Jeep aus dem Dschungel herauswuchs.

10

Als ich ging, spielte Charlie fröhlich mit Lawrence und Little Bee. Ich war auf halbem Weg zum Parkplatz, als ich endlich ein Signal bekam. Ich schaute in den diesigen Himmel, dann wieder nach unten und entdeckte endlich zwei Striche auf meinem Display. Mein Magen verkrampfte sich, und ich dachte, so, ich mache es jetzt, bevor ich mich beruhigt habe und meine Meinung ändere. Ich rief den Verleger an und erklärte ihm, dass ich nicht länger Chefredakteurin seines Magazins sein wollte.

Der Verleger sagte: *In Ordnung.*

Ich sagte: *Ich bin mir nicht sicher, ob Sie mich richtig verstanden haben. In meinem Leben ist etwas Außergewöhnliches passiert, und darum muss ich mich kümmern. Daher muss ich meinen Job aufgeben.* Und er erwiderte: *Doch, ich habe Sie verstanden, das geht in Ordnung, ich finde jemand anderen.* Dann legte er auf.

Ich sagte: *Oh.*

Ich stand eine Minute schockiert da, dann musste ich lächeln.

Die Sonne schien herrlich. Ich schloss die Augen und ließ die Brise die Spuren der letzten Jahre wegretuschieren. Ein Anruf: So einfach ging das also. Die Menschen fragen sich, wie sie ihr Leben verändern sollen, doch im Grunde ist es erschreckend einfach.

Ich dachte schon darüber nach, wie ich mit Andrews Buch

weitermachen könnte. Der Trick bestand natürlich darin, es unpersönlich zu halten. Ich fragte mich, ob Andrew genau das schwergefallen war. Das Erste, was sie einem im Journalismusstudium beibringen, ist, dass man sich nicht selbst in die Geschichte einbringen darf. Doch wenn es die Geschichte überhaupt nur gibt, weil wir in der Geschichte sind? Allmählich verstand ich, wie sehr sich Andrew damit gequält haben musste. Ich fragte mich, ob er deshalb nie etwas von dem Projekt gesagt hatte. Lieber Andrew, dachte ich. Wie kommt es, dass ich mich dir jetzt näher fühle als an dem Tag, an dem wir geheiratet haben? Gerade eben wollte ich nicht hören, was Little Bee zu sagen hatte, weil ich wusste, dass ich an Lawrence festhalten muss. Und doch rede ich in Gedanken gleichzeitig mit dir. Da ist sie wieder, die gespaltene Zunge der Trauer, Andrew. Sie flüstert in ein Ohr: *Kehr zurück zu dem, was du am meisten geliebt hast*, und ins andere: *Schau nach vorn*.

Mein Telefon klingelte, und ich öffnete abrupt die Augen. Es war Clarissa.

»Sarah? Es heißt, du hättest gekündigt. Bist du *wahnsinnig*?«

»Ich habe doch gesagt, dass ich mit dem Gedanken spiele.«

»Sarah, ich spiele auch häufig mit dem Gedanken, mit Erstliga-Fußballern ins Bett zu steigen.«

»Vielleicht solltest du es mal versuchen.«

»Und vielleicht solltest du ins Büro kommen, auf der Stelle, und dem Verleger sagen, dass es dir sehr leidtut und dass du im Augenblick eine Trauerphase durchmachst und ob du bitte, bitte deinen schönen Job zurückhaben kannst.«

»Aber ich will den Job nicht mehr. Ich möchte wieder Journalistin sein. Ich will etwas *bewirken*.«

»Jeder will etwas bewirken, Sarah, aber dafür gibt es die richtige Zeit und den richtigen Ort. Weißt du eigentlich, was es bedeutet, wenn du einfach so dein Spielzeug aus dem Kinderwagen wirfst? Du hast eine Midlife-Crisis. Du bist nicht anders als der Mann in mittleren Jahren, der sich einen roten Sportwagen kauft und mit der Babysitterin ins Bett steigt.«

Ich dachte darüber nach. Die Brise schien jetzt kühler. Ich bekam eine Gänsehaut.

»Sarah?«

»Oh, Clarissa, du hast recht, ich bin durcheinander. Meinst du, ich habe gerade mein Leben weggeworfen?«

»Ich möchte nur, dass du darüber nachdenkst. Wirst du das tun, Sarah?«

»Na schön.«

»Und mich anrufen?«

»Das mache ich. Clarissa?«

»Darling?«

»Danke.«

Ich ging langsam zurück. Hinter mir umgab wildes Gras ein Eichenwäldchen, verwildert und von Blitzeinschlägen verkrüppelt, und vor mir erhob sich die Isabella Plantation mit ihren schmiedeeisernen Palisaden, gezähmt, üppig und fest umzäunt. Es ist schwer zu wissen, was man vom Leben will, wenn man tatsächlich vor die Wahl gestellt wird.

Der Weg erschien mir lang. Als ich Lawrence und Little Bee entdeckte, eilte ich auf sie zu. Sie wirkten verloren, wie sie dastanden, voneinander abgewandt, ohne etwas zu sagen. Ich dachte, mein Gott, wie dumm bin ich gewesen. Ich habe mich immer als äußerst praktische Frau betrachtet, als anpassungsfähig. Ich dachte, wenn ich jetzt umkehre und dorthin zurückgehe, wo ich Empfang habe, kann ich den Verleger anrufen und sagen, ich hätte einen Fehler begangen. Nicht nur einen kleinen Fehler, sondern einen großen, elementaren, lebensverändernden Fehler. Während der ganzen Woche Sonderurlaub hätte ich völlig vergessen, dass ich ein vernünftiges Mädchen aus Surrey sei. Wissen Sie, irgendetwas an Little Bees Lächeln und ihrer Energie hat mich dazu gebracht, mich ein bisschen in sie zu verlieben. Und so macht die Liebe Narren aus uns allen. Eine ganze Woche lang habe ich mich tatsächlich für einen besseren Menschen gehalten, der die Welt verändern kann. Mir war völlig entfallen, dass ich ja eine ruhige, praktisch veranlagte, trauernde Frau bin, die sich sehr auf ihren Job konzentriert. Ich hatte unerklärlicherweise vergessen, dass niemand ein Held, dass jeder so verdammt *verdorben* ist. Ist das nicht seltsam? Und könnte ich jetzt bitte mein altes Leben zurückhaben?

Weiter hinten auf dem Rasen erklang Hundegebell, das der Wind mit sich trug. Little Bee entdeckte mich. Ich ging auf die beiden zu.

Ich streckte ihnen die Arme entgegen, bemerkte dann aber, dass Charlie nicht mehr bei ihnen war.

»Wo ist Charlie?«

Selbst jetzt noch tut es weh, daran zu denken. Ich suchte alles ab, natürlich. Lief hin und her. Schrie seinen Namen. Ich rannte um den Rasen herum, schaute in die Dunkelheit unter dem Rhododendron und hinüber zum Schilf am Rande des Sees. Ich schrie mich heiser. Mein Sohn war nirgendwo zu sehen. Mich überkam eine schmerzhafte Panik. Der für logisches Denken zuständige Teil meines Gehirns machte dicht. Ich nehme an, dass die Blutzufuhr dorthin vorübergehend gesperrt war und sich stattdessen auf Augen, Beine und Lungen konzentrierte. Ich suchte, ich rannte, ich schrie. Und die ganze Zeit wuchs in meinem Herzen die unaussprechliche Gewissheit, dass jemand Charlie mitgenommen hatte.

Ich rannte über einen Weg und stieß auf eine Familie, die auf einer Lichtung picknickte. Die Mutter – langes, rötlich braunes Haar mit ausgefransten Spitzen – saß barfuß im

Schneidersitz auf einer karierten Decke, um sich herum Mandarinenschalen und ungegessene Reste. Sie hatte das *BBC Music Magazine* auf der Decke ausgebreitet und einen Fuß daraufgestellt, damit der Wind die Seiten nicht umblätterte. An ihrem zweiten Zeh steckte ein schmaler Silberring. Neben ihr auf der Decke aßen zwei Mädchen mit flammendem Haar und blauen Baumwollkleidern Schmelzkäsescheiben direkt aus der Packung. Der blonde, stämmige Ehemann stand ein Stück entfernt und telefonierte. *Lanzarote ist ja nur noch eine Touristenfalle,* sagte er gerade. *Probier doch mal was Ausgefallenes aus, Kroatien oder Marrakesch. Auf jeden Fall bekommst du da mehr für dein Geld.* Ich lief weiter über die Lichtung und blickte wild um mich. Die Mutter bemerkte mich.

»Stimmt was nicht?«

»Ich habe meinen Sohn verloren«, sagte ich.

Sie schaute mich ausdruckslos an. Ich grinste idiotisch. Ich wusste nicht, was ich mit meinem Gesicht anfangen sollte. Mein Gehirn und mein Körper waren bereit, gegen Pädophile oder Wölfe zu kämpfen. Angesichts dieser ganz normalen Leute, die auf ihrer Picknickdecke ein absurd idyllisches Bild boten, schien meine Not verzweifelt und vulgär. Soziale Konditionierung kämpfte gegen Panik. Ich schämte mich. Erkannte instinktiv, dass ich ruhig mit der Frau sprechen und mich ihrem Ton anpassen musste, wenn ich ohne Zeitverlust meine Informationen vermitteln wollte. Ich kämpfte – wie vielleicht schon mein ganzes Leben – darum, die richtige Balance zwischen Nettigkeit und Hysterie zu finden.

»Entschuldigung, ich habe meinen Sohn verloren.«

Die Frau stand auf und sah sich auf der Lichtung um. Ich begriff nicht, weshalb sie sich so langsam bewegte. Während ich von Luft umgeben war, schien sie in einem zähflüssigeren Medium zu stecken.

»Er ist etwa so groß«, sagte ich. »Und als Batman verkleidet.«

»Es tut mir leid«, sagte sie in Zeitlupe. »Ich habe nichts gesehen.«

Sie brauchte ewig, um die Wörter zu formen. Es war, als müsste ich warten, bis sie sie in Stein gemeißelt hatte. Ich war schon halb von der Lichtung weg, bevor sie zu Ende gesprochen hatte. Hinter mir hörte ich den Ehemann sagen, *Du könntest immer noch die billigste Pauschalreise buchen und nur die Flüge nutzen. Dann suchst du dir eine schöne Unterkunft, wenn du da bist.*

Ich rannte durch ein Labyrinth kleiner, dunkler Wege, die zwischen den Rhododendronbüschen hindurchführten, und rief Charlies Namen. Ich kroch planlos durch die finsteren Tunnel zwischen den Ästen, dann rannte ich wieder. Meine Unterarme waren mit blutigen Kratzern übersät, doch ich spürte keinen Schmerz. Ich weiß nicht, wie lange ich so gelaufen bin. Vielleicht fünf Minuten, vielleicht auch so lange, wie ein göttliches Wesen benötigt, um ein Universum und den Menschen nach seinem Ebenbild zu erschaffen, aber keinen Trost in ihm zu finden und dann entsetzt seinen langsamen, grauen Tod mit anzusehen, wohl wissend, dass es weiterhin gänzlich allein und ungetröstet sein wird. Irgendwie gelangte ich zurück zu der Stelle, an der Charlie aus Stöcken seine Stadt errichtet hatte. Ich riss sie auseinander und schrie seinen Namen. Ich suchte meinen Sohn unter Reisighaufen, die kaum höher als fünfzehn Zentimeter waren. Ich grub mit den Händen in welkem Laub. Natürlich wusste ich, dass mein Sohn nicht darunter war. Ich wusste es und griff doch nach allem, was sich darunter abzeichnete. Ich fand eine alte Chipstüte. Das zerbrochene Rad eines Kinderwagens. Meine Nägel bluteten in die noch kaum untergrabene Geschichte unzähliger Familienausflüge.

Hinter der Rasenfläche entdeckte ich Little Bee und Lawrence, die von ihrer eigenen Suche im Rhododendron zurückkehrten. Ich rannte zu ihnen hinüber, doch auf halbem Weg kam mir ein letzter rationaler Gedanke: Er ist nicht auf dem Rasen, und er ist nicht im Gebüsch, also muss er im See sein. Während ich das dachte, spürte ich, wie der nächste Teil meines Gehirns dichtmachte. Die Panik, die in meiner Brust emporstieg, schlug über mir zusammen. Ich schwenkte von den beiden weg und stürzte ans Ufer des Sees. Ich watete bis zu den Knien hinein, dann bis zur Taille, starrte in das schlammige braune Wasser und schrie den Seerosen und verblüfften Enten Charlies Namen entgegen.

Da entdeckte ich etwas am schlammigen Boden des Sees. Unter Wasser, halb verdeckt von Seerosen und von kleinen Wellen verzerrt, sah es aus wie ein knochenweißes Gesicht. Ich griff hinein und packte es. Hob es ans Licht. Es war der halbe Schädel eines Kaninchens. Während er tropfend in meiner Hand lag, wurde mir klar, dass ich in dieser Hand eben noch mein Handy gehalten hatte. Mein Telefon war weg – mein Leben war weg – irgendwo verloren gegangen im Gebüsch oder im See. Ich stand im Wasser und hielt einen Schädel in der Hand. Ich wusste nicht, was ich jetzt tun sollte. Ein pfeifendes Geräusch erklang. Mir wurde klar, dass der Wind durch die leere Augenhöhle des Schädels blies. Da begann ich wirklich zu schreien.

Charlie O'Rourke. Vier Jahre alt. Batman. Woran dachte ich? An seine vollkommenen, kleinen weißen Zähne. Die wilde Konzentration in seinem Gesicht, wenn er Böse erledigte. Wie er mich einmal umarmt hatte, als ich traurig gewesen war. Wie ich seit Afrika zwischen verschiedenen Welten – zwischen Andrew und Lawrence, zwischen Little Bee und meinem Job – hin und her gelaufen war, überallhin gelaufen war, nur nicht in die Welt, in die ich gehörte. Warum war ich nie zu Charlie gelaufen?, schrie ich mich selbst an. Mein Sohn, mein wunderschöner Junge. Fort, *fort*. Er war so verschwunden, wie er gelebt hatte – während ich nicht hingesehen hatte. Stattdessen hatte ich in meine selbstsüchtige Zukunft geblickt. Ich dachte an die leeren Tage, die vor mir lagen und die kein Ende nehmen würden.

Dann spürte ich Hände auf den Schultern. Es war Lawrence. Er führte mich aus dem See ans Ufer. Ich zitterte im Wind.

»Wir müssen das jetzt systematisch angehen«, sagte er. »Sarah, du bleibst hier und rufst weiter nach ihm, damit er weiß, wohin er gehen muss, falls er hier herumirrt. Ich bitte alle Leute auf dem Gelände, uns bei der Suche zu helfen, und mache auch mit. Bee, du nimmst mein Handy und suchst dir eine Stelle, an der du Empfang hast. Dann rufst du die Polizei an. Du wartest am Eingang auf sie, damit du ihnen zeigen kannst, wo wir sind.«

Lawrence gab ihr sein Telefon und wandte sich wieder an mich. »Ich weiß, es klingt banal, aber die Polizei ist wirklich gut bei so etwas. Ich bin sicher, wir finden Charlie, bevor sie hier sind. Aber es ist sinnvoll, sie so schnell wie möglich einzubeziehen, einfach für alle Fälle.«

»Okay«, sagte ich. »Los.«

Little Bee stand immer noch da, Lawrences Telefon in der Hand, und starrte ihn und mich aus großen, angstvollen Augen an. Ich verstand nicht, weshalb sie nicht längst unterwegs war.

»Geh!«, sagte ich.

Sie starrte mich an. »Die Polizei …«, sagte sie.

Allmählich dämmerte es mir. *Die Nummer. Natürlich! Sie kennt die Nummer des Notrufs nicht.*

»Die Nummer ist 999«, sagte ich.

Sie stand einfach da. Ich begriff nicht, worin das Problem bestand.

»Die *Polizei*, Sarah.«

Ich starrte sie an. Ihre Augen blickten flehentlich. Sie

wirkte verängstigt. Und dann, ganz langsam, veränderte sich ihre Miene. Sie wurde fest und entschlossen. Little Bee holte tief Luft und nickte mir zu. Dann drehte sie sich um, zuerst langsam, dann sehr schnell, und rannte in Richtung Tor. Als sie auf halbem Weg über den Rasen war, schlug Lawrence die Hand vor den Mund.

»Oh, Scheiße, die *Polizei*«, sagte er.

»Was?«

Er schüttelte den Kopf. »Egal.«

Lawrence stürzte ins Labyrinth der Wege zwischen den Rhododendren. Ich stellte mich mitten auf den Rasen und rief wieder nach Charlie. Ich rief und rief, während die Enten vorsichtig in ihre angestammten Bahnen auf dem See zurückkehrten. Ich zitterte in meinen nassen Jeans. Zuerst rief ich Charlie, damit er wusste, wo er mich finden konnte, doch als meine Stimme allmählich versagte, wurde mir klar, dass ich eine weitere Grenze überschritten hatte und den Namen nur noch rief, um ihn zu hören, um seine fortgesetzte Existenz in der Welt zu sichern. Mir wurde klar, dass der Name alles war, was ich besaß. Meine Stimme senkte sich zu einem Flüstern. Ich hauchte Charlies Namen.

Als Charlie kam, kam er ganz allein. Er trottete aus dem dunklen Gewirr des Rhododendrons, völlig verdreckt, und zog den Batman-Umhang hinter sich her. Ich rannte zu ihm hin, nahm ihn in die Arme und drückte ihn an mich. Ich presste mein Gesicht an seinen Hals und atmete seinen Geruch ein, das scharfe Salz seines Schweißes, einen beißenden Hauch von Erde. Die Tränen liefen mir übers Gesicht.

»Charlie«, flüsterte ich. »Oh, meine Welt, meine ganze Welt.«

»Lass los, Mama! Du zerquetscht mich!«

»Wo bist du gewesen?«

Charlie kehrte die Hände nach außen und antwortete, als wäre ich dämlich. »Natürlich in meiner Bat-Höhle.«

»Oh, *Charlie*. Hast du uns denn nicht rufen hören? Hast du denn nicht gemerkt, dass wir nach dir gesucht haben?« Charlie grinste unter seiner Maske. »Ich hab mich versteckt.«

»Wieso? Wieso bist du nicht rausgekommen? Hast du nicht gemerkt, welche Sorgen wir uns gemacht haben?« Mein Sohn blickte traurig zu Boden. »Lawrence und Bee waren stinkig. Die haben nicht mit mir gespielt. Also bin ich in meine Bat-Höhle gegangen.«

»Oh, Charlie. Mama war so durcheinander. Furchtbar dumm und egoistisch. Ich verspreche dir, Charlie, ich werde nie wieder so dumm sein. Du bist meine ganze Welt, weißt du das? Das vergesse ich nie wieder. Weißt du, wie viel du mir bedeutest?«

Charlie blinzelte, er schien eine Gelegenheit zu wittern. »Kann ich ein Eis haben?«

Ich umarmte meinen Sohn. Ich spürte seinen warmen, schläfrigen Atem an meinem Hals und durch den dünnen grauen Stoff des Kostüms den sanften, beharrlichen Druck der Knochen unter seiner Haut.

11

Die Polizisten kamen nach fünfzehn Minuten. Sie waren zu dritt. Sie kamen langsam angefahren in einem silbernen Auto mit leuchtend blauen und orangefarbenen Streifen an der Seite und Signalleuchten auf dem Dach. Sie fuhren über den Fußweg zum Tor zur Isabella Plantation, wo ich stand. Sie stiegen aus und setzten die Mützen auf. Sie trugen weiße Hemden mit kurzen Ärmeln und dicke schwarze Westen mit einem schwarz-weiß karierten Streifen. Die Westen hatten viele Taschen, in denen Schlagstöcke, Funkgeräte, Handschellen und andere Dinge steckten, deren Namen ich nicht kannte. Ich dachte, das würde Charlie gefallen. Diese Polizisten sind besser ausgerüstet als Batman.

Wenn ich den Mädchen zu Hause diese Geschichte erzählen würde, müsste ich erklären, dass Polizisten in Großbritannien keine Schusswaffen tragen.

– *Wah! Keine Pistole?*

– *Keine Pistole.*

– *Warum haben sie die ganzen Sachen dabei und vergessen das Wichtigste? Wie erschießen sie denn die bösen Männer?*

– *Sie erschießen die bösen Männer nicht. Wenn sie anfangen zu schießen, bekommen sie meistens Probleme.*

– *Wah! Das ist aber ein verdrehtes Königreich, in dem die Mädchen ihre Tittis, die Polizisten aber ihre Waffen nicht zeigen dürfen.*

Dann müsste ich nicken und ihnen wieder sagen: *Mein Leben in diesem Land war oft ganz durcheinander.* Die Polizisten knallten die Türen hinter sich zu: *rums.* Ich erschauerte. Wenn man ein Flüchtling ist, lernt man, auf Türen zu achten. Wann sie offen sind; wann sie geschlossen sind; welche Geräusche sie machen; auf welcher Seite von ihnen man sich befindet.

Einer der Polizisten kam näher, während die anderen sich über die Funkgeräte beugten, die an ihren Westen befestigt waren. Der Polizist, der auf mich zukam, war wohl nicht viel älter als ich. Er war groß und hatte orangefarbenes Haar unter der Mütze. Ich versuchte zu lächeln, konnte es aber nicht. Ich machte mir solche Sorgen um Charlie, dass sich mein Kopf drehte. Ich hatte Angst, das Englisch der Königin könnte mich im Stich lassen. Ich versuchte, mich zu beruhigen.

Wenn dieser Polizist mich verdächtigte, könnte er die Einwanderungsleute rufen. Dann würde einer von denen eine Taste auf seinem Computer drücken und ein Kästchen in meiner Akte ankreuzen, und ich würde abgeschoben. Ich wäre tot, ohne dass jemand eine Kugel abgefeuert hätte. Mir wurde klar, dass die Polizei hier deshalb keine Waffen trägt. In einem zivilisierten Land töten sie dich mit einem Knopfdruck. Das Töten geschieht weit weg, im Herzen des Königreichs in einem Gebäude voller Computer und Kaffeetassen.

Ich starrte den Polizisten an. Er hatte kein grausames Gesicht. Er hatte auch kein freundliches Gesicht. Er war jung und blass und hatte noch keine Falten. Er war nichts. Er war unschuldig, wie ein Ei. Wenn dieser Polizist die Tür des Polizeiautos öffnete und mich einsteigen ließe, wäre es für ihn der Innenraum eines Autos. Ich aber würde Dinge sehen, die er nicht sah. Ich würde den roten Staub auf den Sitzen sehen. Ich würde die alten, vertrockneten Blätter sehen, die in den Fußraum geweht worden waren. Ich würde den weißen Schädel auf dem Armaturenbrett sehen und die Dschungelpflanzen, die durch die rostigen Risse im Boden wuchsen und durch die zerbrochene Windschutzscheibe drangen. Für mich würde diese Autotür aufschwingen, und ich würde aus England hinaustreten, geradewegs zurück in die Unruhen meines Landes. Das meinen sie damit, wenn sie sagen, *Die Welt ist ganz schön klein geworden.*

Der Polizist schaute mich aufmerksam an. Das Funkgerät an seiner Weste sagte: »Weiter, Charlie Bravo.«

»Er heißt nicht Charlie Bravo«, sagte ich. »Er heißt Charlie O'Rourke.«

Der Polizist sah mich ausdruckslos an. »Sind Sie die Dame, die den Notruf verständigt hat?«

Ich nickte. »Ich zeige Ihnen, wo wir sind«, sagte ich und wollte in Richtung Isabella Plantation gehen.

»Zuerst ein paar Angaben, Madam«, sagte der Polizist. »In welcher Beziehung stehen Sie zu der vermissten Person?«

Ich blieb stehen und drehte mich um. »Das ist nicht wichtig.«

»Es gehört zum Verfahren, Madam.«

»Charlie ist weg«, sagte ich. »Lassen Sie uns bitte keine Zeit verschwenden. Ich erzähle Ihnen alles später.«

»Das ganze Gelände ist von einem Zaun umgeben, Madam. Falls sich das Kind dort drinnen befindet, kann es nicht unbemerkt verschwinden. Also können Sie ruhig Ihre Personalien angeben.« Der Polizist musterte mich. »Wir suchen nach einem weißen, männlichen Kind, ist das richtig?«

»Ja, das stimmt. Seine Mutter ist auf dem Gelände.«

»Sind Sie das Kindermädchen?«

»Nein, das bin ich nicht. Bitte, ich verstehe nicht, wieso ...«

Er machte einen Schritt auf mich zu, und ich wich zurück, ich konnte nicht anders.

»Sie wirken ungewöhnlich nervös, Madam. Gibt es irgendetwas, das ich wissen sollte?« Er sprach sehr ruhig und schaute mir dabei unverwandt in die Augen.

Ich richtete mich so hoch auf, wie ich konnte, und schloss einen Moment die Augen, und als ich sie wieder aufmachte, sah ich den Polizisten sehr kalt an und sprach mit der Stimme von Königin Elisabeth der Zweiten.

»Wie können Sie es wagen?«

Der Polizist tat einen Schritt nach hinten, als hätte ich ihn geschlagen. Er sah zu Boden und wurde rot.

»Verzeihung, Madam«, murmelte er.

Dann schaute er mich wieder an. Zuerst wirkte er verlegen, doch dann trat Zorn in sein Gesicht. Mir wurde klar, dass ich es wieder übertrieben hatte. Ich hatte ihn beschämt, und das ist eine Sache, die ich den Mädchen aus meinem Land oder den Mädchen aus eurem Land nicht erklären muss: Wenn man einen Mann beschämt, wird er gefährlich. Der Polizist sah mir lange in die Augen, und ich bekam große Angst. Ich war sicher, das konnte ich nicht verbergen, also blickte ich zu Boden. Da wandte sich der Polizist an einen der anderen.

»Die behältst du hier und nimmst ihre Personalien auf«, sagte er. »Ich gehe mit Paul rein und suche die Mutter.«

»Bitte«, sagte ich. »Ich muss Ihnen den Weg zeigen.«

Der Polizist lächelte kalt. »Wir sind große Jungs, wir finden uns schon zurecht.«

»Ich verstehe nicht, warum Sie meine Personalien brauchen.«

»Ich brauche Ihre Personalien, Madam, weil Sie sie mir offenbar nicht geben wollen. An diesem Punkt entscheide ich gewöhnlich, dass ich sie brauche. Das ist nicht persönlich gemeint, Madam. Sie wären erstaunt, wie oft derjenige, der bei Vermisstenfällen die Polizei benachrichtigt, etwas mit dem Verschwinden zu tun hat.«

Ich sah ihn mit dem Mann, der Paul hieß, durch das Tor der Isabella Plantation gehen. Der andere Polizist kam zu mir und zuckte mit den Schultern.

»Tut mir leid. Wenn Sie bitte mitkommen, dann können Sie sich gemütlich in den Streifenwagen setzen, und ich nehme Ihre Personalien auf. Es dauert nur eine Minute, länger halte ich Sie nicht auf. Und meine Kollegen werden das Kind finden, wenn es dort ist, das kann ich Ihnen versichern.«

Er öffnete die hintere Tür des Polizeiautos und ließ mich einsteigen. Er ließ die Tür offen, während er in sein Funkgerät sprach. Er hatte blasse, schmale Handgelenke und einen kleinen Bauch, so wie der Gefängniswärter, der an dem Morgen, an dem sie uns freiließen, Dienst hatte. Im Polizeiauto roch es nach Nylon und Zigaretten.

»Wie ist Ihr Name, Madam?«, fragte der Polizist nach einer Weile.

»Wozu müssen Sie das wissen?«

»Schauen Sie, wir haben pro Woche zwei bis drei Vermisstenfälle und kommen immer als Außenstehende in die Situation. Wir sind hier, um Ihnen zu helfen. Für Sie mag die Situation ganz eindeutig sein, aber wir müssen ein paar Fragen stellen, um zu erfahren, womit wir es zu tun haben. Wenn man an der Oberfläche kratzt, findet man darunter meist eine altbekannte Geschichte, gerade in Familien. Oft muss man nur ein paar Fragen stellen und gewinnt schon einen ziemlich guten Eindruck, weshalb sich die fragliche Person rargemacht hat. Verstehen Sie?« Er grinste. »Schon gut. Sie sind ja nicht verdächtig oder so.«

»Natürlich nicht.«

»Na schön, also fangen wir mit Ihrem Namen an.«

Ich seufzte und wurde sehr traurig. Ich wusste, jetzt war für mich alles vorbei. Ich konnte dem Polizisten nicht meinen wirklichen Namen nennen, denn dann würden sie herausfinden, was ich war. Einen falschen Namen konnte ich ihm auch nicht nennen. Jennifer Smith, Alison Jones – keiner dieser Namen ist real, wenn man nicht die passenden Papiere hat. Nichts ist real, außer es erscheint auf einem Bildschirm, irgendwo in einem Gebäude voller Computer und Kaffeetassen, genau in der Mitte des Vereinigten Königreiches. Ich setzte mich ganz gerade auf den Rücksitz des Polizeiautos und holte tief Luft und sah dem Polizisten in die Augen.

»Mein Name ist Little Bee.«

»Können Sie das bitte buchstabieren?«

»L-I-T-T-L-E-B-E-E.«

»Ist das Ihr Vorname oder Nachname, Madam?«

»Das ist mein ganzer Name. Das bin ich.«

Der Polizist seufzte, drehte sich weg und sprach in sein Funkgerät.

»Charlie Bravo an Leitstelle«, sagte er. »Fordere eine Einheit an. Ich habe hier jemanden für Karteiabgleich und Fingerabdrücke.«

Er wandte sich wieder an mich. Jetzt lächelte er nicht mehr.

»Bitte«, sagte ich. »Bitte lassen Sie mich bei der Suche nach Charlie helfen.«

Er schüttelte den Kopf. »Sie warten hier.«

Er schloss die Autotür. Ich saß lange da. Ohne den Wind war es im Polizeiauto sehr heiß. Ich wartete, bis eine andere Gruppe Polizisten kam und mich mitnahm. Sie setzten mich in einen Lieferwagen. Im Rückfenster sah ich durch ein Metallgitter die Isabella Plantation verschwinden.

Am Abend kamen Sarah und Lawrence mich besuchen. Ich befand mich in einer Arrestzelle in der Polizeiwache von Kingston-upon-Thames. Der Wärter riss die Tür auf, ohne anzuklopfen, und Sarah kam herein. Sie trug Charlie in den Armen. Er schlief und hatte den Kopf auf ihre Schulter gelegt. Ich war so glücklich, ihn in Sicherheit zu wissen, dass ich weinte. Ich küsste Charlie auf die Wange. Er zuckte im

Schlaf und seufzte. Durch die Löcher in seiner Bat-Maske konnte ich sehen, wie er im Schlaf lächelte. Da musste ich auch lächeln.

Draußen vor der Zelle diskutierte Lawrence mit einem Polizeibeamten.

»Das ist lächerlich. Man kann sie nicht abschieben. Sie hat ein Zuhause. Jemanden, der für sie bürgt.«

»Ich habe die Regeln nicht gemacht, Sir. Die Einwanderungsbehörde hat ihre eigenen Gesetze.«

»Aber Sie können uns doch sicher ein bisschen Zeit geben, um den Fall vorzubereiten. Ich arbeite im Innenministerium, ich kann Berufung einlegen.«

»Sir, mit Verlaub, aber wenn ich im Innenministerium arbeiten würde und die ganze Zeit gewusst hätte, dass diese Dame illegal hier ist, würde ich lieber den Mund halten.«

»Dann eben einen Tag. Vierundzwanzig Stunden, *bitte*.«

»Es tut mir leid, Sir.«

»Verdammte Scheiße, das ist, als würde ich mit einem Roboter reden.«

»Ich bin genau wie Sie aus Fleisch und Blut, Sir. Nur, wie gesagt, ich habe die Regeln nicht gemacht.«

Sarah weinte in meiner Zelle.

»Ich habe es nicht verstanden«, sagte sie. »Es tut mir so leid, Bee, ich hatte ja keine Ahnung. Ich dachte, du wärst einfach schwer von Begriff. Als Lawrence dich losgeschickt hat, um die Polizei zu rufen, hat er nicht daran gedacht … und ich habe nicht daran gedacht … und jetzt … oh Gott. Du wusstest, was passieren könnte, und hast es trotzdem ohne jeden Gedanken an dich selbst getan.«

Ich lächelte. »Das war es wert. Das war es wert, damit die Polizei Charlie finden konnte.«

Sarah schaute weg.

»Sei nicht traurig, Sarah. Die Polizei hat Charlie doch gefunden.«

Sie wandte sich langsam zu mir und schaute mich mit schimmernden Augen an.

»Ja, Bee, sie haben eine große Suche veranstaltet und ihn gefunden. Nur wegen dir. Oh, Bee, ich habe noch nie jemand so Freundlichen ... oder Tapferen ... oh Gott ...«

Sie legte ihr Gesicht ganz nah an meins.

»Ich werde es nicht zulassen«, flüsterte sie. »Ich werde einen Weg finden. Ich lasse nicht zu, dass sie dich zurückschicken und du getötet wirst.«

Ich gab mir große Mühe zu lächeln.

Um zu überleben, musst du hübsch aussehen oder schön sprechen. Ich habe das Englisch der Königin gelernt. Ich habe alles gelernt, was ich über eure Sprache lernen konnte, aber dann habe ich es *übertrieben*. Selbst jetzt fand ich nicht die richtigen Worte. Ich nahm Sarahs linke Hand in meine und hob sie an die Lippen und küsste das glatte Gelenk, den Überrest ihres verlorenen Fingers.

In dieser Nacht schrieb ich einen Brief an Sarah. Der Beamte gab mir Stift und Papier und versprach, ihn für mich abzuschicken. *Liebe Sarah, danke, dass du mir das Leben gerettet hast. Es war nicht unsere Entscheidung, dass unsere Welten sich begegnen. Eine Zeit lang dachte ich, sie hätten sich vermischt, aber das war nur ein schöner Traum. Sei nicht traurig. Du hast verdient, dass dein Leben wieder einfach wird. Ich glaube, sie holen mich bald. Unsere Welten sind voneinander getrennt, und nun müssen auch wir uns trennen. Alles Liebe, Little Bee.*

Sie holten mich um vier Uhr morgens. Es waren drei uniformierte Beamte von der Einwanderungsbehörde, eine Frau und zwei Männer. Ich hörte ihre Schuhe, die auf dem Linoleum im Flur hallten. Ich war die ganze Nacht wach gewesen und hatte auf sie gewartet. Ich trug noch das Sommerkleid mit der hübschen Spitze um den Ausschnitt, das Sarah mir gegeben hatte, und in der Hand hatte ich meine

Sachen in der durchsichtigen Plastiktüte. Ich stand auf und erwartete sie schon, als sie die Tür aufrissen. Wir gingen hinaus. Die Tür der Zelle fiel hinter mir zu. *Bumm*, das war es. Es regnete. Sie ließen mich hinten in einen Lieferwagen steigen. Die Straße war nass, und die Scheinwerfer schoben Lichtstreifen vor sich her. Eines der hinteren Fenster war halb geöffnet. Im Lieferwagen roch es nach Erbrochenem, doch die Luft, die hereinwehte, roch nach London. Die Fenster entlang der Straßen waren still und blind, die Vorhänge geschlossen. Ich verschwand, ohne dass es jemand sah. Die Beamtin fesselte mich mit Handschellen an den Sitz vor mir.

»Das mit den Handschellen ist nicht nötig«, sagte ich. »Wie sollte ich denn weglaufen?«

Die Beamtin schaute mich an. Sie war überrascht. »Du sprichst ziemlich gut Englisch. Die meisten Leute, die wir abholen, können kein einziges Wort.«

»Ich dachte, wenn ich lerne, wie Sie zu sprechen, könnte ich bleiben.«

Die Beamtin lächelte. »Eigentlich ist es egal, wie du sprichst. Du lebst von unserem Geld. Die Sache ist die, du gehörst nicht hierher.«

Am Ende der Straße bog der Lieferwagen um eine Ecke. Ich schaute durch das Metallgitter am hinteren Fenster und sah zwei lange Reihen von Doppelhaushälften verschwinden. Ich dachte an Charlie, der fest unter seiner Daunendecke schlief, und an sein tapferes Lächeln, und mein Herz tat weh, weil ich ihn nie wiedersehen würde. Ich hatte Tränen in den Augen.

»Aber, bitte, was bedeutet das denn?«, fragte ich. »Was bedeutet es, hierher zu gehören?«

Die Beamtin drehte sich wieder zu mir um.

»Na, dazu musst du britisch sein. Du musst unsere Wertvorstellungen teilen.«

Ich wandte mich von der Frau ab und schaute in den Regen hinaus.

Drei Tage später holte mich eine andere Gruppe von Beamten aus einer anderen Arrestzelle und setzte mich mit einem anderen Mädchen in einen Minibus. Sie fuhren uns zum Flughafen Heathrow. Sie führten uns an der Schlange im Terminal vorbei in ein kleines Zimmer. Wir trugen Handschellen. Wir mussten uns auf den Boden setzen – Stühle gab es nicht. Es waren noch zwanzig andere im Zimmer, Männer und Frauen, und es war sehr heiß. Es gab keine frische Luft, und das Atmen fiel schwer. Eine Wärterin stand an der Tür. Sie hatte einen Schlagstock und eine Dose Pfefferspray am Gürtel. Ich fragte sie, *Was passiert hier?* Sie lächelte und antwortete, *Was hier passiert? Hier gibt es ganz viele fliegende Maschinen, die wir Flugzeuge nennen. Sie starten und landen auf einem langen Streifen Asphalt, den wir Startbahn nennen, denn das hier nennen wir Flughafen, und bald wird eins von diesen Flugzeugen ins Umba-Wumba-Land fliegen, aus dem du kommst, und du sitzt drin. Verstanden? Ob's dir gefällt oder nicht. Hat sonst noch jemand Fragen?*

Wir warteten lange. Einige wurden aus dem Zimmer geholt. Eine Frau weinte. Ein dünner Mann wurde wütend. Er versuchte, sich der Wärterin zu widersetzen, und sie schlug ihm zweimal mit dem Schlagstock in den Magen. Danach war er still.

Ich schlief im Sitzen ein. Als ich aufwachte, sah ich vor mir ein violettes Kleid und lange braune Beine.

»Yevette!«

Die Frau drehte sich zu mir um, aber es war nicht Yevette. Zuerst war ich traurig, meine Freundin nicht hier zu sehen, doch dann begriff ich, dass ich glücklich war. Wenn dies nicht Yevette war, bestand die Chance, dass sie noch frei war. Ich stellte mir vor, wie sie in London die Straße entlangging, mit ihren violetten Flipflops und den nachgezogenen Augenbrauen, und ein Pfund gesalzenen Fisch kaufte und *WU-ha-ha-ha!* zum strahlend blauen Himmel hinauflachte. Und ich lächelte. Die Frau, die nicht Yevette war, machte ein ärgerliches Gesicht. *Was ist los mit dir?*, wollte sie wissen. *Denkst du, die schicken uns in Urlaub?* Ich lächelte. *Ja*, sagte ich. *Das ist der Urlaub meines Lebens.*

Sie drehte sich um und wollte nicht mehr mit mir sprechen, und als sie zu ihrem Flug geholt wurde, ging sie ohne Widerstand hinaus und schaute nicht zu mir zurück.

Als ich sie gehen sah, wurde mir meine Lage zum ersten Mal richtig bewusst, und zum ersten Mal hatte ich Angst. Ich hatte Angst vor der Rückkehr. Ich weinte und sah meine Tränen in den schmutzigen braunen Teppich sickern.

Sie gaben uns kein Essen oder Wasser, und mir wurde flau. Nach ein paar weiteren Stunden kamen sie mich holen. Sie führten mich geradewegs zum Flugzeug. Die anderen Passagiere, die zahlenden Passagiere, mussten zurücktreten, während ich als Erste die Treppe hinaufging. Alle starrten mich an. Sie führten mich nach hinten ins Flugzeug, zur letzten Sitzreihe vor den Toiletten. Ich musste mich auf den Sitz am Fenster setzen, und neben mir ließ sich ein Wachmann nieder, ein großer Mann mit rasiertem Kopf und goldenem Ohrring. Er trug ein blaues Nike-T-Shirt und eine schwarze Adidas-Hose. Er nahm mir die Handschellen ab, und ich rieb meine Handgelenke, um das Blut zum Fließen zu bringen.

»Tut mir leid«, sagte der Mann. »Mir gefällt diese Scheiße genauso wenig wie dir.«

»Warum machen Sie es dann?«

Der Mann zuckte die Achseln und schnallte sich an. »Es ist ein Job, oder?«

Er zog eine Zeitschrift aus der Tasche im Vordersitz und schlug sie auf. Darin waren Armbanduhren für Männer abgebildet, die man kaufen konnte, und auch ein flauschiges Modell des Flugzeugs als Geschenk für Kinder.

»Sie sollten sich einen anderen Job aussuchen, wenn Ihnen der hier nicht gefällt.«

»Niemand sucht sich diesen Job aus, Schätzchen. Ich habe keine Ausbildung. Ich hab früher Gelegenheitsarbeiten gemacht, aber mit den Polacken kann man heutzutage nicht mehr mithalten. Die Polen arbeiten einen ganzen Tag für ein freundliches Wort und eine Packung Fluppen. Also bin ich hier und passe auf Mädchen wie dich auf, die den Urlaub ihres Lebens machen. Irgendwie Verschwendung, oder? Ich könnte mir vorstellen, du hast bessere Qualifikationen als ich. Eigentlich müsstest du mich wegbringen, was? In dieses Land, wohin wir jetzt fliegen, wie heißt es gleich wieder ...«

»Nigeria.«

»Genau, das war's. Heiß, was?«

»Heißer als England.«

»Dachte ich mir. Das sind die Länder meistens, wo ihr herkommt.«

Er wandte sich wieder seiner Zeitschrift zu. Immer wenn er umblätterte, leckte er an seinem Finger. Er hatte Tätowierungen auf den Fingerknöcheln, kleine blaue Punkte. Seine Uhr war groß und golden, aber das Gold nutzte sich schon ab. Sie sah aus wie die Uhren aus der Zeitschrift. Er blätterte weiter und schaute mich wieder an.

»Du redest nicht viel, was?«

Ich zuckte mit den Schultern.

»Schon in Ordnung. Ist mir egal. Besser als das Wasserwerk.«

»Das Wasserwerk?«

»Manche weinen. Von den Leuten, die ich zurückbringe.

Die Frauen sind nicht am schlimmsten, ob du's glaubst oder nicht. Einmal hatte ich einen Kerl – der musste nach Simbabwe und schluchzte sechs Stunden ununterbrochen. Alles war voller Tränen und Rotz, wie bei einem Baby, kein Witz. Nach einer Weile war es dann schon peinlich. Du weißt schon, die anderen Passagiere. Schauten mich blöd an und so. Ich hab gesagt, *Kopf hoch, Kumpel, vielleicht wird's ja alles nicht so schlimm*, aber es nutzte nichts. Er weinte immer weiter und redete ausländisch vor sich hin. Manche von euch, um die tut es mir leid, aber bei dem, ich kann dir sagen, da konnte ich es gar nicht abwarten, bis ich den los war. Wurde aber gut bezahlt, der Job. Drei Tage lang gab es keinen Flug, also brachten sie mich im Sheraton unter. Ich guckte drei Tage lang Sky Sports, kratzte mich am Arsch und bekam den anderthalbfachen Lohn. Natürlich sind die Leute, die das wirklich große Geld machen, die Unternehmer dahinter. Ich arbeite jetzt für eine holländische Firma, die organisieren die ganze Show. Sie betreiben die Abschiebegefängnisse und organisieren die *Repatriierung*. So verdienen sie immer, ob wir euch nun einsperren oder zurückschicken. Irre, was?«

»Irre«, sagte ich.

Der Mann tippte sich an die Schläfe. »Aber so muss man heutzutage denken, oder? Das ist die Globalisierung.«

Das Flugzeug rollte auf dem Asphalt rückwärts, und von der Decke wurden Fernsehbildschirme heruntergelassen. Man zeigte uns einen Sicherheitsfilm. Darin sagten sie, was wir tun sollten, wenn sich die Kabine mit Rauch füllte, und auch, wo unsere Rettungswesten untergebracht waren, falls wir auf dem Wasser landen müssten. Ich bemerkte, dass sie uns nicht die Position zeigten, die wir einnehmen sollten, wenn wir in ein Land abgeschoben wurden, in dem wir wahrscheinlich getötet würden, weil wir bestimmte Ereignisse mit angesehen hatten. Sie sagten, auf der Sicherheitskarte in der Tasche des Vordersitzes befänden sich weitere Informationen.

Dann ertönte ein enormes, furchterregendes Dröhnen, so laut, dass ich dachte, *die haben uns reingelegt. Ich habe geglaubt, wir machen eine Reise, aber in Wirklichkeit werden wir getötet.* Dann aber beschleunigte das Flugzeug ganz stark, und alles fing an zu beben und kippte in einen erschreckenden Winkel, und dann waren die Vibrationen plötzlich vorbei, und das Geräusch legte sich, und mein Magen spielte verrückt. Der Mann neben mir, mein Wärter, sah mich an und lachte.

»Entspann dich, Mädchen, wir sind in der Luft.«

Nach dem Start meldete sich der Pilot über die Sprechanlage. Er sagte, es sei ein schöner sonniger Tag in Abuja.

Ich begriff, dass ich für ein paar Stunden im Niemandsland war. Ich sagte zu mir, *siehst du, Little Bee – endlich fliegst du. Summ, summ.* Ich drückte die Nase gegen das Fenster. Ich sah die Wälder und die Felder und die Straßen mit ihren winzigen Autos, all diese winzigen, kostbaren Leben. Mir hingegen kam es vor, als wäre mein Leben schon vorbei. Von ganz hoch oben am Himmel, ganz allein, konnte ich die Krümmung der Welt erkennen.

Und dann hörte ich eine Stimme, eine freundliche, sanfte Stimme, die mir vertraut war.

»Bee?«

Ich drehte mich vom Fenster weg und sah Sarah. Sie stand im Gang und lächelte. Sie hatte Charlie an der Hand, und er lachte mich an. Er trug sein Batmankostüm und grinste, als hätte er soeben alle Bösen getötet.

»Fliegen wir in den Himmel?«, fragte er.

»Nein, Liebling, wir fliegen *am* Himmel«, sagte Sarah.

Ich traute meinen Augen nicht. Sarah griff über den Wärter hinweg und legte ihre Hand auf meine.

»Lawrence hat herausgefunden, in welche Maschine sie

dich setzen«, sagte sie. »Letztlich hat er dann doch ein paar nützliche Verbindungen. Wir konnten dich nicht allein zurückfliegen lassen, Bee. Stimmt's, Batman?«

Charlie nickte. Er wirkte auf einmal sehr feierlich.

»Nein, konnten wir nicht«, sagte er. »Du bist doch unser Freund.«

Der Wärter wusste nicht, was er machen sollte.

»Ich hab ja schon eine Menge erlebt«, sagte er.

Schließlich stand er auf und machte Sarah und Charlie Platz neben mir. Sie umarmte mich, und ich weinte, und die anderen Passagiere drehten sich um und bestaunten das Wunder, und das Flugzeug flog uns alle mit neunhundert Stundenkilometern in die Zukunft. Nach einer Weile brachte man uns Erdnüsse und Coca-Cola in winzigen Dosen. Charlie trank seine so schnell, dass ihm die Coca-Cola aus der Nase quoll. Nachdem Sarah ihn sauber gemacht hatte, drehte sie sich zu mir.

»Ich habe mich gefragt, warum Andrew keinen Abschiedsbrief hinterlassen hat«, sagte sie. »Und dann habe ich darüber nachgedacht. Es war nicht sein Stil. Er schrieb im Grunde nicht gern über sich selbst.«

Ich nickte.

»Außerdem hat er mir etwas Besseres als einen Abschiedsbrief hinterlassen.«

»Was denn?«

Sarah lächelte. »Eine Geschichte.«

In Abuja öffneten sich die Türen des Flugzeugs, und Hitze und Erinnerungen rollten herein. Wir gingen in der flirrenden Luft über den Asphalt. Im Terminalgebäude übergab mich mein Wärter mit einer Unterschrift an die Behörden. *Cheerio*, sagte er. *Viel Glück, Mädchen.*

Die Militärpolizisten erwarteten mich in einem kleinen Zimmer. Sie trugen Uniformen und Sonnenbrillen mit goldenem Gestell. Sie konnten mich nicht verhaften, weil Sarah bei mir war. Sie wich mir nicht von der Seite. *Ich bin eine britische Journalistin*, sagte sie. *Was immer Sie dieser Frau antun, ich werde darüber berichten.* Die Militärpolizisten waren unsicher und riefen ihren Kommandanten. Der Kommandant kam in Tarnuniform und rotem Barett, über seine Wangen zogen sich Stammesnarben. Er betrachtete meine Abschiebepapiere und schaute mich und Sarah und Charlie an. Er stand lange da, kratzte sich am Bauch und nickte.

»Warum ist das Kind in dieser Weise gekleidet?«, fragte er.

Sarah schaute ihm ins Gesicht und sagte: »Das Kind glaubt, dass es besondere Kräfte besitzt.«

Der Kommandant grinste. »Nun, ich bin nur ein Mensch«, sagte er. »Diesmal werde ich keinen von euch verhaften.«

Alle lachten, doch die Militärpolizisten folgten unserem Taxi vom Flughafen aus. Ich hatte große Angst, aber Sarah hielt meine Hand ganz fest. *Ich lasse dich nicht allein*, sagte sie. *Solange Charlie und ich hier sind, bist du in Sicherheit.* Die Polizisten warteten vor unserem Hotel. Wir blieben zwei Wochen, und sie auch.

Von unserem Fenster blickte man über Abuja. Hohe Gebäude erstrecken sich kilometerweit. Groß und sauber, manche mit silbernem Glas verkleidet, in dem sich die langen, geraden Boulevards spiegelten. Ich betrachtete die Stadt, während der Sonnenuntergang die Gebäude rot erglühen ließ, und dann betrachtete ich sie die ganze Nacht. Ich konnte nicht schlafen.

Als die Sonne aufging, kam sie zwischen dem Horizont und der Unterseite der Wolken hervor. Sie flammte auf der goldenen Kuppel der Moschee, während die vier hohen Türme noch elektrisch beleuchtet waren. Es war wunderschön. Sarah kam auf den Balkon, wo ich stand und staunte.

»Das ist deine Stadt«, sagte sie. »Bist du stolz?«

»Ich wusste nicht, dass es in meinem Land so etwas gibt. Ich versuche noch immer zu spüren, dass es meins ist.«

Ich blieb den ganzen Morgen dort stehen, während die Tageshitze stärker wurde und die Straßen sich mit Autotaxis und Rollertaxis und Straßenverkäufern mit schwankenden Gestellen voller T-Shirts, Kopftücher und Medizin füllten. Charlie saß drinnen und schaute sich Zeichentrickfilme an. Die Klimaanlage lief. Sarah breitete Andrews Papiere auf einem langen, niedrigen Tisch aus. Auf jeden Stapel legten wir einen Schuh, eine Lampe oder ein Glas, damit die Blätter im Luftzug der großen Mahagoniventilatoren, die an der Decke kreisten, nicht davonflogen. Sarah erklärte mir, wie sie das Buch zu Ende schreiben wollte, für das Andrew recherchiert hatte. *Ich muss noch mehr Geschichten wie deine sammeln,* sagte sie. *Meinst du, wir können das hier machen? Ohne in den Süden des Landes zu fahren?*

Ich antwortete nicht. Ich sah einige der Papiere durch und dann ging ich wieder hinaus auf den Balkon. Sarah stellte sich neben mich.

»Was ist los?«, sagte sie.

Ich nickte hinunter zu dem Wagen der Militärpolizei, der auf der Straße wartete. Zwei Männer in grüner Uniform mit Barett und Sonnenbrille lehnten daran. Einer von ihnen schaute hoch. Er sagte etwas, als er uns entdeckte, und dann schaute sein Kollege ebenfalls hoch. Sie starrten lange auf unseren Balkon, und dann zündeten sie sich Zigaretten an und setzten sich ins Auto, einer nach vorn und einer nach hinten, bei offener Tür, die schweren Stiefel auf dem Asphalt.

»Ich glaube, es ist keine gute Idee, Geschichten zu sammeln«, sagte ich.

Sarah schüttelte den Kopf. »Das sehe ich anders. Ich glaube, es ist die einzige Möglichkeit, dir Sicherheit zu verschaffen.«

»Wie meinst du das?«

Sarah wandte den Blick von der Straße ab.

»Unser Problem besteht darin, dass du nur deine eigene Geschichte hast. Eine einzelne Geschichte macht dich schwach. Doch sobald wir hundert Geschichten haben, bist du stark. Wenn wir zeigen können, dass das, was in deinem Dorf passiert ist, auch in hundert anderen Dörfern passiert ist, haben wir die Macht auf unserer Seite. Wir müssen die Geschichten der Leute sammeln, die das Gleiche erlebt haben wie du. Wir müssen es unbestreitbar machen. Dann können wir die Geschichten an einen Anwalt übergeben und die Behörden wissen lassen, dass die Geschichten sofort an die Medien gehen, wenn dir etwas zustoßen sollte. Verstehst du? Ich glaube, das hat sich Andrew von diesem Buch erhofft. So wollte er Mädchen wie dich retten.«

Ich zuckte mit den Schultern. »Und wenn die Behörden keine Angst vor den Medien haben?«

Sarah nickte langsam. »Das ist schon möglich. Keine Ahnung. Was meinst du?«

Ich schaute hinaus auf die Türme von Abuja. Die großen Gebäude schimmerten in der Hitze, als wären sie unwirklich, ein Traum, und würden verschwinden, wenn man sich kaltes Wasser ins Gesicht spritzte.

»Ich weiß nicht«, sagte ich. »Ich weiß nicht, wie es in meinem Land ist. Bis ich vierzehn war, bestand mein Land aus drei Cassavafeldern und einem Limba-Baum. Und danach war ich in deinem. Also frage mich nicht, wie es in meinem Land ist.«

»Hm«, machte Sarah. Sie wartete eine Minute und sagte: »Was sollen wir machen?«

Ich schaute wieder auf die Stadt, die wir vom Balkon aus sehen konnten. Zum ersten Mal bemerkte ich, wie viel Raum dort war. Es gab breite Lücken zwischen den Häuserblöcken. Ich hatte die dunkelgrünen Rechtecke zunächst für Parks und Gärten gehalten, stellte nun aber fest, dass es einfach leere Stellen waren, die darauf warteten, bebaut zu werden. Abuja war eine unfertige Stadt. Ich fand es interessant, dass diese grünen Rechtecke der Hoffnung in meine Hauptstadt eingebaut waren. Dass mein Land seine Träume in einer durchsichtigen Tüte bei sich trug.

Ich lächelte Sarah an. »Lass uns Geschichten sammeln gehen.«

»Bist du sicher?«

»Ich möchte zur Geschichte meines Landes gehören.« Ich deutete in die Hitze. »Siehst du? Sie haben Platz für mich gelassen.«

Sarah hielt meine Hand ganz fest.

»In Ordnung«, sagte sie.

»Aber, Sarah?«

»Ja?«

»Es gibt eine Geschichte, die ich dir zuerst erzählen muss.«

Ich erzählte Sarah, was geschehen war, als Andrew starb. Die Geschichte war schwer anzuhören und schwer zu erzählen. Danach ging ich hinein ins Hotelzimmer und sie blieb allein auf dem Balkon. Ich setzte mich zu Charlie aufs Bett, und er schaute sich Zeichentrickfilme an, während ich zuschaute, wie Sarahs Schultern bebten.

Am nächsten Tag begannen wir mit der Arbeit. Früh am Morgen ging Sarah auf die Straße und gab den Militärpolizisten vor dem Hotel sehr viel Geld. Danach waren ihre Augen wie die Augen in den Gesichtern auf den Geldscheinen, die Sarah ihnen gegeben hatte. Sie sahen nichts als das Innere des Handschuhfachs im Polizeiauto und das Futter der Uniformtaschen. Die einzige Bedingung der Polizisten war, dass wir jeden Abend vor Sonnenuntergang wieder im Hotel sein mussten.

Ich hatte die Aufgabe, Leute zu finden, die normalerweise

Angst gehabt hätten, mit einer ausländischen Journalistin zu reden, aber mit Sarah sprachen sie, weil ich ihnen versicherte, dass sie ein guter Mensch war. Es waren Leute, die mir glaubten, weil ich ihre Geschichte teilte. Ich entdeckte, dass es in meinem Land viele von uns gab, Leute, die Dinge gesehen hatten, die die Ölfirmen gern verbergen wollten. Leute, die die Regierung zum Schweigen bringen wollte. Wir fuhren in einem alten weißen Peugeot, der mich an den meines Vaters erinnerte, durch den ganzen Südosten meines Landes.

Ich saß auf dem Beifahrersitz, und Sarah fuhr, während Charlie hinten saß und lachte. Wir hörten die Musik der Lokalsender, sehr laut. Der rote Staub der Straße wehte überallhin, sogar in den Wagen, und wenn wir Charlie abends das Batmankostüm auszogen, um ihn zu waschen, waren auf seiner weißen Haut zwei leuchtend rote Diamanten zu sehen, wo die Augenlöcher der Maske gewesen waren.

Manchmal bekam ich Angst. Manchmal kamen wir in ein Dorf, und ich sah, wie einige der Männer mich anschauten, und ich erinnerte mich, wie ich und meine Schwester gejagt wurden. Ich fragte mich, ob es noch immer Geld von den Ölfirmen gäbe, wenn mich jemand endgültig zum Schweigen brachte. Ich hatte Angst vor den Männern in den Dörfern, doch Sarah lächelte nur. *Ganz ruhig*, sagte sie. *Denk daran, was auf dem Flughafen passiert ist. Dir wird nichts zustoßen, solange ich hier bin.*

Und ich wurde ruhiger. In jedem Dorf fand ich Leute mit Geschichten, und Sarah schrieb sie auf. Es war einfach. Wir waren froh. Wir dachten, wir hätten genug getan, um uns zu retten. Wir dachten, das ist ein guter Trick.

Eines Nachts, als wir zwei Wochen in meinem Land waren, träumte ich von meiner Schwester Nkiruka. Sie kam aus dem Meer. Zuerst wirbelte die Wasseroberfläche, weil sich darunter etwas Unsichtbares bewegte, und dann sah ich zwischen zwei Wellen ihren Kopf auftauchen, umtanzt von weißem Schaum. Dann erhob sich das Gesicht meiner Schwester aus dem Wasser, und sie kam langsam über den Strand auf mich zu, und sie stand da und lächelte und trug das Hawaii-Hemd, das ich getragen hatte, als sie mich aus dem Abschiebegefängnis entließen. Es war vom Salzwasser durchweicht. Meine Schwester sagte einmal meinen Namen und wartete.

Als Sarah aufwachte, ging ich zu ihr. *Bitte*, sagte ich, *wir müssen ans Meer. Ich muss mich von meiner Schwester verabschieden.* Sarah schaute mich lange an, und dann nickte sie. Sie sagte nichts. An diesem Morgen gab Sarah den Polizisten viel mehr Geld als sonst. Wir fuhren nach Benin City im Süden und kamen am späten Nachmittag dort an. Wir übernachteten in einem Hotel, das genau so war wie unseres, und fuhren am nächsten Morgen weiter nach Süden zur Küste. Wir brachen früh auf, als die Sonne noch tief am Himmel stand. Das Licht, das durch die Autofenster fiel, war warm und golden. Charlie seufzte und trommelte mit den Fersen auf den Rücksitz.

»Sind wir bald da?«

Sarah lächelte ihm im Rückspiegel zu. »Bald, Liebling.«

Die Straße endete in einem der Fischerdörfer, die es dort gibt, und wir gingen an den Strand. Charlie rannte lachend los, um Sandburgen zu bauen. Ich setzte mich neben Sarah, und wir blickten hinaus auf den Ozean. Man hörte keinen Laut außer den Wellen, die sich am Strand brachen. Nach einer Weile drehte sich Sarah zu mir.

Sie sagte: »Ich bin stolz, dass wir so weit gekommen sind.«

Ich nahm ihre Hand. »Weißt du, Sarah, seit ich mein Land verlassen habe, denke ich oft bei mir, wie würde ich den Mädchen zu Hause diese Dinge erklären?«

Sarah lachte und streckte die Arme in beide Richtungen des Strandes aus.

»Und?«, fragte sie. »Wie würdest du den Mädchen zu Hause das hier erklären? Das wäre nicht einfach, was?«

Ich schüttelte den Kopf. »Das würde ich den Mädchen zu Hause nicht erklären.«

»Nein?«

»Nein, Sarah. Denn heute verabschiede ich mich von alldem. *Wir* sind jetzt die Mädchen zu Hause. Du und ich. Es gibt nichts, zu dem ich zurückkehren könnte. Ich brauche diese Geschichte niemandem sonst zu erzählen. Danke, dass du mich gerettet hast, Sarah.«

Als ich das sagte, sah ich, dass Sarah weinte, und da musste ich auch weinen.

Als der Tag heißer wurde, füllte sich der Strand mit Menschen. Es gab Fischer, die in die Wellen hinausgingen und große, leuchtende Netze vor sich auswarfen, und es gab alte Männer, die sich einfach hinsetzten und aufs Meer schauten, und Mütter, die mit ihren Kindern im Wasser planschten.

»Wir sollten hingehen und die Leute fragen, ob jemand eine Geschichte hat.«

Sarah lächelte und deutete auf Charlie. »Ja, aber das kann warten. Sieh nur, er hat solchen Spaß.«

Charlie rannte und lachte, und ihr könnt mir glauben, ein Dutzend einheimischer Kinder rannte mit ihm und lachte und brüllte, denn wenn es etwas gibt, das man in meinem Land am Strand nicht sehr oft antrifft, dann ist es ein weißer Superheld von nicht mal einem Meter Größe, mit einem Umhang voller Sand und Salzwasser. Charlie lachte mit den anderen Kindern, rannte und spielte und jagte ihnen nach.

Es war heiß, und ich grub die Zehen tief in den kühleren Sand.

»Sarah. Wie lange wirst du hierbleiben?«

»Keine Ahnung. Sollen wir versuchen, dir Papiere zu beschaffen, damit du mit mir nach England zurückkannst?«

Ich zuckte mit den Schultern. »Die wollen keine Leute wie mich.«

Sarah lächelte. »Ich bin Engländerin und will Leute wie dich. Sicher bin ich nicht die Einzige.«

»Die Leute werden dich für naiv halten.«

Sarah lächelte. »Sollen sie doch. Sollen sie sagen, was immer ihnen Trost verschafft.«

Wir saßen lange da und schauten aufs Meer.

Am Nachmittag wehte der Wind vom Wasser, und ich schlief kurz ein, halb im Schatten der Bäume oben am Strand. Die Sonne erwärmte mein Blut, bis ich die Augen nicht länger offenhalten konnte, und die Wellen donnerten heran, eine nach der anderen, und mein Atem glitt in den Rhythmus des Meeres, als ich zu träumen begann. Ich träumte, wir alle lebten zusammen in meinem Land. Ich war glücklich. Ich träumte, ich wäre Journalistin und erzählte die Geschichten meines Landes, und wir alle – ich und Charlie und Sarah – wohnten zusammen in einem Haus, einem großen, kühlen, dreistöckigen Haus in Abuja. Es war ein sehr schönes Haus. Die Art von Haus, die ich mir früher nie erträumt hatte, als unsere Bibel mit dem 27. Kapitel von Matthäus endete. Ich war glücklich in dem Haus, von dem ich träumte, und die Köchin und die Haushälterin lächelten mich an und nannten mich »Prinzessin«. Jeden Morgen brachte mir der Gartenboy eine duftende gelbe Rose für mein Haar, die auf ihrem schlanken grünen Stängel zitterte, noch vom Nachttau benetzt. Es gab eine geschnitzte hölzerne Veranda, die weiß gestrichen war, und einen langen, geschwungenen Garten mit leuchtenden Blumen und dunklem Schatten. Ich reiste durch mein Land und hörte mir alle möglichen Geschichten an. Nicht alle waren traurig. Ich entdeckte auch viele schöne Geschichten. Ja, es gab das Grauen, aber auch die Freude. Die Träume meines Landes sind nicht anders als eure – sie sind so groß wie das menschliche Herz.

In meinem Traum rief Lawrence Sarah an und fragte, wann sie nach Hause käme. Sarah blickte über die Veranda zu Charlie, der mit Bauklötzen spielte, und sagte lächelnd: *Wie meinst du das? Wir* sind *zu Hause.*
Ich erwachte vom Geräusch der Wellen, die an den Strand donnerten. Es krachte, als wenn die Schublade einer Registrierkasse aufspränge und alle Münzen darin gegen die Wände ihrer Fächer schlügen. Die Brandung donnerte und verebbte, die Schublade öffnete und schloss sich.

Es gibt einen Augenblick, wenn man in der heißen Sonne aus einem Traum erwacht, einen Augenblick außerhalb der Zeit, in dem man nicht weiß, was man ist. Weil man sich absolut frei fühlt, so als könnte man sich in alles verwandeln, glaubt man zuerst, man sei eine Münze. Doch dann spürt man den heißen Atem von etwas auf dem Gesicht, und es scheint, dass man doch keine Münze ist, man muss der heiße Wind sein, der vom Meer her weht. Es scheint, als wäre die Schwere, die man in den Gliedern spürt, das Gewicht des Salzes im Wind; und die süße Schläfrigkeit, die einen verhext, ist Müdigkeit, weil man die Wellen Tag und Nacht über den Ozean schieben muss. Doch dann begreift man, dass man doch nicht der Wind ist. Man spürt Sand auf der nackten Haut. Und einen Augenblick lang ist man der Sand, den der Wind über den Strand weht, nur ein Sandkorn unter Milliarden anderer Sandkörner. Wie schön, so unbedeutend zu sein. Wie angenehm, zu wissen, dass man nichts zu tun hat. Wie wunderbar einfach, wieder einzuschlafen, so wie es der Sand tut, bis der Wind daran denkt, ihn wieder aufzuwecken. Doch dann merkt man, dass man nicht der Sand ist, dass die Haut, gegen die der Sand treibt, die eigene Haut ist. Nun, dann ist man eben ein Geschöpf mit Haut – na und? Es ist ja nicht so, als wäre man das erste Geschöpf, das jemals in der Sonne eingeschlafen ist, während es auf das Donnern der Wellen gelauscht hat. Eine Million Fische sind so davongeglitten, haben auf dem blendend weißen Sand gezappelt, welchen Unterschied macht dann noch einer mehr? Doch der Augenblick geht weiter, und man ist kein sterbender Fisch – man schläft nicht einmal richtig –, also öffnet man die Augen und schaut an sich hinunter und sagt, *Ach so, ich bin ein Mädchen, ein afrikanisches Mädchen. Das bin ich, und das werde ich bleiben,* während die gestaltwandlerische Magie der Träume flüsternd im Dröhnen des Ozeans entschwindet.

Ich setzte mich auf, blinzelte und sah mich um. Neben mir am Strand saß eine weiße Frau in dem, was man *Schatten* nennt, und mir fiel ein, dass die weiße Frau Sarah hieß. Ich sah ihr Gesicht, wie sie mit großen Augen über den Strand blickte. Sie sah – ich überlegte, wie man ihren Gesichtsausdruck in eurer Sprache nennt – sie sah *erschrocken* aus.

»Oh mein Gott«, sagte Sarah. »Ich glaube, wir müssen hier weg.«

Ich lächelte schläfrig. *Ja, ja,* dachte ich. *Wir müssen immer hier weg. Wo hier auch ist, es gibt immer einen guten Grund, wegzugehen. Das ist die Geschichte meines Lebens. Immer laufen, laufen, laufen, ohne einen einzigen Augenblick des Friedens. Wenn ich mich an meine Mutter und meinen Vater und meine große Schwester Nkiruka erinnere, denke ich manchmal, dass ich laufen werde, bis ich wieder mit den Toten vereint bin.*

Sarah griff nach meiner Hand und versuchte mich hochzuziehen.

»Steh auf, Bee«, sagte sie. »Da kommen Soldaten. Über den Strand.«

Ich atmete den heißen, salzigen Geruch des Sandes ein. Ich seufzte. Ich schaute in die Richtung, in die Sarah blickte. Es waren sechs Soldaten. Sie waren noch weit entfernt. Die Luft über dem Sand war so heiß, dass sich die Beine der Männer in ein Flimmern auflösten, eine grüne Verwirrung von Farben, und es sah aus, als würden die Soldaten auf uns zuschweben, getragen von einer Wolke aus einer verzauberten Substanz, frei wie die Gedanken eines Mädchens, das an einem heißen Strand aus seinen Träumen erwacht. Ich kniff die Augen vor dem grellen Licht zusammen, das auf den Gewehrläufen der Soldaten blitzte. Die Gewehre waren deutlicher zu erkennen als die Männer, die sie trugen. Sie bildeten feste, gerade Linien, während die Männer daneben flimmerten. Auf diese Weise ritten die Waffen die Männer wie Maultiere, stolz und sonnenglänzend, wohl wissend, dass, wenn das Tier unter ihnen starb, sie einfach ein anderes besteigen würden. So ritt mir die Zukunft in meinem Land entgegen. Die Sonne schien auf ihre Gewehre und hämmerte auf meinen unbedeckten Kopf. Ich konnte nicht denken. Es war zu heiß und zu spät am Nachmittag.

»Warum sollten sie hier nach uns suchen, Sarah?«

»Es tut mir leid, Bee. Es waren sicher die Polizisten in Abuja. Ich dachte, ich hätte ihnen genug bezahlt, damit sie ein paar Tage lang ein Auge zudrücken. Aber irgendjemand muss uns verraten haben. Vermutlich haben sie uns in Sapele gesehen.«

Ich wusste, dass es stimmte, aber ich tat so, als wäre es nicht wahr. Das ist ein guter Trick. Man nennt ihn: *eine Minute vom stillsten Teil des Spätnachmittags retten, während alle Zeit zu Ende geht.*

»Vielleicht gehen die Soldaten ja nur am Meer spazieren, Sarah. Der Strand ist lang. Sie werden nicht wissen, wo wir sind.«

Sarah legte die Hand an meine Wange und drehte meinen Kopf, bis ich ihr in die Augen sah.

»Schau mich an«, sagte sie. »Schau nur, wie verdammt *weiß* ich bin. Siehst du irgendeine andere Frau am Strand, die diese Farbe hat?«

»Und?«

»Sie suchen nach einem Mädchen, das mit einer weißen Frau und einem weißen Jungen zusammen ist. Geh einfach weg, Bee, okay? Geh zu den anderen Frauen dort drüben, und schau dich nicht um, bis die Soldaten weg sind. Falls sie mich und Charlie mitnehmen, mach dir keine Sorgen. Sie können uns nichts tun.«

Charlie klammerte sich an Sarahs Bein und schaute zu ihr hoch. »Mama, warum muss Little Bee weggehen?«

»Es ist nicht für lange, Batman. Nur bis die Soldaten fort sind.«

Charlie stemmte die Hände in die Hüften. »Ich will nicht, dass Little Bee weggeht«, sagte er.

»Sie muss sich verstecken, Liebling. Nur für ein paar Minuten.«

»Wieso?«

Sarah schaute aufs Meer, und ihr Gesichtsausdruck war das Traurigste, was ich je gesehen hatte. Sie antwortete Charlie, meinte aber in Wirklichkeit mich.

»Weil wir noch immer nicht genug getan haben, um sie zu retten, Charlie. Ich dachte, das hätten wir, aber wir müssen mehr tun. Und wir werden mehr tun, Liebling. Wir werden Little Bee niemals aufgeben. Denn sie gehört jetzt zu unserer Familie. Und bis sie nicht glücklich und in Sicherheit ist, werden wir es auch nicht sein.«

Charlie klammerte sich an mein Bein. »Ich will mitgehen«, sagte er.

Sarah schüttelte den Kopf. »Du musst hierbleiben und dich um mich kümmern, Batman.«

Charlie schüttelte auch den Kopf. Er war nicht glücklich damit. Ich sah den Strand entlang. Die Soldaten waren noch einen knappen Kilometer entfernt. Sie gingen langsam, schauten nach links und rechts und überprüften die Gesichter der Leute am Strand. Manchmal blieben sie stehen und gingen erst weiter, nachdem jemand ihnen die Papiere gezeigt hatte. Ich nickte langsam.

»Danke, Sarah.«

Ich ging den Hang hinunter zu dem harten Sand, an dem sich die Wellen brachen. Ich blickte hinaus auf den dunstigen Horizont und folgte dem tiefblauen und indigofarbenen Meer von dieser fernen Linie bis zum Strand, wo es sich in weißsprühenden Wellen brach und seine letzten dünnen Flächen schäumenden Wassers zischend über den Sand schickte, bis sie dort, wo sich meine Füße befanden, im Nichts versickerten. Ich sah, dass es hier endete. Der nasse Sand unter meinen Füßen erinnerte mich daran, wie es war, als die Männer mich und Nkiruka mitgenommen hatten, und zum ersten Mal bekam ich Angst. Ich war jetzt hellwach. Ich kniete mich in die Brandung und spritzte mir kaltes Salzwasser auf Kopf und Gesicht, bis ich wieder klar denken konnte. Dann ging ich rasch zu der Stelle, die Sarah mir gezeigt hatte. Sie war zwei oder drei Minuten entfernt. Ein hoher Vorsprung aus dunkelgrauem Fels ragte dort auf Höhe der Baumkronen aus dem Dschungel und verlief über den Sand bis ins Meer. Er wurde zum Wasser hin niedriger, war an seinem Ende aber immer noch zwei Mann hoch. Die Wellen brachen sich daran und sandten Fontänen aus weißem Schaum in den silberblauen Himmel. Im Schatten des Felsens war es auf einmal kalt, und ich schauderte, als meine Haut den dunklen Stein berührte. Einige Frauen saßen dort im Schatten auf dem harten Sand, den Rücken gegen den Felsen gelehnt, während die Kinder um sie herum spielten, über die Beine der Mütter sprangen und in die Brandung rannten, lachten und einander herausforderten, sich in den weißen, donnernden Schaum zu stürzen, dort wo sich die hohen Wellen an dem Felsen brachen.

Ich setzte mich zu den anderen Frauen und lächelte. Sie lächelten zurück und unterhielten sich in ihrer Sprache, die ich nicht verstand. Die Frauen rochen nach Schweiß und Holzrauch. Ich schaute über den Strand. Die Soldaten waren jetzt sehr nah. Die Frauen um mich herum beobachteten sie ebenfalls. Als die Soldaten nahe genug waren, um Sarahs Hautfarbe zu bemerken, gingen sie schneller. Sie blieben vor Sarah und Charlie stehen. Sarah hielt sich sehr aufrecht und starrte den Soldaten entgegen, die Hände in die Hüften gestützt. Der Anführer trat vor. Er war groß und entspannt, hatte das Gewehr über der Schulter und kratzte sich am Kopf. Ich sah, dass er lächelte. Er sagte etwas, worauf Sarah den Kopf schüttelte. Der Anführer lächelte jetzt nicht mehr. Er brüllte Sarah an. Ich hörte es, konnte aber nichts verstehen. Sarah schüttelte erneut den Kopf und schob Charlie hinter ihre Beine. Die Frauen um mich herum starrten hinüber und sagten *Wah!*, doch die Kinder spielten weiter in der Brandung und bemerkten gar nicht, was drüben geschah.

Der Anführer der Soldaten nahm das Gewehr von der Schulter und richtete es auf Sarah. Die anderen Soldaten kamen näher und ergriffen ebenfalls ihre Waffen. Der Anführer brüllte wieder. Sarah schüttelte einfach nur den Kopf. Der Anführer holte mit dem Lauf seiner Waffe aus, und ich dachte schon, er wolle ihn Sarah ins Gesicht stoßen, doch da riss sich Charlie los und rannte den Strand entlang zu der Felsspitze, an der wir saßen. Er rannte mit gesenktem Kopf, und sein Batman-Umhang flatterte hinter ihm her, und zuerst lachten die Soldaten nur und schauten ihm nach. Doch der Anführer lachte nicht. Er schrie seine Männer an, und einer hob das Gewehr und richtete es auf Charlie. Die Frauen um mich herum keuchten auf. Eine von ihnen kreischte. Es war ein verrückter, schockierender Laut. Ich hielt es erst für einen Seevogel und sah nach oben, doch als ich mich wieder zu Charlie wandte, spritzte ein Sandstrahl aus dem hartem Boden neben ihm auf. Zuerst wusste ich nicht, was das bedeutete. Dann begriff ich, dass es ein Schuss gewesen war. Ich schrie. Der Soldat bewegte den Gewehrlauf und zielte erneut. Da sprang ich auf und rannte auf Charlie zu.

Ich rannte so schnell, dass mein Atem brannte, und ich schrie den Soldaten zu, *Nicht schießen, nicht schießen, ICH BIN DIEJENIGE, DIE IHR SUCHT*, und ich rannte mit halb geschlossenen Augen und spreizte eine Hand vor meinem Gesicht, als könnte ich mich damit vor der Kugel schützen, die mich treffen würde. Ich rannte, krümmte mich wie ein Hund vor der Peitsche, doch die Kugel kam nicht. Der Anführer der Soldaten rief einen Befehl, und der Mann nahm das Gewehr herunter. Alle Soldaten standen da, die Hände an der Seite, und schauten zu mir.

Charlie und ich trafen uns auf halbem Weg zwischen der Felsspitze und den Soldaten. Ich kniete mich hin und breitete die Arme aus. Sein Gesicht war verzerrt vor Angst, und ich hielt ihn fest, während er an meiner Brust weinte. Ich wartete, dass mich die Soldaten holten, doch sie kamen nicht. Der Anführer stand da und schaute zu, und ich sah, dass er sich das Gewehr wieder umgehängt hatte und sich am Kopf kratzte. Dann sah ich Sarah, die Hände hinter dem Kopf, wie sie schrie, man solle sie loslassen, während einer der Soldaten sie festhielt.

Es dauerte lange, bis Charlie aufhörte zu schluchzen und den Kopf hob. Ich schob die Batman-Maske ein bisschen zurück, damit ich sein Gesicht sehen konnte, und er lächelte mich an. Ich lächelte zurück, in diesem Augenblick, den mir der Anführer der Soldaten gewährte, dieser einen Minute der Würde, die er mir, ein Mensch einem anderen, bot, bevor er seine Männer über den harten Sand schicken würde, um mich zu holen. Hier war er endlich: der stillste Teil des Spätnachmittags. Ich lächelte Charlie an und begriff, dass er frei sein würde, selbst wenn ich es nicht war. Auf diese Weise würde das Leben in mir ein Zuhause in ihm finden. Es war kein trauriges Gefühl. Ich spürte, dass mein Herz leicht davonflog wie ein Schmetterling, und dachte, *ja*, das ist es, etwas in mir hat überlebt, etwas, das nicht mehr weglaufen muss, weil es mehr wert ist als alles Geld der Welt, und seine Währung, sein wahres Zuhause, ist das Leben. Nicht nur das Leben in diesem oder jenem Land, sondern das geheime, unwiderstehliche Herz des Lebens. Ich lächelte Charlie an und wusste, dass die Hoffnungen der ganzen Menschenwelt in eine einzige Seele passten. Das ist ein guter Trick. Man nennt es *Globalisierung*.

»Alles wird gut für dich, Charlie«, sagte ich.

Doch Charlie hörte nicht zu – er kicherte schon wieder und strampelte und wollte hinunter. Er schaute über meine Schulter zu den einheimischen Kindern, die noch immer an der Felsspitze in der Brandung spielten.

»Lass mich los! Lass mich los!«

Ich schüttelte den Kopf. »Nein, Charlie. Heute ist es sehr heiß. Du kannst nicht in deinem Kostüm herumlaufen, sonst wirst du gekocht, ganz ehrlich, und dann kannst du nicht mehr für uns gegen die Bösen kämpfen. Zieh jetzt dein Batmankostüm aus, jetzt gleich, und dann bist du du selbst und kannst dich im Meer abkühlen.«

»Nein!«

»Bitte, Charlie, du musst es tun. Es ist wichtig für deine Gesundheit.«

Charlie schüttelte den Kopf. Ich stellte ihn in den Sand und kniete mich neben ihn und flüsterte ihm ins Ohr: »Charlie, weißt du noch, dass ich dir versprochen habe, dir meinen richtigen Namen zu sagen, wenn du dein Kostüm ausziehst?«

Charlie nickte.

»Willst du meinen richtigen Namen immer noch wissen?«

Charlie neigte den Kopf zur Seite, so dass beide Fledermausohren umklappten. Dann neigte er ihn zur anderen Seite. Schließlich schaute er mich an.

»Wie ist dein richtiger Name?«, flüsterte er.

Ich lächelte. »Ich heiße Udoh.«

»Uuh-dooh?«

»Genau. Udoh bedeutet *Frieden*. Weißt du, was Frieden ist, Charlie?«

Er schüttelte den Kopf.

»Frieden ist eine Zeit, in der alle Leute ihren richtigen Namen sagen können.«

Charlie grinste. Ich schaute über meine Schulter. Die Soldaten kamen jetzt über den Sand auf uns zu. Sie gingen langsam, die Gewehre auf den Sand gerichtet, und während sie gingen, rollten die Wellen heran und brachen sich eine nach der anderen auf dem Strand, sie hatten das allerletzte Ende ihrer Reise erreicht. Die Wellen rollten und rollten, und ihre Macht nahm kein Ende, sie waren kalt genug, um ein junges Mädchen aus seinen Träumen zu wecken, und laut genug, um die Zukunft zu erzählen und neu zu erzählen. Ich senkte den Kopf und küsste Charlie auf die Stirn. Er starrte mich an.

»Udoh?«, fragte er.

»Ja, Charlie?«

»Ich zieh jetzt mein Batmankostüm aus.«

Die Soldaten hatten uns fast erreicht.

»Mach schnell, Charlie«, flüsterte ich.

Zuerst nahm Charlie die Maske ab, und die einheimischen Kinder keuchten auf, als sie seine blonden Haare sahen. Ihre Neugier war größer als ihre Angst vor den Soldaten, und sie kamen auf ihren dünnen Beinen zu uns herübergerannt, und als Charlie den Rest seines Kostüm auszog und sie seinen mageren weißen Körper sahen, sagten sie *Wah!* Denn so ein Kind hatte man hier noch nie gesehen. Und dann lachte Charlie und glitt aus meinen Armen, und ich stand auf und war ganz still. Hinter mir spürte ich die weiche Erschütterung, die die Soldatenstiefel im Sand verursachten, und vor mir rannten alle Kinder mit Charlie zu der Stelle, wo sich das Wasser am Felsen brach. Ich spürte die harte Hand eines Soldaten auf dem Arm, drehte mich aber nicht um. Ich lächelte und sah Charlie mit den Kindern davonlaufen, den Kopf gesenkt, seine Arme glücklich kreisend wie Propeller, und ich weinte vor Freude, als die Kinder alle zusammen im funkelnden Schaum der Wellen spielten, die sich an der Felsspitze zwischen den Welten brachen. Es war wunderschön, und dieses Wort würde ich den Mädchen zu Hause nicht zu erklären brauchen, und ich brauche es auch euch nicht zu erklären, denn wir sprechen jetzt alle dieselbe Sprache. Die Wellen schlugen noch immer gegen den Strand, zornig und unwiderstehlich, aber ich betrachtete all die lachenden und tanzenden und in Salzwasser und Sonnenlicht planschenden Kinder, und ich lachte und lachte und lachte, bis ich das Geräusch des Meeres übertönte.

Anmerkungen und Dank

Danke, dass Sie diese Geschichte gelesen haben. Die Figuren sind fiktiv, obwohl die Handlung in einer Realität spielt, die an unsere eigene erinnern soll.

Das »Ausreisezentrum Black Hill« existiert in Wirklichkeit nicht. Allerdings dürfte den Tausenden Asylsuchenden, die in den zehn echten Abschiebehaftanstalten[1], die zur Entstehungszeit dieses Buches in Großbritannien existierten, interniert waren, einiges bekannt vorkommen. Die Beschreibungen beruhen auf den Zeugnissen ehemaliger Insassen.

Auch der Strand, an dem Sarah und Little Bee einander zum ersten Mal begegnen, hat kein bestimmtes Vorbild, wenngleich die ethnischen und ölbedingten Konflikte, vor denen Little Bee flieht, real sind und in der Delta-Region Nigerias, des zurzeit achtgrößten Ölexporteurs der Welt[2], noch immer existieren. Während ich diesen Roman schrieb, war Nigeria übrigens auch der zweitgrößte afrikanische Exporteur von Asylsuchenden nach Großbritannien[3].

Als Herkunftsland von Asylsuchenden ist Jamaika we-

[1] Quelle: Border Agency des britischen Innenministeriums, s. http://www.bia.homeoffice.gov.uk/managingborders/immigrationremovalcentres

[2] Quelle: Energy Information Administration der USA, »Top World Oil Net Exporters 2006«

[3] Quelle: britisches Office for National Statistics, »Applications received for asylum in the United Kingdom, excluding dependants, by nationality, 1994 to 2002«

niger bedeutend, obwohl während desselben Zeitraums zwischen einhundert und tausend Jamaikaner pro Jahr als Asylsuchende nach Großbritannien kamen[4].

Im Roman werden gelegentlich Zitate in den Text eingefügt, auf die ich hier hinweisen möchte. (Sollte mir versehentlich etwas entgangen sein, bitte ich um Nachsicht.) Der Roman beginnt mit einem Zitat, das mitsamt dem orthographischen Fehler der Veröffentlichung ›Life in the United Kingdom‹ des britischen Innenministeriums entnommen wurde, ISBN 0113413025, fünfte Auflage 2005. »Solange der Mond auch verschwindet, irgendwann muss er wieder scheinen« stammt von der Internetseite www.motherlandnigeria.com. Das Ave Maria auf Ibo wurde der Seite *Christus Rex et Redemptor Mundi* auf www.christusrex.org entnommen. Der ziemlich brillante Satz »Es ist nicht nachvollziehbar, wie jemand mit Monatsbinden Missbrauch treiben sollte« ist ein wörtliches Zitat aus dem Sonderbericht des Bedfordshire County Council vom 18. Juli 2002, in dem die Untersuchung des Brandes in der Abschiebehaftanstalt Yarl's Wood vom 14. Februar 2002 dokumentiert wird, und wird Loraine Bayley von der Campaign to Stop Arbitrary Detention at Yarl's Wood zugeschrieben.

Einzelheiten zum Abschiebehaftsystem in Großbritannien lieferte Christine Bacon, die große Geduld mit mir bewiesen hat. Die unter ihrer Regie entstandenen *Asylum Monologues*, aufgeführt von den *Actors for Refugees* in Großbritannien und Australien, haben mich zu diesem Projekt inspiriert. Außerdem las Christine freundlicherweise mein Manuskript und räumte mit einigen falschen Vorstellungen auf. Allen Interessierten kann ich ihren aufschlussreichen Aufsatz für das University of Oxford Studies Centre mit dem Titel *The Evolution of Immigration Detention in the UK:*

[4] Ebd.

316

The Involvement of Private Prison Companies wärmstens empfehlen. Er ist auf www.rsc.ox.ac.uk/PDFs/RSCworking-paper27.pdf verfügbar.

(Falls dieser Link oder andere nicht mehr funktionieren sollten, können Sie die Dokumente von meiner Internetseite www.chriscleave.com herunterladen.)

Hintergrundinformationen zu den medizinischen und sozialen Aspekten von Einwanderung und Asyl bekam ich von Dr. Mina Fazel, Bob Hughes und Teresa Hayter – die Originalinterviews mit ihnen finden Sie ebenfalls auf meiner Internetseite.

Alles Gute an diesem Roman verdanke ich den freundlichen Menschen, die mir geholfen haben; alle Fehler stammen von mir.

Mein Dank gilt Andy und Olivia Paterson für ihre ausgezeichneten Anmerkungen zum ersten Entwurf. Dank auch an Sharon Maguire und Anand Tucker für ihre Wärme und Unterstützung.

Vielen Dank an Bob Hughes und Teresa Hayter für ihre Gastfreundschaft, Ermutigung und dafür, dass sie mein Manuskript gelesen und Vorschläge gemacht haben.

Zutiefst verpflichtet bin ich auch Suzie Dooré, Jennifer Joel, Maya Mavjee, Marysue Rucci und Peter Straus, deren geduldige Lesedurchgänge und kluge Anmerkungen zu meinen Entwürfen von unschätzbarem Wert waren. Ich danke euch.

Chris Cleave, London, 16. Juni 2008
www.chriscleave.com

Wenn dein Gesicht geschwollen ist von den harten Schlägen, die das Leben dir versetzt hat, dann lächle und tu so,
als seist du ein wohlbeleibter Mensch.

Nigerianisches Sprichwort